LE MASQUE
ET LA LUMIÈRE

DU MÊME AUTEUR

Antigone ou l'espérance, *1947*
Essai de poétique médiévale, *1972*
Langue, texte, énigme, *1975*

CHEZ D'AUTRES ÉDITEURS

Histoire littéraire de la France médiévale,
Presses universitaires de France

Langue et Techniques poétiques
à l'époque romane,
Klincksieck

Le Puits de Babel,
Gallimard

Victor Hugo, poète de Satan,
Laffont

PAUL ZUMTHOR

LE MASQUE
ET
LA LUMIÈRE

La poétique
des Grands Rhétoriqueurs

ÉDITIONS DU SEUIL
27, rue Jacob, Paris VIe

CE LIVRE
EST PUBLIÉ DANS LA COLLECTION
POÉTIQUE
DIRIGÉE PAR GÉRARD GENETTE
ET TZVETAN TODOROV

ISBN 2-02-004786-1

« Déguisements, travestissements, dominos. On appelle cela se masquer. C'est tout le contraire. Tous ces gens-là viennent ici s'appliquer sur la face le vrai visage sincère qui ne trompe pas. »

Victor Hugo, *Mille francs de récompense*, édition J. Massin, *Œuvres*, XIII, p. 340.

« Dis moy qui gist icy sans que point tu m'abuses ?
— Cy gist l'amy privé d'Apollo et des Muses.
— Quelz choses avec lui sont mortes et transies ?
— Dits subtilz, savoureux, jeux, ris et facéties... »

Épitaphe de Molinet, par Jean Lemaire de Belges, Stecher, IV, p. 318.

Les rhétoriqueurs

Les mal aimés. Les mal nommés, d'un terme confectionné au XIXᵉ siècle par quelque historien inattentif, puis consacré par les lexicographes [1]... Un peu comme l' « amour courtois », dont on a tant et trop disserté après que Gaston Paris, en 1883, eut inventé l'expression. Mais le mot, quelle qu'en ait été la forge, cristallise un concept, et celui-ci suscite son objet, découpé dans le continuum des formes. Qu'il s'agisse d'histoire et de textes, le concept (on l'observe souvent) fait moins encore violence à l'objet qu'il dénote, qu'il ne lui confère une équivoque existence à laquelle, sans le mot, il n'eût peut-être pas eu droit.

Ainsi du collectif à quoi semble référer ce « rhétoriqueur », abusivement extrait par d'Héricault, en 1861, d'une tirade moqueuse de Coquillart en appelant, dans la satire des *Droits nouveaux* (1481), aux « sophistiqueurs », « topiqueurs », « décliqueurs » et autres classes fantasmagoriques, dont les « rhétoriqueurs », tous cauteleux brasseurs de sophisme, topique, *déclique* (bavardage) et rhétorique, c'est-à-dire, semble-t-il, les gens de justice; néologisme burlesque que l'on retrouve, avec le sens approximatif de « phraseur pompeux », çà et là dans quelques diatribes du XVIᵉ siècle, mais que l'on ne saurait, malgré l'autorité douteuse du *Grand Larousse encyclopédique*, puis des historiens de la littérature depuis Petit de Julleville, tenir pour la désignation d'un objet déterminable, encore moins pour une autodésignation : le prétendu « nom que se donnèrent un certain nombre de poètes... » (Robert, après d'autres).

Une coutume ne s'en est pas moins établie de regrouper sous ce titre un « nombre » très flottant d'auteurs de la seconde moitié du XVᵉ siècle et de la première du XVIᵉ; et le fait subsiste, de quelque concentration (à plus ou moins haut degré), dans plusieurs textes de cette époque, de caractères communs, inégalement contrastant avec ceux qui prédominent dans d'autres textes, antérieurs, contemporains ou postérieurs. Supposé qu'une définition, à défaut même de sa symbo-

1. Jodogne, 1970, p. 152-156.

lisation par un mot, fût utile ou nécessaire, elle ne saurait porter que sur ces concentrations comme telles, non sur un ensemble de totalités textuelles. Elle devrait répondre à deux questions principales et à un corollaire : question poétique, relative au mode de fonctionnement des textes; question historique, relative à la présence ou à l'absence de divers traits; accessoirement, question critique, tendant à une (re)valorisation de l'écriture que l'on aura ainsi identifiée. Sur ces trois plans, le terrain demeure à peu près vierge : de rares travaux d'approche en ont jusqu'ici tout juste débroussaillé les alentours [1].

Seule une démarche inductive se justifie. Mais d'emblée elle soulève une difficulté : sur quelles bases établir le corpus des textes à considérer ? Force est de procéder de manière empirique : par confrontation avec ce qui déjà a été fait, même mal; appréciation des critères jusqu'ici utilisés, même arbitraires; et choix.

La liste des rhétoriqueurs dressée jadis par Guy, dans le seul livre d'ensemble (exécrable d'ailleurs) qui leur ait été consacré en français, a pris valeur presque canonique. Elle distingue, autour d'un groupe de « grands rhétoriqueurs », les « précurseurs », auxquels souvent ils se réfèrent expressément, puis les « petits rhétoriqueurs » (question de taille ou de nombre de vers ?), cependant que divers marginaux se casent incommodément entre ces sièges. Au total, quarante-six noms, la plupart de personnages connus, assez bien situables socialement. Aux ouvrages dont ils sont les auteurs on ajouta, depuis Guy, divers textes anonymes, comme le « Recueil Montaiglon » des blasons.

On pourrait me reprocher, partant de ce canon, de prendre pour acquis ce qu'il s'agit de déceler. Mais une telle objection serait spécieuse : l'observation doit porter sur une quantité restreinte et déterminée de textes, dont l'analyse fournira les critères internes permettant de dégager les traits fondamentaux d'une poétique. Ces traits une fois fixés, on en constatera la présence, plus ou moins pure ou altérée, dans d'autres textes. Il s'agit moins ici en effet de cerner historiquement un groupe d'hommes qualifiés de « rhétoriqueurs » que de reconstruire les lois ou tendances sous-jacentes à une poétique manifestée dans divers ouvrages des xvᵉ et xviᵉ siècles. On parlera, pour simplifier, de « poétique des rhétoriqueurs », sans attacher à cette étiquette plus d'importance qu'elle n'en a.

L'ensemble constitué par les monographies de Guy et de la plupart

1. Saulnier, 1964; Spaak, Munn, Wolf, Frappier, 1963 *a* et *b*; Jodogne, 1972 *a* et 1972 *b*, p. 656-659 et 995; Kerdaniel, Hue, Cigada..., 1965 et 1968 ; Angeli, 1977.

de ses utilisateurs embrasse près d'un siècle d'histoire : raison pour suspecter la pertinence de ses limites. Si l'on veut en effet parvenir au genre de définition que je suggère, la tâche initiale est de saisir le moment et l'espace où se manifeste de la façon la plus provocante la concentration d'indices concourants et combinés. Considérés isolément, ou en combinaisons plus lâches (sinon tout à fait aléatoires), ces indices ne feraient que renvoyer à des phénomènes discontinus, que l'on pourrait certes retenir en vue de décrire les caractères d'une période longue (« les xive et xve siècles », ou « de 1400 à 1550 », ou « la pré-Renaissance » : tous découpages *a priori*), mais dont seules les inter-relations et, pour ainsi dire, l'urgence portent sens assez net pour se prêter à la théorisation. On ne peut, si l'on tient à le « connaître », étudier un champ en extension; une réduction s'impose.

Plusieurs paramètres externes permettent de resserrer le catalogue de Guy : c'est à quoi l'on tend aujourd'hui, bien que les résultats d'une telle procédure diffèrent, dans le détail, selon les historiens. Cohérences dans le groupement géographique, les relations interpersonnelles, les dates, d'une part; dans une certaine conscience, affirmée (peu importe qu'elle soit fictive : qui le dira ?) de la fonction d'écrivant, d'autre part. Se dégage ainsi une avant-scène, occupée par plusieurs représentants de la génération qui parvint à l'âge adulte vers 1500, comme d'une partie de celle qui s'éteignait alors. Une double polari-sation spatiale, non absolument dominante, y distingue sommairement deux sous-ensembles : l'un, dans les terroirs de Bourgogne, à l'époque la plus ancienne, sous les ducs Philippe le Bon et surtout Charles le Téméraire, puis sous la duchesse Marguerite, gouvernante des Pays-Bas; l'autre, dans la France royale, à l'époque plus récente, sous Charles VIII, la reine Anne, Louis XII, François Ier. J'isole ainsi (pour n'excéder qu'exceptionnellement ces limites) la période de 1470 à 1520 environ [1] : une cinquantaine d'années au cours desquelles j'opère un échantillonnage selon ces critères mêmes; en gros, sur les trois générations qui entrent dans la vie publique vers 1440-1450, 1460-1470 (Molinet fait alors figure de chef de la « nouvelle vague ») et vers 1480-1490, et dans trois milieux sociaux : les cours ducales, celle du roi et, accessoirement, les confréries des « puys ». Les traits poétiques que je relèverai comme pertinents présentent chez certains de « mes » poètes (Molinet, Cretin, le jeune Lemaire) une grande densité; chez d'autres (Gringore, Baude), c'est leur distribution qui diffère; ailleurs (chez Bouchet, dans une moindre mesure chez Jean Marot), ils sont plus dilués. Au-delà, on en distingue des traces dans quelques œuvres

1. Saulnier, 1973, p. 15-16.

du même temps auxquelles je ferai allusion, référant surtout à Villon.

Ma liste embrasse ainsi :

— l'ensemble de l'œuvre de Jean Meschinot, Jean Robertet, Jean Molinet, Jean Lemaire de Belges, Guillaume Cretin, Jean Marot, à qui j'ajoute çà et là des confirmations tirées de celle de Jean Parmentier [1];

— quatre ouvrages ou groupes d'ouvrages choisis pour leur caractère particulier : les *Fantasies de Mère Sotte* de Pierre Gringore, les *Dictz moraulx* d'Henri Baude, les deux séries d'épîtres de Jean Bouchet, et trois poèmes hagiographiques de Destrées.

A titre accessoire, je me référerai à deux auteurs assez difficiles d'accès, car ils n'ont été l'objet ni d'édition ni de réimpression depuis le xvie siècle : André de La Vigne et Octavien de Saint-Gelays.

En revanche, j'intègre au corpus deux textes anonymes : l'un, relativement ancien, qui servira avec Meschinot de témoin de la première cristallisation d'une poétique, l'*Abuzé en cour*, qui fut parfois abusivement attribué au « roi » René d'Anjou, et le *Lyon couronné* bourguignon, contemporain des premiers écrits de Molinet.

Enfin je recourrai, dans la mesure où ils marquent sur plusieurs points les limites extrêmes de cette poétique, aux exemples fournis par divers traités de versification composés entre le milieu du xve siècle et 1540.

Chronologiquement (si l'on admet que les dates suivant le nom des poètes désignent approximativement leurs années d'activité), cela donne : l'*Abuzé* (entre 1450 et 1470), Meschinot (1450-1490), Baude (1460-1495), Molinet (1460-1505), Robertet (1465-1500), le *Lyon* (1467), André de La Vigne (1485-1515), Saint-Gelays (1490-1505), Cretin (1495-1525), Lemaire (1495-1515), Bouchet (1495-1550), Destrées (1500-1515) Gringore (1500-1535), Marot (1500-1525), [Parmentier (1515-1530)].

Ce sont, dans les chapitres qui suivent, ces auteurs-là que je désignerai par l'expression conventionnelle de « rhétoriqueurs ».

Entre les douze à quinze poètes ainsi domiciliables s'instaurent des relations amicales identiques à celles qu'entretiennent alors, à travers l'Europe, les érudits, philosophes ou théologiens que nous dénommons humanistes : correspondances, échanges de poèmes, visites, collaboration à telle œuvre collective, épitaphes réciproques, éloges. Jean Lemaire, parent et élève de Jean Molinet, lui voue un culte dont témoigne à plusieurs reprises son œuvre ; il connaît Destrées, autre élève du vieux maître. Molinet, pour sa part, est en rapport avec Guillaume Cretin, ami comme lui du musicien Okeghem et avec qui il instaure un savoureux dialogue, en prose et en vers ; il connaît et

---

1. Auquel est consacrée une thèse de doctorat faite sous ma direction (L. Brind'amour, *La Poétique de Parmentier*), encore inédite.

12

estime Octavien de Saint-Gelays. Cretin compte parmi ses familiers ou correspondants les Robertet, Jean Marot et son fils Clément, Octavien de Saint-Gelays et André de La Vigne; Jean Bouchet, ami par ailleurs de Rabelais, connut et admira le grand poète qu'était Parmentier. Par-dessus les frontières que tracent, durant un quart de siècle, les haines franco-bourguignonnes se tisse le réseau de cette *sodalitas*. Marque de temps critiques? On évoque, dans la profondeur du passé, les compagnonnages qui attachèrent jadis l'un à l'autre, par-dessus la sauvagerie d'espaces morcelés, les lettrés de l'époque carolingienne [1]; ceux que tentent de promouvoir et de maintenir, par associations et colloques, les universitaires et les technologues d'aujourd'hui. D'où, dans les textes, une sorte de style corporatif. Rassemblement, réunion : un effort qui tend, par-delà les initiatives individuelles, à quelque institutionnalisation. On poserait à juste titre la question : l'Institution littéraire ne proviendrait-elle point, en dernière analyse, de nos rhétoriqueurs? On verra, dans la suite de ce livre, l'ambiguïté de la réponse qu'il convient d'y donner. Un ensemble de traditions, parfois fort anciennes, et sur lesquelles j'aurai à revenir, affecte, en cette fin du xve siècle, de règles constantes la texture du discours non moins que son ordonnance, ses hiérarchies, ses récursivités, au niveau d'un travail artisanal, aux phases distinctes, lentes, difficiles : communication orale, en petit cercle d'amateurs, d'un brouillon préalablement noté (mais qui, en certains cas, ne fera qu'enregistrer une improvisation première); puis révision, addition de la dédicace, copie ou dictée au calligraphe, diffusion, de main à main (plus rarement, par le truchement mercantile du libraire), de cette version définitive. Pourtant, ce que nous appelons « littérature » n'a pas été identifié comme tel durant les siècles du Moyen Age; le mot, dans le sens où nous l'entendions hier encore [2], ne s'instaurera pas avant la fin du xviiie siècle. Une constellation lexicale, je le dirai, en tient (très mal, et avec des connotations fort différentes) lieu dès le milieu du xve. Les organes manquent encore, qui assureraient à ce langage un pouvoir réel. Pourtant, une coupure est d'ores et déjà en train de s'opérer, un retranchement en deçà de bornes qui, virtuellement, isolent l'écrivant de la vaste communauté des hommes et de leurs besoins vécus.

Par où commencer ?
J'entends en un sens très particulier cette question que naguère posait Barthes : moins en ce qu'elle interroge sur la chronologie d'une

---

1. Zumthor, 1975, p. 25-26.
2. Macheray, p. 13-15 et 69-75.

analyse que sur une sélection parmi les individus d'une population. S'agissant d'un corpus : par lequel de ces textes ? Le besoin d'unifier ce livre sans le distendre mais aussi la volonté de coller au concret m'imposent de partir de l'observation d'un objet indiscutable, perceptible par les sens — la vue, l'ouïe, le toucher, et cette gesticulation de la bouche qui prononce, fût-ce à mi-voix : un *volume*, de faible dimension afin que l'œil, l'oreille, la main, la bouche, malgré leurs limitations perceptives, le puissent étreindre dans sa globalité, ouvert, derrière le paravent de son titre, par une lettre majuscule et s'achevant sur un point dit final, gardé, à sa droite, à sa gauche, d'une double marge.

J'ai, dans le choix de ce texte-matrice, écarté l'œuvre, à la fois quantitativement et qualitativement très intéressante, de Jean Lemaire : la plupart des études récentes sur les rhétoriqueurs se sont concentrées autour de ce poète, considéré à tort ou à raison comme appartenant à la Renaissance du XVIᵉ siècle plus qu'à la tradition médiévale [1]. De toute façon, plutôt qu'illustrant de manière continue la poétique des rhétoriqueurs, Lemaire marque le point d'aboutissement de ses tendances « humanistes ». Je lui ai donc préféré un auteur plus ancien, pour lequel j'ai d'emblée ressenti une vive admiration, Jean Molinet. Un tel accord spontané, dans la mesure même où il instaure un climat de dialogue virtuel et de sympathie réciproque, et fait peser sur le texte une demande (au sens libidinal non moins que grammatical) plus instante, s'intègre nécessairement à la méthode en contribuant à son dynamisme. Parmi les richesses, il est vrai inégales, que recèle le recueil des *Faictz et Dictz*, j'ai isolé un texte de longueur moyenne, la *Ressource du petit peuple* (que je reproduis en appendice). Texte d'une rare densité, si l'on entend par ce mot, à la suite de Greimas [2], le nombre de relations intra- et extra-textuelles dont doit rendre compte la construction de l'objet poétique. La circonstance historique et la diversité des discours impliqués par l'intertexte présentent, grâce à la richesse de nos sources d'information, une clarté, sinon une évidence, qui fait trop souvent défaut dans l'étude d'ouvrages médiévaux. La constitution linguistique, enfin, de la *Ressource*, mêlant prose et vers, quoique non exceptionnelle au XVᵉ siècle, offre à l'analyse une complexité éminemment favorable. La « réception » de cette œuvre, autant qu'on en peut juger à sa tradition manuscrite, témoigne de l'importance qu'on lui attribua durant le demi-siècle et plus qui suivit sa

1. Doutrepont, 1934; Frappier, 1963 *a* et *b;* Simone, 1968, p. 192-198; Jodogne, 1971 *b* et 1972 *a;* Rigolot, 1973; Abélard, 1974 et 1976; Bergweiler; cf. Becker, 1970, et Munn, p. 148 et 189-205.
2. Greimas, 1972, p. 17.

14

composition : quoique la — ou les — copie ancienne soit perdue, le texte nous a été conservé par huit manuscrits du XVIᵉ siècle; il figure dans l'édition que procura Jehan Longis, en 1531, de divers ouvrages de Molinet, et fit dès 1500 environ l'objet d'une édition séparée, parue à Valenciennes, sur les presses de Jean de Liège... Cette situation suppose, semble-t-il, que le succès de la *Ressource*, c'est-à-dire la force de son appel à la lecture, de la provocation qu'elle manifestait, crût inversement à la vivacité de l'impression immédiate faite sur les lecteurs potentiels par les événements de 1480-1481, date de sa composition.

Cette situation chronologique n'est pas sans avantage : en diachronie (et par figure), on peut considérer que la *Ressource* fournit un modèle complexe dont les éléments restent déterminants pour les autres textes du corpus, presque tous postérieurs. Je me référerai donc spécialement à elle, demandant à mes autres témoins des confirmations, les preuves parfois de développements imprévisibles et, dans quelques cas, de transformations plus radicales. Je procède ainsi par projection, d'un centre dont je fais mon lieu, vers la zone immédiatement circonvoisine, puis, de façon au moins virtuelle, vers la vaste nébuleuse que forme, en toutes ses parties, la « littérature » du même temps.

Toile de fond sur laquelle se profilent les auteurs ici en cause, aire de discours et de traditions dans laquelle s'inscrivent leurs textes, cette « littérature » importe de plusieurs manières à la définition de leur poétique. Je reviendrai à diverses reprises sur ce point. Néanmoins, il n'est pas inutile de prendre aussi bien les choses à rebours et de signaler une fois pour toutes que bien des traits que nous serons amenés à distinguer dans le corpus se retrouvent, généralement épars et atténués, dans l'ensemble des textes de l'époque... à l'exception, remarquable, de ce qui fut, en France, l'un des bricolages les plus novateurs d'antiques traditions narratives : la « nouvelle [1] ». Partout ailleurs que dans ce « genre », le récit fictionnel, pour des raisons dont il faudra rendre compte, reste alors fondamentalement soit chevaleresque et courtois à l'ancienne manière, soit allégorique. Seuls les *Arretz d'amours* de Martial d'Auvergne offrent un exemple médian [2].

Les rhétoriqueurs ont conscience de ces liens, qu'ils reconnaissent, en contexte admiratif, sans du reste préciser leur nature. Peut-être

---

1. Dubuis, 1973 *a*.
2. Zumthor, 1972 *a*, p. 403.

voit-on se former ainsi la future idée du « chef-d'œuvre ». Jean Bouchet, qui ne connut qu'après 1500 l'œuvre des poètes bourguignons, cite avec éloge Alain Chartier, Martin Le Franc, Georges Chastellain, Arnoul Greban, Meschinot, Jean d'Auton, Octavien de Saint-Gelays, Molinet, Cretin, André de La Vigne, Jean Marot, Jean Lemaire. Les mêmes noms reviennent sous plusieurs autres plumes [1]. Pour tous, le grand maître est Chastellain. Les divers *Arts de seconde rhétorique*, compilés entre 1450 et 1525 et qui, nous le verrons, codifient pour une grande part l'usage des « rhétoriqueurs », ajoutent à cette liste Eustache Deschamps, Guillaume Alexis, Charles d'Orléans, Christine de Pisan, Froissart, Jean Vaillant, Jean Castel, Jean de Wissoq et quelques autres plus anciens, comme Jeannot de Lescurel, Baudoin de Condé, voire Pétrarque [2] : aux yeux de leurs auteurs, modèles de l'art poétique.

Quoiqu'ils aient brisé un ressort du moteur traditionnel, changé la pièce et le régime, nos rhétoriqueurs soulignent plutôt, programmatiquement, ce qui les attache à la pratique textuelle de leur siècle. Ils insistent peu, en revanche, sur leur parenté avec les poètes de langue latine : nous aurons à la signaler. Du moins, ce qu'ils vantent, en se réclamant de ces émules, sinon de ces ancêtres, c'est un certain ton pathétique, orné de métaphores longuement filées, truffé de citations, de renvois allusifs, en même temps qu'une aptitude à provoquer en mineur, par le choc des connotations, l'effet poignant de réel, dans un discours à multiples niveaux : ton qui régna, en fait, absolument dans tous les ateliers littéraires de Bourgogne jusque bien après la conquête française [3]. Se situant ainsi ouvertement dans un cadre à la fois vaste et un peu flou, mais mainteneur de valeurs auxquelles ils professent leur adhésion, les rhétoriqueurs y revendiquent les droits du travail comme tel, de la maîtrise technique, de la virtuosité du jeu... jusqu'au point de rupture d'un équilibre qu'aucun d'entre eux n'a jamais désigné.

D'où, plus tard, les malentendus qui égarèrent à leur propos les professionnels de l' « histoire littéraire ». Lorsque, vers le milieu du XIXe siècle, se constitua, dans son statut universitaire, cette discipline, l'idée se répandit, chez des savants peu sensibles aux prestiges propres du langage, qu'entre le *Testament* de Villon et les débuts de Clément Marot (de 1460 à 1515) règne dans les lettres françaises, sinon européennes, un vide poétique à peu près total. Incompréhension et rejet : en ce qui concerne les rhétoriqueurs, alors redécouverts, le responsable

1. Châtelain, 1974, p. VIII-IX.
2. Cf. Langlois, index.
3. Doutrepont, 1970; Thibaut, p. 103-133.

semble avoir été Theureau dans son livre sur Marot : de là, les erre-
ments d'un Guy, d'un Lanson. Une réaction se dessina sporadiquement à partir de 1920-1930, mais ne devint générale (dans le milieu
étroit des spécialistes) qu'après 1960. C'est une haute époque de la
poésie qu'aujourd'hui l'on est porté à situer entre 1460 et 1520 ou
1450 et 1530, selon les critiques [1]. Retournement de perspective qui
s'inscrit dans la dialectique de la « réception » d'un certain type de
poésie, au sens que Jauss et ses élèves ont donné à ce terme : actuali-
sation d'un potentiel significateur déposé dans l'œuvre et qui, à quelque
carrefour d'horizons, s'ouvre à un jugement de compréhension
qui « concrétise » le virtuel [2]... ici, par-delà une mutation des idéo-
logies, des besoins et des goûts.

Une idée perce, lentement, parfois contradictoirement, au cours du
xvᵉ siècle : celle d'un savoir nouveau, impliqué dans la formalisation
poétique du langage. Les anonymes *Règles de seconde rhétorique*
(vers 1430 ?) énumérant « les premiers rhétoriques », entendez
« ceux qui posèrent les fondations de notre pratique », ouvrent
l'inventaire par Maître Guillaume de Saint-Amour, « le premier qui
traita de la nouvelle science », versent au dossier le *Roman de la
Rose*, passent à Philippe de Vitry, « qui trouva la manière... », à
Guillaume de Machaut, « le grand rhétorique de la nouvelle fourme »,
et à une vingtaine d'autres « qui ensivent les règles [3] ». L'auteur de
cet opuscule se voit donc placé au terme d'un long effort inventif,
producteur d'une mutation, qu'il proclame sans la définir autrement
que par les mots clés de *science, forme* et *nouvelle*. C'est à ce *moment*
(au sens de conjonction décisive de forces) que surgissent les « rhétoriqueurs ». Dans l'ensemble des *Arts* publiés par Langlois, l'adjectif
moderne qualifie huit fois, seule détermination spécifique, soit les
poètes, soit les ouvrages dont traitent ces textes.

N'est-ce point quelque impression de nouveauté confirmée, même
parasitée de malentendus, qui valut à la plupart d'entre les rhétoriqueurs la gloire dont ils jouirent de leur vivant ? Ils opéraient, sous le
couvert d'un conformisme affiché, une rupture de fait avec les raisons
de ce conformisme. Aux alentours de 1500, c'est eux qui portaient, en
langue française, les couleurs de la « modernité ». Les *clausulae humi-
litatis* auxquelles plusieurs d'entre eux recourent à l'envi trahissent,
sous le voile d'une convention séculaire [4], la contradiction qu'ils

1. Schmidt, 1963; Simone, 1968, p. 170-174; Jodogne, 1971 *a*, p. 152-153 et 158-
159; McClelland, p. 313-314; Trisolini, p. 16-17.
2. Warning, p. 24 et 138.
3. Langlois, p. 11-14.
4. Curtius, p. 103-106.

ressentent entre la haute idée qu'ils se font de leur fonction de manœuvriers du verbe et l'étroitesse du matériau traditionnel dont ils disposent. Molinet se plaint de la « ténuité de [son] engin »; Saint-Gelays, de sa plume « rurale et agreste »; Destrées, de son « petit et très faible entendement »; Cretin même, de son « gros sens », « très étique en élégance », lui « simple homme ignorant »[1]... De telles déclarations semblent renier l'importance que, en fait, attache à la parole des rhétoriqueurs et à leur « savoir » le public qui les reçoit. Importance dont témoignent les charges dont la majorité d'entre eux furent dignifiés.

Lumière de la cour de Bretagne, Meschinot, qu'appréciait aussi bien le prince-poète Charles d'Orléans, était proclamé par Chastellain arbitre du « goût nouveau », dont il était flatteur de pouvoir se dire l'élève. Ses *Lunettes des princes* connurent un aussi grand succès de librairie que le *Testament* de Villon[2] et l'*Abuzé en cour*, lequel fut onze fois édité, jusqu'en 1500, en manuscrit ou en presse. Molinet, qualifié par Lemaire de « chief souverain des orateurs et rhétoriciens », illustre dans tous les terroirs d'Europe où l'on entendait le français, est salué comme un maître par Saint-Gelays, par Cretin[3]. Lemaire, à diverses reprises dans sa jeunesse, lui emprunta un schème, un procédé, une stratégie textuelle, en particulier dans son premier grand ouvrage, le *Temple d'Honneur et de Vertu* (1503), dont la dernière partie se modèle sur la *Ressource du petit peuple*[4]. Molinet, avoue Guy, « défiait la critique, décourageait l'envie, [...] on le consultait, on l'encensait, [...] les meilleurs lui parlaient en disciples obséquieux [...] les princes eux-mêmes avaient à cœur de l'honorer[5] ». A son tour, écrivant à Cretin, il met hors de pair Saint-Gelays, élève qui le surpasse au « vergier lilifère » par son « pur savoir », par cette « voix faconde et melliflue », cette plume « qui a tracé mer, terre et sa closture » : éloges que d'autres répéteront jusque vers 1520, bien après la mort prématurée du poète[6]. Rabelais, en 1528, vante la « douceur et discipline » de Bouchet[7], à qui Jean d'Auton pour sa part écrivait, en réponse à l'envoi du *Labyrinthe de Fortune* : « J'admire en ton livre des beautés non seulement morales, mais encore historiales, allégoriques, anagogiques et tropologiques [...] J'aimerais mieux remanier le

1. Guy, p. 75-76.
2. Champion, 1966, p. 189 et 222.
3. Dupire, 1932, chap. XI; Champion, 1966, p. 432; Jodogne, 1971 *a* p. 151.
4. Jodogne, 1972 *a*, p. 174-175, 195-197, 309-310.
5. Guy, p. 171.
6. Molinier, p. 257-260.
7. Simone, 1968, p. 182.

Magnificat que de changer une lettre à tes vers. Tu laisses loin derrière toi Empédocle, Quintilien et Cicéron [...] [1]. »

Ainsi, jusqu'aux alentours de 1540. En 1539 (tandis que Gratien du Pont, dans sa *Rhétorique métrifiée*, s'en prend violemment aux détracteurs du vieil art [2]) paraît la vingt-deuxième édition des *Lunettes* de Meschinot; de 1531 à 1540, quatre éditions des œuvres poétiques de Molinet. Il en va de même de la plupart des textes rhétoriqueurs, avant le silence qui suivit... moins total qu'on ne l'a dit, comme en témoignent, au XVIIe siècle, au XVIIIe même, des allusions dispersées dans les écrits de quelques érudits ou lettrés provinciaux. On sait que Clément Marot (mort, il est vrai, dès 1544) lisait les rhétoriqueurs, parlait avec éloge de Cretin, « le souverain poëte françoys », de Saint-Gelays, au début de sa carrière, les considérant comme ses maîtres. La lecture de Meschinot ne le marqua pas moins que celle de Lemaire, dont il réédita en 1537 les *Epîtres de l'Amant vert*, et qu'il traita paronymiquement de nouvel Homère; à Baude, il emprunte, pour l'intégrer à son *Gros Prieur*, un texte où Baude lui-même démarquait peut-être une ballade de Villon. Dans une épigramme à Salel, il donne, après le Jean de Meun du *Roman de la Rose*, pour les plus grands poètes français Chartier, Chastellain, Meschinot, Greban, Molinet, Saint-Gelays, Cretin, Lemaire, avec Coquillart et Villon [3]... Dans sa complainte sur la mort de Guillaume Preudhomme, il évoque en couronne Molinet « aux vers fleuris », Octavien « à la veine gentille » (c'est-à-dire noble), « le bon Cretin au vers équivoqué, et ton Lemaire entre eux hault colloqué »,

> Tant richement sentant leur rhétorique
> Dont cil Cretin a eu la théorique
> Plus melliflue entre les bien savants [4].

La génération suivante pourtant se détourna. Les fringants ambitieux rassemblés autour de Du Bellay et de Ronsard n'avaient que faire de tels vieillards. Un coup de chapeau à Lemaire, le reste (en dépit des nuances apportées par Sébillet et le *Quintil Horatian*) n'est qu' « épicerie ». N'empêche que le président Fauchet, en 1581, au premier livre de son *Recueil de l'origine de la langue et poésie françoise*, emprunte aux *Arts* de l'Infortuné et de Fabri, héritiers de la pratique de nos poètes, sa définition de la rime [5].

---

1. Cité (résumé?) dans Guy, p. 76.
2. Zschalig, p. 59.
3. Guy, p. 175; McClelland, p. 313; Chamard, p. 147-148; Champion, 1968, p. 284; Jourda, p. 52-53; Trisolini, p. 14-16.
4. Châtelain, 1974, p. VIII.
5. Espiner-Scott, p. 126-128.

Le silence, sinon pour quelques savants de la lignée de Fauchet, dure encore. Étrange destin que celui de ces rhétoriqueurs qui, de leur temps, furent plus admirés que les musiciens et les peintres auxquels bien des liens personnels ou professionnels les attachèrent, alors que pour nous la situation s'est inversée. Qui, de Jérôme Bosch, Okeghem ou Molinet, constituerait aujourd'hui, selon la connaissance et le goût communs, l'emblème le plus significatif de la grande civilisation bourguignonne ? Pourtant, l'œuvre de tous trois manifeste une même présence absente, porte la même voix, dit le même nom.

Peut-être ce qui nous écarte de l'un est cela même qui nous rapproche des deux premiers : que l'un parle, et les autres ne le font pas. Le langage fait obstacle à la lecture, dans la mesure où, porteur comme toute forme d'une idéologie temporellement marquée, il articule celle-ci de manière plus explicite, mieux résistante à l'usure historique, de sorte qu'après un long espace de siècles il se déphase, échappe à la saisie directe, s' « estrange » en ce qui, pour notre propre parole, n'est plus que la terre inconnue de l'oubli.

Peut-être, dès lors, est-ce moins ce domaine perdu qu'il convient de redécouvrir, qu'éclairer et rendre perceptibles les articulations du discours qui lui conféra sa provisoire véracité. Non point poser je ne sais quelle continuité entre la lecture qu'en firent les hommes de 1500 et celle que nous pouvons investir de nos jours dans le même texte. Mais retrouver un rapport entre la multiplicité de sens qu'ils nous offrent et les tensions d'une histoire qui s'est dérobée.

Une telle entreprise — je ne puis ici que l'esquisser — exigerait l'exploration érudite et systématique d'un immense matériau, encore mal ou tendancieusement dépouillé et qu'il importerait de « comprendre » dans ses structures latentes ou manifestes, dans son dynamisme et, historiquement, dans ce que nomme par métaphore le mot « genèse ». Je n'entendrais point du reste ce projet comme celui de substituer, à l'aventure personnelle d'une lecture, quelque interprétation savante et close. Impossible, certes, de faire l'économie d'un appareil informatif. Il n'y en a pas moins, parmi la masse considérable des textes à nous légués par les rhétoriqueurs, beaucoup d'éminemment aptes à procurer à leur lecteur d'aujourd'hui son plaisir. Mon dessein n'est, modestement, que de faciliter à ce lecteur l'accès de tant de poèmes en lui suggérant quels en furent le fonctionnement interne et les richesses significatrices.

D'où, peut-être, une certaine ambiguïté, dont je ne suis pas inconscient : engageant tour à tour (les deux démarches répugnent à s'investir dans la même phrase) une lecture *de* et *avec* les textes, je refuse d'opter entre les solutions alternatives que l'on peut en principe donner au problème critique [1]. J'irai jusqu'à nier, s'agissant de textes de ce « temps »-là, toute légitimité d'un choix. Les rhétoriqueurs en effet occupent, au seuil de l'époque dite, parfois encore, « moderne », une position privilégiée : les facteurs qui, par la force des durées, éloignent de notre lieu critique la plupart des textes antérieurs au milieu du XVe siècle perdent à leur égard beaucoup de leur pertinence. Peu de textes nous ont été transmis anonymement; les relations vivantes de l'auteur avec le groupe social cessent d'échapper à la perception, et l'on saisit mieux (au moins, par hypothèse probable) leur mode d'insertion textuel. Or, la progression que l'on observe ainsi au niveau documentaire mesure le temps même où la civilisation européenne s'ancre de plus en plus dans la pratique de l'écriture. L'invention puis la diffusion de l'imprimerie m'apparaissent, de ce point de vue, comme un effet autant ou plus que comme une cause. Les conditions se trouvent dès lors réunies, en deçà de la grande coupure du classicisme (de 1550 jusqu'à avant-hier), qui rendent ces textes-là étonnamment proches des nôtres, sinon dans leur argumentation, du moins par leur mode de production.

L'intérêt historique (dont rend compte l'étude documentaire) découle de celui-ci. Les rhétoriqueurs se situent au terme de traditions remontant au XIVe, au XIIIe siècles, parfois bien plus haut. Un univers millénaire se clôt avec et par eux [2], et leur œuvre en cela porte sens bien au-delà des frontières de la Bourgogne et de la France. Ils ne furent en effet pas isolés dans leur monde. Aussi loin que s'étendent les aires culturelles et linguistiques de ce petit Occident qui découvrait alors l'Afrique, l'Asie et l'Amérique, on relève, avec quelques décalages chronologiques, les traces d'une poétique semblable à la leur, répondant à une demande identique du langage aux prises avec les mêmes expériences : dans l'Espagne du XVe siècle, chez les poètes du *Cancionero de Baena;* au Portugal, dès le début du XVIe avec Bernardim Ribeiro, les maniéristes du *Cancioneiro Geral,* avec Camoëns encore; en Angleterre, avec Skelton, à la fin du XVe; dans les pays flamands surtout, où la tradition des *rederijkers* émane directement des rhétoriqueurs bourguignons, spécialement de Molinet, modèle de Matthÿs Casteleyn [3], et se prolonge jusqu'en plein XVIIe siècle. Bien

---

1. Cf. Perrone-Moysés, p. 377-382; Jenny, p. 257, 261-262.
2. Cf. Jodogne, 1972 *b,* p. 996.
3. Stegagno-Picchio; Iansen, p. 87-160; Hue, p. 18; thèse en cours sous ma direction (Cl. Potvin, *Le Cancionero de Baena; id.* « La poétique de Juan Alfonso de Baena », à paraître dans la *Revista canadiense de estudios hispanicos*).

des recherches restent à faire, qui devraient embrasser aussi les domaines anglais, allemand et italien. Du moins demeure-t-il une certitude : l'universalité — dans tous les sens que l'on voudra prêter à ce mot — de la poétique des rhétoriqueurs.

Profondément enracinés dans une terre lourde et féconde, déchirés entre des forces qui, plus que des prolongements occasionnels avaient en eux-mêmes leur lieu, les rhétoriqueurs *signifient* collectivement un moment dramatique de l'histoire européenne, mais aussi, de façon exemplaire, de toute histoire : celui où elle s'affronte à elle-même, se contredit et se dépasse dans et par le verbe de ce qu'il faut bien appeler la poésie.

Je donne, en fin de volume, une liste des études citées dans les notes de bas de page : la date n'en est pas indiquée en note, à moins que plusieurs études ne figurent sous le nom d'un même auteur, ou de deux homonymes.

Plusieurs chrestomathies de notre poésie ancienne consacrent quelques pages aux rhétoriqueurs : outre Bruneau (1975) et Schmidt (1953), je signale celle d'A. Mary, Anthologie poétique française : Moyen Age, II *(Éditions Garnier), et celles que procurent, en appendice de leurs livres, Spaak (1975), de Jean Lemaire, et Hue (1975), de Meschinot. J'ai moi-même en préparation une anthologie des poètes de mon corpus qui paraîtra, aux Éditions Christian Bourgois (« 10/18 »), au début de 1978.*

A seule fin de faciliter la lecture, j'ai pris le risque de moderniser légèrement l'orthographe des quelques textes cités ici en exemples, lorsque cette opération ne nuisait ni à la structure rythmique ni à l'appareil rhétorique : distinction de i et j, u et v, suppression de quelques « lettres étymologiques » sans valeur phonique, réduction des graphies ei pour i, eu pour u, sç pour s, normalisation d'un petit nombre de terminaisons. Enfin, j'ai mis des accents partout où l'exige l'habitude actuelle, et j'ai parfois modifié la ponctuation. Je conserve en revanche la graphie originale des titres, et je m'abstiens de corriger les formes dialectales ch (pour le français c, ou l'inverse), o pour ou (ou l'inverse), ainsi que l'usage constant de y pour i et du z final pour s.

Un lieu dans l'histoire

Inscription du texte dans une histoire, de l'histoire dans le texte...
Terme équivoque d' « histoire ». Admettons que l'ensemble de notions
qu'il véhicule réfère ici à trois ordres de faits :

— des séquences d'événements (ce que je nommerai la *chronique*);

— les conditionnements circonstanciels de tel phénomène soumis à
l'étude (le *contexte*), conditionnements qui s'articulent, à un niveau
quelconque, sur la chronique;

— enfin, l'ensemble organisé des marques internes imprimées par le
contexte (l'*historicité*), ensemble articulé sur le conscient et l'inconscient individuels.

Le texte manifeste ce dont il parle, et dont la signification s'identifie
à ce qu'il (non nécessairement l' « auteur ») en dit. L'événement reste
en dehors, mais pèse sur le langage, et rend possible la parole, *hic et
nunc* [1]. Entre l'auteur, présent-absent, et le monde auquel il s'intégra,
le texte du XVe siècle, à travers le long espace de temps qui nous en
sépare, opère pour nous comme le résonateur d'un cri, peut-être d'un
appel, dont nous incombe la tâche ingrate de percevoir et de définir
les articulations.

Mais encore tout, par ce classement, n'est-il pas distingué. Ainsi,
la chronique où s'insère la *Ressource du petit peuple* nous est bien
connue. Molinet lui-même nous en a rapporté ailleurs les événements,
en sa qualité d'historien officiel et sur le ton descriptif, nullement ému
en dépit de son admiration chevaleresque pour les beaux faits d'armes,
qui caractérise généralement ses *Chroniques* [2]. Le duc de Bourgogne,
Charles le Téméraire, dont le poète était depuis deux ans « indiciaire »,
c'est-à-dire historiographe, avait été tué sous Nancy le 5 janvier 1477.
Dans le désarroi provoqué par cette défaite, Molinet, notable d'âge

1. Cf. Deleuze, 26e série.
2. Doutrepont-Jodogne, p. 172-324; cf. Frédérix, p. 156-220.

23

mûr, marié, père de famille, voit s'écrouler le monde dont il avait vécu, au sens le plus matériel de cette expression. Il part en quête de nouveaux patrons, frappe à la porte de l'évêque de Liège, songe peut-être à trouver refuge auprès du bon « roi » René. Mais, dès la fin août, s'offre une chance inespérée : la fille du Téméraire, Marie, épouse l'archiduc d'Autriche, Maximilien, dont l'aspect splendide éblouit, alors que sa vanité n'est pas encore prouvée. C'est auprès de ce couple, qui semble promettre une prochaine restauration de la puissance bourguignonne, que Molinet refera sa propre fortune. Mais, pour le roi de France, cette promesse est une menace. Louis XI lâche sur le pays d'Artois, que vient de conquérir sa chevalerie, des bandes d'archers et de soudards. Ravages, incendies, destruction de récoltes. Tandis que, dans les villes affamées, le commun se mutine contre les nobles, les Français marchent sur Douai, brûlent Armentières et les faubourgs de Valenciennes, chassent de leur cité les Arrageois, qu'ils remplacent par des colons recrutés plus au sud. Condé flambe à son tour ; des compagnies d'Allemands et d'Anglais se concentrent à Valenciennes, appelées à la rescousse par la nouvelle duchesse... Trois trêves successives entre les princes, en 1478, puis 1479, puis 1480, laissent sur le terrain pillards et écorcheurs sans contrôle. Arras, rebaptisée Franceville, se jette sur Douai, la met à sac; mais, à Arras même, Saint-Waast est ruiné, ses bâtiments occupés par la soldatesque. Les Ardennes ne sont plus qu'un vaste repaire de brigands. Les villes reconstruisent leurs gibets. En un jour, on pend vingt-sept malfaiteurs à Valenciennes. Pendant ce temps, Maximilien reconquiert la Flandre, assiège Thérouanne. Au milieu d'un hiver exceptionnellement rigoureux, où famine et spéculation sur les vivres se conjuguent pour écraser les pauvres, Marie de Bourgogne donne le jour à une fille, que l'on nomme Marguerite d'après sa grand-mère et marraine, la duchesse d'York, qui, en février 1480, vient la baptiser à Sainte-Gudule de Bruxelles : cette enfant sera un jour Marguerite d'Autriche. Dans les mois qui suivent, Molinet compose, avec la *Ressource*, le *Temple de Mars* et le *Testament de la guerre*, moins d'un an avant la paix éphémère de 1482 et la mort accidentelle de Marie, par où prit fin la maison de Bourgogne.

Tel est le hors-texte, brut. Dans le même temps, les Portugais édifiaient la forteresse de São Jorge da Mina sur la Côte de l'Or, en Afrique. Une coupe synchronique étendue à tout l'Occident, sinon à la terre entière, rassemblerait des événements apparemment très disparates, quoiqu'un lien les unisse, à un niveau plus ou moins général d'implication des causes. La chronique est toujours hétérogène; ses unités entrent dans une multiplicité de sous-ensembles que l'on peut supposer hiérarchiquement emboîtés : ils affectent directement un nombre variable d'individus ou d'objets, y impriment une marque inégalement décelable, parce que empreinte à des profondeurs inégales. Inversement, le discours tranche, dans l'univers réel ou fictif, entre ce qu'il constitue comme sa référence (ce dont il fournit le Nom Propre) et ce dont il trahit plus obscurément la présence [1]. Tel événement marque une génération entière; tel autre, qui sait? toi seul. Ce que tu écris réfère à ce que tu prétends que tu sais : mais qui donc consentirait de bonne foi à réduire à si peu de chose ce que nous livre ton texte? Il ne s'agit certes pas de dessiner en cela des frontières, mais de reconnaître des différences dans les zones d'extension.

Je retiendrai ici comme pertinente pour nos rhétoriqueurs et leurs émules une chronique d'extension moyenne : celle dont l'événement atteint les territoires de l'Occident où se parle la langue française, et les régions circonvoisines. Qu'il me suffise de renvoyer à diverses sources d'information, aisément accessibles [2]. Retenons-en l'image globale d'un monde déchiré entre des puissances nouvelles et d'anciens pouvoirs mythiquement maintenus : princes, dans leur cour de légistes, empennés de chevalerie désuète; cités jadis triomphantes de Flandre et celles, montantes, d'Italie, bourgades de France, les unes et les autres aux mains d'oligarchies bourgeoises déjà perdant le contrôle des instruments de leur fortune. Croissance stoppée, récession dont une très lente reprise amorcée vers 1475 efface à peine encore les effets; baisse de la production de biens, difficulté de leur écoulement maintenant que les routes terrestres de l'Orient se sont fermées, alors que celles du Sud et de l'Ouest ne s'ouvriront guère avant 1500. Disette monétaire et dérapage des prix, appauvrissement de la petite noblesse et prolétarisation d'une partie de l'artisanat urbain; manque d'hommes et excès de réglementations archaïques. Les pays français souffrent plus encore que d'autres de ces dérèglements qu'accroissent, quand elles ne les causent pas, les guerres incessantes, de petits moyens certes, moins meurtrières qu'on ne les imagine, mais terriblement destructrices, brigandages organisés pour une saison puis laissant sur le terrain gens d'armes et « retondeurs » se payer de leur peine; révoltes de grands vassaux, conflits franco-bourguignons, expéditions d'Italie; en Angleterre les Deux Roses, en Espagne la fin de la Reconquête. Au début du XVIᵉ siècle, le pire est passé; mais au cours de la crise une mutation politique s'est accompli : les administrations princières,

---

1. Cf. Certeau, p. 54-59.
2. Duby-Mandrou, p. 180-345; Huizinga; Guénée; Heers, 1970; Chaunu; Rapp; Calmette, p. 177-314; Breisach; Contamine; Manselli; Gundesheimer; Chastel, p. 322-327; Goglin, p. 90-150; Labande-Mailfert.

celles surtout des rois en France, en Angleterre, en Espagne (tandis que l'Allemagne voisine stagne dans l'incohérence de ses luttes intestines, que les guerres peu à peu ruinent les vieilles franchises italiennes), gonflées en lourdes machineries, fonctionnent d'elles-mêmes, indifférentes à la foule des seigneuriots tenant chastel ou pignon sur rue; les armées, truffées de troupes mercenaires, et devenues permanentes, n'usent plus de chevaliers que pour la montre et l' « honneur »; les impôts se multiplient; et qui gouverne revendique un *imperium* qui porte en germe ce qu'on nommera plus tard absolutisme.

A l'échelle européenne, hostilité des dynasties en voie ainsi de consolidation parmi les soubresauts de la féodalité moribonde, séquestrée par quelques familles de magnats, en France résidant à Aix, Moulins, Bourges, Orléans ou Bloïs, Tours, Angers, Nantes, à Dijon, à Mâlines dans les Pays-Bas. Jusque vers 1490, la patrie de nos rhétoriqueurs est, comme on l'a dit, « la France des ducs »... ducs superbes de Bretagne, de Bourbon, de Bourgogne surtout, aux alliances prestigieuses : en 1468, Charles le Téméraire épouse à Bruges Marguerite d'York, sœur du roi d'Angleterre Édouard IV; la *Ressource* de Molinet invoque tous ces personnages. Qui prévoirait alors le triomphe, tout proche, des seuls rois, alors que tous ces détenteurs du pouvoir se disputent la domination d'un monde périodiquement ravagé de famines ou d'épidémies, et dont la criminalité insidieuse n'est plus contenue par une justice cruelle, trahissant dans les supplices qu'elle inflige une soif collective de vengeance quasi magique ? Temps des Danses Macabré (dites, par erreur de lecture, *macabres*), celles que rime l'anonyme parisien de 1486 après Martial d'Auvergne deux ans plus tôt, après les vers de Villon :

> Et meure Pâris ou Hélène,
> Quiconque meurt meurt à douleur
> Telle, qu'il perd vent et haleine,
> Son fiel se crève sur son cœur [1]...

Un socle épistémique commence à basculer; dans les remous émergent les linéaments de structures à venir, à peine ébauchées encore, parmi les craquements des anciennes. Dans cette civilisation où flotte le calendrier même, où l'année selon les régions commence à Noël, à la Circoncision, à l'Annonciation ou à Pâques, s'ébranlent les certitudes morales depuis des siècles acquises et à la caricature desquelles

---

1. Rychner-Henry, p. 43.

chacun s'accroche sans plus trop savoir s'il y croit. Les formes traditionnelles de l'imagination et des mœurs se perpétuent en s'exaspérant [1]. Des foules se pressent sur les antiques routes de pèlerinage : vocifèrent autour de la statue miraculeuse, suspendent en *ex voto* aux murs du chœur leurs armes, leurs outils, processionnent cierge en main, se prosternent, s'abandonnent aux convulsions de leur délire. Rois et papes, Jacques Cœur comme Christophe Colomb, rêvent encore épisodiquement de croisade; mais Constantinople s'appelle d'ores et déjà, en grec turquisé, Istamboul, et Jérusalem s'est résorbée dans l'eschatologie. Ne reste à la Chrétienté qu'à s'en aller convertir les peuples des « Indes ». Les universités continuent d'édifier des sommes à la façon du XIIIe siècle : la scolastique tardive se porte bien. Mais, depuis Ockham et ses disciples, la philosophie s'est dissociée du théologique; et celui-ci, tandis que la première s'oriente vers une rationalisation du monde physique, cède aux prestiges de l'illumination, tendant à isoler des démarches de l'intellect la recherche de son Dieu. Cependant, le schisme et ses séquelles, les menaces conciliaires pesant sur la puissance pontificale, ne seront dominés qu'au prix de l'instauration d'un régime de concordats liant le pontife romain aux appareils d'État dans une Europe plus morcelée à mesure que, localement, elle se rassemble.

Dans la dégradation des mœurs cléricales foisonnent les hérésies. En 1489, on découvrit à Rome un gang d'employés de la Chancellerie papale qui faisait commerce de fausses bulles. Innocent VIII fit pendre les coupables, et brûler leurs corps. Au milieu du XVe siècle, si Wyclif et Jean Hus ont depuis longtemps physiquement disparu, leurs disciples, directs ou non, fourmillent : Lollards, Vaudois, Frères du Libre Esprit... Pendant le demi-siècle qui précéda l'instauration du luthéranisme, les mystiques sauvages grouillent à travers l'Allemagne, la Vierge en personne a prédit à Hans Böheim l'abolition des pouvoirs. Où se cache le mal ? En 1519, à Ratisbonne, pour construire une église on rase deux synagogues après avoir expulsé de la ville les juifs... chassés d'Espagne dès 1492. Savonarole flambe en 1498 : Luther, qui vingt-neuf ans plus tard interviendra aux côtés des princes pour écraser les paysans révoltés de Thomas Munzen, n'est alors qu'un adolescent. « Spirituels », aux marges de moins en moins précises de l'orthodoxie, autour de reclus illustres, de pénitents, de prédicateurs populaires, chantant leurs sombres ou suaves cantiques sur des mélodies empruntées au répertoire profane, colportant jusque dans les foyers bourgeois les opuscules d'un mysticisme dont les sources coulent dans cette

1. Le Goff, 1964, p. 445-453.

Allemagne ou en Flandre. Longtemps après 1477, la croyance des simples, en Bourgogne, attendait toujours le retour du Téméraire. Ceux mêmes qui avaient vu son cadavre en venaient à douter de leurs yeux. Des marchands fixaient à leurs lettres de crédit le terme « Quand le duc sera revenu ». Un évangélisme sensuel, nourri de piété voyante, appelant à des formes d'imagination pêle-mêle idylliques ou masochistes, est diffusé par les sermonnaires franciscains, omniprésents dans les villes : désir de pureté mal définie, que troublent les éclats du sacrilège. Molinet rapporte dans ses *Chroniques* qu'un prêtre parisien, en juin 1491, renversa le calice et piétina les hosties à Notre-Dame ; quinze jours plus tard, la justice lui coupa la langue et un bras avant d'allumer son bûcher. La mort fascine : une abondante littérature d'*artes moriendi* circule parmi les croyants : à ces nuances près, tout le monde. Le vivant s'éprouve comme cadavre en sursis ; au niveau de l'univers, l'homme est un échec [1]. La foi est désormais affaire de sentiment plus que de raison ; jusqu'à la perversion, jusqu'à l'abandon à tout discours sur un avenir trop incertain : des princes comme Maximilien consultent les prophéties de Merlin et de la Sibylle ; Christophe Colomb fonde sur Esdras et Isaïe plusieurs de ses calculs. L'astrologie a partie liée avec la politique : elle tente de nier le hasard. La magie, la sorcellerie même de pauvres diablesses paysannes, jusqu'alors à peine considérées par les doctes, deviennent objet d'étude et de condamnations officielles : à la bulle *Summis desiderantes* d'Innocent VIII, en 1484, répond deux ans plus tard le *Malleus maleficarum* de deux dominicains allemands, destiné à devenir le bréviaire des inquisiteurs dans les futurs procès de sorcières, instaurant expressément la femme comme perpétratrice majeure de l'*opus diaboli*... Molinet raconte encore comment le couvent des Augustines du Quesnoy, collectivement possédé, dut être exorcisé par l'évêque de Cambrai [2].

Sensation d'universelle inertie ; mais, en même temps, culte de l'objet subtilement travaillé, au-delà de toute fonctionnalité primaire. Irréalisme et tension dramatique, on peint avec la pierre, on sculpte la couleur [3]. Concupiscence des formes, tandis que les intérêts de l'esprit s'inversent et se déplacent lentement, d'un cosmos dont on ne localise plus le centre ni ne considère avec confiance l'ordonnance, vers le moi. Au cœur de ce monde lézardé, les rhétoriqueurs et leurs confrères de tout poil, chacun selon son style, s'offrent déchirés à l'incapacité, qu'ils ressentent, de le connaître, et de le dire en termes

---

1. Ariès, p. 37-45 et 111.
2. Mandrou, p. 52-64 ; Goulet ; Dupire, 1936, p. 1004, 1012, 1014 ; Ziegeler.
3. Focillon, p. 279-308.

adéquats : l'ancienne synthèse thomiste s'est effondrée. Pourtant, cette Europe pleine de bruit et de fureur, d'extravagances et d'extases, est soulevée par une immense aspiration à la paix, à quelque harmonie contradictoire qui échapperait au désordre des choses.

Passé 1515, les événements se précipitent. En l'espace de dix ans, Thomas More publie son *Utopie* (1516) et Luther ses thèses (1517), Charles Quint est élu Roi des Romains tandis que Cortès débarque au Mexique (1519), des guerres ravagent l'Italie et la Flandre, amorçant le conflit qui dressera pour un siècle les Français contre le Saint Empire; cependant, Magellan achève le premier tour du monde (1521-1522); le dernier chevalier de France, Bayard, meurt l'année même où commence la construction du château de Chambord (1524); deux ans plus tard, Ignace de Loyola publie ses *Exercices spirituels...* C'est à dessein que je livre en vrac ce paquet d'échantillons. Ce qui se dérobe alors, c'est l'univers, instable certes et contradictoire, mais bon an mal an reconnaissable, qui fut celui des rhétoriqueurs... dont, alentour 1520, se détournent les faveurs du roi et de son illustre sœur, Marguerite de Navarre. D'autres valeurs ont fini par se dégager du chaos, pour la génération qui mûrit alors : une intelligence moins soucieuse de concepts hiérarchisés, moins anxieuse, embrasse sans exclusion ni mauvaise conscience les facettes d'une réalité multiple, en laquelle on se reprend à éprouver quelque confiance. Sous des formes diverses, un syncrétisme tient lieu de ce que fut longtemps la mythologie médiévale de l'unité.

Dans les pastorales des poètes prennent racine les futures utopies. Le passé progressivement dérive, s'éloigne du présent, sur lequel, jusqu'alors, on le rapportait à la manière du fond d'or peint derrière les personnages du retable : le voici qui se découvre passé, non toutefois sans s'instaurer en figure mythique d'un avenir. Généralisation de la perspective visuelle en peinture; tendance à la stabilisation des rapports temporels en syntaxe; invention (dans le dernier tiers du XIVe siècle) puis diffusion des horloges mécaniques, d'abord conçues comme des automates à reproduire les mouvements astraux, et dont on constate qu'elles mesurent de surcroît les heures du jour [1].

Une distance ainsi se creuse entre l'homme et l'univers, sensible quotidiennement dans les mœurs mêmes et la « civilité » qui désormais distinguent les classes dominantes : on revêt une chemise de nuit au

---

1. Crombie, p. 445-446.

lieu de s'enfouir nu dans la couette; on use du mouchoir plutôt que, selon l'usage immémorial, de ses doigts ou de sa manche; on en vient à manger avec une fourchette, à édicter des règles restreignant à table l'emploi, symboliquement agressif, du couteau; on dissimule les gestes qui satisfont les besoins naturels; de toute façon, l'homme, la femme s'éloignent de leur corps, de ses déjections, de son sexe, de son sang [1]. Ce mouvement de recul, la rupture qui se dessine aboutiront, vers la fin de cette période, à l'institution d'une « pédagogie » qui les consacrera, et les fixera pour des siècles.

Même distance dans l'espace, où les nefs cinglant vers le Congo, le Cap, les « îles » de l'Extrême-Occident (les Français ne se lanceront vraiment dans la course qu'après 1500) ne cessent de réduire la zone d'ombre où les anciens doctes situaient les Monstres, sciapodes ou cynocéphales, Amazones ou blemmies, foule obscure, médiane entre l'homme, la bête et le démon, au site incertain dans l'aventure universelle de la Rédemption. Bientôt, il n'y aura plus de Monstres, sur une terre entièrement possédée : le démon se sera réfugié dans l'intérieur de nous. Huttichius, chanoine de Strasbourg, publie en 1532 le premier recueil de récits de voyages en Amérique. Certes, les connaissances nouvelles demeurent, chez les aventuriers parfois frustes qui les rapportent, chez les savants même, qui en d'autres lieux les élaborent, souvent roidies en de vieux schèmes inadéquats. Elles n'en constituent pas moins un acquis, touchant à la fois l'Islam, l'Extrême-Orient (dans le temps même où l'on réédite la fabuleuse « Lettre du prêtre Jean »), le continent américain surgi de la mer [2].

Science et technologie se conjuguent pour accélérer les processus de communication : invention de la caravelle en 1440, progrès de la cosmographie, établissement des cartes de Belem et de Toscanelli, académie maritime de Sagres au Portugal, mise au point des instruments de repérage hors de la vue des côtes, bouleversement des coutumes et des fondements vécus de l'imaginaire, qui émergera superbement dans les métaphores marines de Parmentier, navigateur, cartographe et poète. Avec la diffusion des armes à feu, au milieu du XVe siècle, entraînant peu à peu l'abandon nostalgique des anciennes tactiques chevaleresques, la technique multiplie les outils de destruction et de mort. Mais dans le même temps elle ouvre l'ère du livre : quarante ans après les premiers essais strasbourgeois, vingt ans après les perfectionnements réalisés en Hollande ou en Allemagne, l'imprimerie est introduite à Paris en 1470, par des universitaires et pour

1. Elias.
2. Cerulli, p. 87-237; Stegmann, p. 41-46; Bendinelli.

leurs propres fins. Elle leur échappe, apparaît à Lyon dès 1473, et la même année à Alost en Flandre, en 1474 à Louvain, puis à Toulouse, Angers, Poitiers avant 1480. N'assumant d'abord, à côté de la xylographie d'images pieuses, qu'une modeste fonction d'appoint, elle mettra un siècle à s'imposer tout à fait : on confectionnera des éditions manuscrites jusque vers 1550. Les plus forts tirages atteignent alors mille exemplaires; exceptionnellement, l'*Encomium Moriae*, d'Érasme, mille huit cents. Pourtant, une circulation d'ores et déjà existe, et un commerce, sans commune mesure avec ce qu'ils étaient depuis le XIIIe siècle; l'une des formes du mécénat consistera bientôt à payer l'imprimeur de l'ouvrage commandé : prime d'assurance sur la gloire! La carrière de William Caxton est exemplaire : cet homme d'affaires londonien apprit à l'âge de cinquante ans, lors d'un séjour à Bruges, l'art de l'imprimerie, et travailla d'abord pour Marguerite d'York. A la fois éditeur et souvent traducteur et commentateur des cent ouvrages qu'il imprima et commercialisa, Caxton est conscient de fonder une industrie de type nouveau, exigeant des investissements à long terme et une audace particulière, mais il est en même temps passionné de savoir historique, juridique, philosophique...

D'autres secteurs de la science et de l'action importent moins à la chronique de nos poètes, quoiqu'ils manifestent à leur manière les mêmes tendances de l'intellect et de l'imagination conjugués. Ainsi, de la mathématisation de la physique et de l'astronomie; de la médecine, qu'illustrent, bien différemment, avant Rabelais, Champier l'humaniste, son contemporain, logicien, poète, moraliste, et le chaotique Paracelse, piétiste mais suspect de magie, travaillant dans le plein filon des forces cachées et pour qui la racine et l'axe de la science sont une passion : *das grosse Mitleid* (« la grande pitié ») [1]...

Tels sont, en bref, les faits sur lesquels s'articulent les conditionnements de nos textes et, par là, se fonde leur historicité.

Acceptation ou refus de ce monde, tel qu'il existe en ses contradictions ? L'alternative ne se pose en ces termes qu'à la surface, au niveau de l'apprêt rhétorique des discours. Le hors-texte constitue la donnée, face à laquelle l'individu, vers 1500, ne dispose pas de critères d'analyse, hormis quelques antiques lieux communs inefficaces. Les contradictions n'en sont que plus intensément ressenties, sinon assumées. D'où, en poussant à l'extrême (afin de mieux éclairer les cas médians, naturellement les plus nombreux), deux types de discours

---

1. Jodogne, 1972 *b*, p. 218; Roger; Jung, 1942, p. 43-175.

possibles [1]. Le premier pose — ou implique — que le monde est bien tel qu'il est, qu'il subsiste en vertu de quelques mythes, religieux, politiques ou simplement mondains, assurant encore sa fragile cohérence externe; mais qu'il est vide. Monde-coquille, creux, réduit à une apparence splendide et pathétique, dissimulant sinon un pur néant, du moins une interrogation inutile parce qu'elle ne porte sur rien. L'autre discours en revanche grossit les contradictions référentielles, les accuse, les intègre à son propre mode, éclate en disloquements de toute espèce : pose un monde à l'envers, absurde en ce qu'il n'admet de relations qu'aléatoires. S'il fallait réduire jusqu'au simplisme ce qui est seulement tendance dominante, souvent contrariée, il est vrai, occultée ou contrapuntique, on définirait ce deuxième discours comme celui de Villon; le premier, comme celui des rhétoriqueurs.

Je m'arrêterai à celui-ci, reviendrai dans un chapitre ultérieur sur celui-là.

Le discours du monde vide s'inscrit dans un autre, plus vaste, qu'il spécifie en manifestant rhétoriquement les fantasmes qui l'habitent : celui de la fête.

Je distingue cette dernière du « carnaval », au sens où l'entend Bakhtine, fête du monde inversé, quoique l'une et l'autre interfèrent sans cesse dans la pratique. Il me semble utile d'en traiter séparément, néanmoins, afin de rendre sensible la diversité des tendances sousjacentes et des attitudes mentales ici et là impliquées.

On a beaucoup écrit sur la fête, et l'on sait la fonction majeure qu'elle remplit dans cette société en crise. Jalonnant de semaine en semaine, presque de jour en jour, le temps collectif de la ville (car elle est surtout urbaine), en retours périodiques ou à telle occasion imprévisible, la fête envahit la vie publique, la déborde, l'embrasse, substitue

---

1. J'emploierai fréquemment, de façon oppositive, les termes de *langage*, *langue*, *discours* et *texte*. J'en suis une définition simple, à laquelle je me tiens : *langage* réfère soit abstraitement à la faculté productrice de parole, soit au système comme tel, descriptible sémiotiquement, à partir duquel se constitue cette dernière; *langue* désigne ce système universel dans telle configuration particulière (ex. : la langue française); le *discours* réalise la langue, soit dans la pratique individuelle, où, jusqu'à un certain point autogénérateur, il constitue l'espace de la parole, mais, n'existant pas en soi, ne peut être hypostasié, soit dans la pratique sociale, où il renvoie collectivement à l'ensemble des discours individuels prononcés ou prononçables à propos d'un même objet; je ne retiens donc pas l'opposition *discours*/ *histoire* telle que la proposa Benveniste; le *texte* est le discours produit, et fixé dans une forme mémorable, spécifiquement par l'écrit; j'évite de désigner ainsi autre chose qu'un objet concrètement circonscrit : en fait, ce terme ne vise que les éléments de mon corpus.

à ses zones d'ombre la lumière d'une fiction de bonheur [1]. Elle émane de cellules dont l'une des fonctions, et parfois la seule, est de la promouvoir, de la faire incessamment renaître d'elle-même : le quartier, souvent confondu en fait avec le territoire d'un clan familial; la paroisse; le corps de métier; telle association pieuse ou joyeuse; une faction politique; la clientèle d'un Grand. Elle pose des hiérarchies sociales, qu'elle justifie : triomphe du prince après sa victoire, joutes et tournois, ou plus privément riches mariages, hautes naissances, funérailles, dans un gaspillage d'argent, de victuailles et de luxe vestimentaire ordonné, chaque couleur, chaque oripeau portant signifiance; au sein d'un décor héraldique et somptueux, où sur des rues entières, des places, pavoisées d'armes, d'étendards, de tissus précieux, se répand la splendeur du palais. Fêtes des ordres de chevalerie; fêtes liturgiques, sous les voûtes flamboyantes de l'église, magnifient les valeurs morales qui règlent à jamais le destin de l'univers. Processions, musique, danse sacrée, théories expiatoires des flagellants, mascarade édifiante des fêtes de saints. Beuveries et processions encore des corporations à leur date fixée, dans la chaude solidarité de bourgeois émus de leur propre grandeur d'âme, à distribuer aux pauvres les reliefs de leur banquet...

La fête est *monstre* : dé-monstration de ce qui est et doit être. Les formes qu'elle revêt comportent toujours une part de spectacle, à la fois offert et, plutôt que vu, vécu. C'est là l'une des fonctions de tout défilé processionnel. Mais celui-ci se déroule entre des « échafauds » (estrades) où se succèdent de rue en rue, à moins qu'ils ne circulent sur des chars, pantomimes et tableaux vivants. Souvent, un commentateur explique le tableau; ou bien le mime s'accompagne d'un monologue, d'un dialogue. Des inscriptions versifiées, des devises, en exposent la « sentence ». Sur les planches, des personnages historiques ou mythologiques se mêlent à ceux qui figurent quelque allégorie. Le *Roman de la Rose* en fournit abondamment aux fêtes princières : aux noces de Charles le Téméraire se dresse sur un échafaud le château où Danger, servi par Petit Espoir, tient captif un chevalier que délivreront les prières des dames. Alors que les peintres et les sculpteurs exhibent rarement la nudité féminine, les organisateurs de ces divertissements le font couramment : nymphes, déesses, ou la Vérité sans fard. Triomphe des amuseurs qui se pressent autour des princes, des grands bourgeois, hantent les lieux publics, ménestrels, danseurs, saltimbanques, portés sur les listes de gages dans quelque riche maison ou passant la sébille, organisés ou non en confréries.

1. Heers, 1971; Simon, p. 119-145.

33

Scénario des sermons prêchés, dans l'église dont la chaire plus que l'autel va former pour des heures le centre, par un moine mendiant, surgi d'ailleurs, pieds nus dans les sandales, précédé de son renom de prophète ou de thaumaturge, attendu depuis des semaines par les malades qui en espèrent guérison, par le peuple avide de cette éloquence triviale, rude, dépourvue d'abstractions, frémissante de menaces infernales, vengeresses. Une folie s'empare parfois de la foule, des bûchers s'allument à travers la ville, consumant jeux de cartes ou frivolités condamnables, bourrelets de coiffure de ces dames, traînes de robe, pompons... Les Florentins, du temps de Savonarole, virent mieux encore.

Banquets solennels où la présentation des « entremets » comporte décor et jeux de mimes évoquant allégoriquement la situation de l'amphitryon, ou bien l'événement du jour, voire tel projet politique conçu par le prince. Les grands de Bourgogne sont particulièrement amateurs de ces spectacles, soigneusement préparés, répétés, objets de longues délibérations préalables. A Bruges, en 1430, un chariot amène sous les yeux des convives un énorme pâté qui contient un mouton vivant, teint en bleu, les cornes recouvertes d'or fin, et un géant travesti en « homme sauvage », lequel sautant sur la table se met à lutiner la folle de la cour. Des ébattements de ce genre resteront en vogue jusqu'à la fin de l'ère bourguignonne. Certains prirent figure de classiques, comme le festin du Vœu du Faisan, où l'on rêva de relancer la Croisade, en 1454 : dans la salle décorée de tapisseries représentant Hercule, entremets du Turc et de la Sainte Église, de Jason et de Médée, cortège d'un monstre apocalyptique chevauchant un sanglier et chevauché lui-même par un bateleur les pieds en l'air, tandis qu'un enfant chante courtoisement *Je ne vis oncques la pareille*. Des estrades ont été réservées à des invités venus du pays entier, d'autres terres même, et dont certains portent des déguisements [1]...

Le douzième chapitre de l'ordre de la Toison d'Or, tenu à Valenciennes en 1473, fut accompagné de fêtes magnifiques où l'on joua plusieurs « histoires », dont l'une, préparée par Molinet, lui valut les honoraires confortables de dix écus. Aux noces du Téméraire, un mimodrame, dont peut-être Olivier de La Marche écrivit le livret, déroulait en douze tableaux, durant trois journées, les travaux d'Hercule, « moralisés » selon des « sentences » tour à tour théologiques, morales et politiques [2]. Personnages vivants, mannequins, automates, gestes et voix, concert d'instruments musicaux, torches,

---

1. Doutrepont, 1970, p. 356-360.
2. Jung, 1966, p. 31-36.

défilés emblématiques, danses. Toutes ces techniques festives culminent dans les *Entrées*, royales ou princières, qu'organisent les bonnes villes. Des textes jalonnent le parcours du cortège, déclamés ou calligraphiés sur banderoles, en dégagent la « sentence » dynastique (parfois ambiguë) [1]. D'échafaud en échafaud se succèdent jeux scéniques, lectures publiques, dé-montrant des *personae* mythologiques, allégoriques, ou qui figurent comme par miroir le prince même que l'on célèbre, sa cour, ses conseillers, ses adversaires. En France, la tradition s'en maintiendra jusqu'à la fin du XVIe siècle. En Bourgogne, elle intégra parfois un élément burlesque : lors de l'entrée à Lille de Charles le Téméraire, la Vénus du jugement de Pâris est obèse, Junon efflanquée et Minerve bossue !

Des confréries de poètes jouent leur rôle dans la plupart des fêtes : concours, exécution de chansons, de « partures » (débats poétiques), de jeux dramatiques divers, parfois satiriques (comme à Tournai, où l'on n'aimait guère le duc, les pièces consacrées à la mort de Charles le Téméraire). La confrérie de Tournai est à l'invocation du *Prince d'Amour*. Elle réunit treize bourgeois de la ville, rivalisant de courtoisie, de piété et d'un chauvinisme local qui s'exhala parfois en diatribes contre Molinet, serviteur inconditionnel de la dynastie. Une fois le mois, elle élit un nouveau président, qui propose un prix de poésie consistant en une couronne d'argent : fête encore. De telles associations, qui gagnèrent la Flandre et les Pays-Bas, portaient en Bourgogne le nom de « chambres de rhétorique »; en France, de « puys ». Issus d'anciennes sociétés pieuses, les puys se répartissent, à la fin du XVe siècle, dans les terroirs les plus septentrionaux, et en Normandie : à Amiens, où le puy Notre-Dame célèbre sa fête à l'Assomption; à Lille, le dimanche qui précède; à Béthune, trois jours après la Fête-Dieu; à Abbeville, à Caen. Les plus illustres ont leur siège à Dieppe, et à Rouen, où le puy de l'Immaculée Conception, fondé en 1486 à l'imitation du précédent, se voua comme lui à la composition de chants royaux, ballades et rondeaux à la louange de la Vierge : là aussi, les concours se font à partir d'un refrain *(palinod)* fourni par le « Prince » du puy (d'où l'appellation courante de « puy des palinods », ou simplement « palinods »). Marchands, magistrats, prélats, tout ce que la ville compte de notable se partage l'honneur de participer à ces manifestations et la charge de les financer. Nous connaissons les noms d'une trentaine de poètes lauréats jusque vers 1520 : parmi eux, à Rouen, André de La Vigne en 1511 et 1513,

---

1. Guénée-Lehoux; Simon, p. 204-207; Brind'amour, 1975 et 1976; Konigson, p. 195-204, 245-264.

Cretin en 1516 et 1520, Jean Marot en 1521 et 1526, Parmentier à Dieppe ou Rouen en 1517, 1518, 1520, puis régulièrement de 1526 à 1529, année de son dernier voyage et de sa mort à Sumatra. Fabri, en 1521, aura publié ce que l'on peut considérer comme l'Art poétique du groupe rouennais, groupe avec lequel Jean Bouchet d'autre part entretint une correspondance. Date significative que celle de 1521, car bientôt ce ne sera plus guère que dans la pratique des puys que se maintiendra, pour l'essentiel, jusqu'en plein XVIIIe siècle et malgré la condamnation de Du Bellay, une esthétique voisine de celle des rhétoriqueurs [1].

Proclamatrice, conservatrice, sinon peut-être créatrice des valeurs sur lesquelles se fonde (feint de se fonder, aspire à le faire) la communauté organisée de la ville, de l'État, des chrétiens promis au salut, la fête engendre deux formes institutionnelles complexes, à des degrés divers caractéristiques du XVe et de la première moitié du XVIe siècle : les « mistères » (abusivement orthographiés *mystères*), et ce que j'appellerai le Jeu de la cour

Quant aux mistères, je renvoie en bloc à l'admirable *Cercle magique* d'Henri Rey-Flaud [2]. On ne saurait en parler avec plus de pertinence. Ces vastes spectacles, préparés pendant des mois par une ville entière, qui y consacre des sommes parfois énormes, y investit une partie considérable de son activité artisanale et de sa puissance de travail, déroulent leurs dix mille, vingt mille, quarante mille vers durant plusieurs journées, tranchées comme un temps immémorial dans la chronique du quotidien. Ils valurent à certains des auteurs de leurs livrets une longue gloire : tous les rhétoriqueurs citent comme l'un des grands poètes français le Gréban de la *Passion;* l'*Istoire de la destruction de Troye* de Jacques Milet, plusieurs fois rééditée entre 1484 et 1544, fut connue jusqu'en Italie. Des dizaines, voire des centaines, d'acteurs et de figurants, présentés au public en une parade préliminaire étirée à travers les rues de la ville, si longue parfois que, comme lors du mistère monté à Seurre en octobre 1496 par André de La Vigne, « quand Dieu et ses anges quittèrent la rue des Lombards, les diables en étaient encore à passer devant la porte du Cheval-Blanc [3]... ». Travestissements, décors somptueux, machines; musique vocale et instrumentale scandant un dialogue qu'anime la diversité

---

1. Sur la poétique des puys, v. thèse inédite citée au chapitre précédent, p. 12.
2. Rey-Flaud; Simon, p. 181-182, 193-195; cf. Cohen, 1951.
3. Kerdaniel, p. 16-89; Dupire, 1932, p. 143-201; Guy, p. 212.

de ses formes rythmiques, linguistiques même. Un prologue l'a précédé, exposant, souvent par allégories, le sens qu'il convient de déceler dans une action complexe, chargée d'épisodes, de digressions pittoresques, de divertissements comiques, de scènes mimées. Généralement, le thème central touche à l'histoire du salut : la Passion du Christ, truffée de développements inspirés par les récits, combien plus colorés, des évangiles apocryphes, ou procédant de la fantaisie du régisseur; la légende d'un saint, comme dans le *Mistère de saint Martin* d'André de La Vigne ou celui de *saint Quentin*, dû sans doute à Molinet et contemporain de la *Ressource*. Rituel de la pitié : le supplice de Jésus, le martyre du saint ne sont feints qu'à demi : il arrive que l'acteur s'évanouisse, de fatigue et de douleur. Le rôle qu'il assume est celui de bouc émissaire. Il porte, avec le costume dont l'affuble le metteur en scène, la violence latente dans le peuple pour lequel il meurt. Pseudo-communication à sens unique, recréant un monde en grande partie vidé de substance; message dé-symbolisé : *cela* seul est, cela rejette au néant nos souffrances, notre péché. Avec un thème « profane » (mais quel est alors le sens de ce mot ?), l'effet est analogue, puisque toute histoire tient dans la main de Dieu, dont elle ne fait (ainsi, le *Mistère du siège d'Orléans*) que manifester la transcendance.

La carte des représentations de mistères dessine un réseau embrassant l'Europe entière, de l'Espagne à l'Angleterre et à la Bohême. En France, les régions du Nord, de Paris, de l'Ouest et du Sud-Est sont spécialement riches. Deux de nos rhétoriqueurs fonctionnèrent comme metteurs en scène de mistères : André de La Vigne dans sa retraite de Seurre, en Bourgogne; et surtout Jean Bouchet [1] : montant à Poitiers en 1508 une Passion, il eut l'idée d'utiliser les ruines de l'amphithéâtre romain, encore bien conservées alors. Le renom qu'il s'acquit lui valut d'être chargé de l'organisation de l'entrée de François er dans la ville en 1520; de 1530 à 1540, on requiert ses services de Bourges, d'Issoudun, de Saumur...

Les acteurs de mistères sont membres de confréries d'amateurs recrutées parmi les artisans, les commerçants, les clercs de la ville. Aucune distinction professionnelle ne les sépare de leur public : celle seule, rituelle, qui les marque durant le temps du spectacle. Marqués, mais non étrangers; intégrés par leur action même à la foule dont l'existence prend forme grâce à eux, en une participation unanime. Cette action se situe, plutôt qu'elle ne se « déroule », en un lieu central, point focal d'un cercle (gradins autour de la place, cirque

1. Rey-Flaud, p. 137-142.

naturel ou construit), de sorte que le regard la pénètre, l'enveloppe, sans cachettes qui en dissimuleraient ostensiblement l'artifice. Mais y a-t-il véritablement artifice ? Ce qui est montré, ce que glose le discours, on le connaissait d'avance : il se confirme. On replonge à la sécurité, non pas d'une origine, mais d'une éternité, d'une stabilité parfaite, dont la chronique n'est que la projection, toujours déformée sur le mur verruqueux des existences. L'acteur, par là même que pour un instant il se fait autre, assume la totalité de l'espace humain. Rejetant, du moment qu'il quitte sa boutique ou sa chaire, l'identité qui le désigne, il nie le sort individuel, le sien, mais le tien aussi. Ce qu'il fait nie ce qu'il est, mais recrée la vie au point que celle-ci n'apparaît plus que comme une imparfaite imitation du mistère [1].

Théâtralisation de la vie. Face à l'homme individuel qui le contemple et s'en nourrit ou en meurt, le monde entier est devenu fondamentalement théâtre : j'entends, très précisément, ce lieu central, surélevé, visible de tous, marqué comme tel quoique pas complètement séparé, où *se joue* (de nous) une action typique, entretenant avec la « réalité » quotidienne un rapport allégorique; hors de nos durées, dans un présent éternel qui procure sa signification au vécu; rigoureusement réglée, ritualisée, et *représentée* au cœur de la foule par des *personae* choisies, porteuses d'insignes identifiables, mais non vraiment distinctes pourtant de cette foule : acteurs et spectateurs rejetés à l'instant exemplaire où tout prend forme, où sont garanties et thésaurisées les valeurs irréfutables.

1. Paris, 1975 *a*, p. 15-23.

Le jeu de la cour

Pour les princes et ceux qu'ils se sont choisis ou qui s'imposent à eux, le vrai théâtre campe un autre décor : celui même où ils jouent leur propre *rôle*, sur les tréteaux et sous le dais de leurs assemblées, de leurs banquets, de leurs fêtes, entre les hourds des tournois, le long des chemins de leurs guerres. Lieu théâtral par excellence, la cour est centre et emblème de l'univers en sa pérennité : minutieusement régie par les règles d'une re-présentation à la fois plaisante et grave, avec son personnel de nobles, de clercs commis aux écritures ou à la dévotion du prince, de ménestrels, de dames d'atours, de suivantes, de bouffons, de domestiques manuels; avec ses invités de marque, les artistes de passage, convoqués pour une tâche qui durera des années ou une saison; ses écuries et cette odeur de cheval imprégnant tout décor humain. Protocole du geste quotidien (manger, se vêtir, parler, lire, mais aussi bien naître, aimer ou trépasser), musique, peinture, poésie; et l'histoire, qui est l'une des formes de l'éloquence, non moins que tout ce que nous nommons les sciences, et qui s'appelle encore les *artes*.

Cours des rois, aux mœurs souvent très libres, où la sexualité ne se dissimule pas encore sous les pudibonderies à venir. Les Valois, à Paris, depuis longtemps ont répudié l'austérité de leurs cousins et ancêtres capétiens : amoureux de divertissements, et de ces beaux objets à la finesse fragile qu'ébénistes, peintres, orfèvres confectionnent pour le luxe calfeutré de leurs palais : parmi les emblèmes du pouvoir, en train de devenir ceux d'un État, sinon d'une nation. Emblèmes humains, les hérauts qui trompettent aux carrefours les édits royaux, les prédicateurs et les folliculaires stipendiés pour la propagande qui justifie cette volonté aspirant à la toute-puissance. Symboles cérémoniels, qui sacramentellement la produisent : le sacre, les entrées dans les bonnes villes (des dizaines par règne), puis les funérailles prouvant la durée de la dynastie.

Cours aussi des ducs apanagés, d'Orléans, de Berry, d'Anjou et Provence, à peine distinctes des premières mais dont chacune possède un style, un ton, donné par la personnalité du maître. Cours de princes dominant encore des États non ou mal intégrés au royaume, et que celui-ci absorbe progressivement au cours des années que nous considérons ici : Bourgogne et Savoie, Flandre, Bretagne. Au-delà, petites cours de quelques vassaux, laïcs ou ecclésiastiques, de ces potentats. Les plus puissantes familles bourgeoises ne se sont encore qu'exceptionnellement hissées à ce niveau de magnificence : la France ne compte aucune république à l'italienne, et l'influence même des « tyrannies » de Milan ou de Ferrare ne se fera guère sentir avant 1500 et plus [1].

L'être s'identifie, en ces lieux uniques, au paraître; l'avoir, au don. Mais toute manifestation est dramatique, en ce qu'elle est action codée, narration « montrée » conformément à des structures actantielles et fonctionnelles prédéterminées. L'être se définit par ses devises, ses signaux héraldiques, l'emblématisme des apparences. La richesse se diffuse en dépense; la jouissance en réjouissance, et celle-ci agit, sous la forme du cérémonial et des « vœux » [2]. Le cérémonial à son tour est l'avatar mythifié de l'ancienne chevalerie [3] : l'existence curiale se réalise dans les formules qui la prononcent en la parabolisant; ce qui, dans la tradition chevaleresque des siècles antérieurs, était tension, contention, idéologie agressive, subsiste comme *mimesis* d'un récit archétypique... analogiquement, de la manière dont subsiste la Passion christique dans le mistère. Molinet, comme tous les historiographes de ce temps, ne fait guère, dans ses *Chroniques*, qu'en consigner les scènes [4].

Ivresse cérémonielle, dans ces « hostels » qui sortent du sol des villes de résidence princière, reproduisant avec retard un mouvement que connut la Florence du XIVe siècle. Les ducs de Berry construisent à Bourges, à Riom, à Poitiers; Blois, aile par aile, se constitue; les architectes de Jean de Bourbon, abbé de Cluny, achèvent en 1480 le palais qu'il se fait édifier à Paris, sur les ruines des thermes antiques [5]. Rive droite de la Seine, dans le marais qui s'étend vers Saint-Antoine, s'élève un quartier nouveau où s'installent plusieurs grands du royaume. Logis repliés quadrangulairement sur leur cour intérieure, d'où s'élève l'escalier à vis, formés d'habitations plus confortables et de dimensions plus réduites que celles des châteaux de l'âge précédent; négligeant ou abandonnant tout à fait le souci militaire et les structures de défense guerrière, en revanche assurant frileusement la protection

1. Burckhardt, I, p. 16-47.
2. Poirion, 1965, p. 49-54, cf. p. 65, 78, 91-92.
3. Yates, 1957, p. 22-25.
4. Doutrepont-Jodogne.
5. Rosenfeld.

du maître contre les forces de la nature et les miasmes que véhicule le populaire. Peu de grandes salles, mais multiplicité de chambrettes, retraits, cabinets dérobés; vastes cheminées, chaises à dossier (non plus les tabourets de la tradition), tables fixes (non plus les planches qu'on dresse sur leurs appuis avant dîner); fenêtres à meneaux, aux carreaux sertis de plomb; tapisseries étouffant les murs, y creusant l'espace fictif d'une forêt où se capture la Licorne, d'un jardin d'amour; cierges, torches, flambeaux... Cadre intime d'une culture aristocratique, plus étroite que ne l'avait été celle de la noblesse du XIIᵉ, du XIIIᵉ siècles. Au corps même colle un vêtement élégant, fabriqué par des spécialistes et non plus par les servantes de la maison, longs manteaux de vair ou d'écarlate, broderies, chaperons, cols à flammes, torsades: le costume masculin se distingue plus nettement que jadis de celui de la femme, dont la mode dégage et accentue de façon variable la silhouette, hanches, seins, ventre, le cou et les épaules, sous les coiffures compliquées, les bonnets, les cornettes [1].

Les formes du goût et de l'intelligence concordent avec celles de ces mœurs. Les ducs de Bourgogne, exemplaires en leur temps, collectionnent les manuscrits, engagent des enlumineurs, attirent auprès d'eux des « escripvains », dont Philippe le Bon, au dire de son chapelain, se montre « le père ». Son fils Charles, qui lui succédera en 1467, est plus encore que lui l'émanation du milieu curial. Grand lecteur et de bonne mémoire, nourri de romans héroïques: ces « dérimages » de vieilles épopées et de récits courtois, que confectionnent pour les ducs des remanieurs spécialisés, comme le célèbre David Aubert, dont les *Chroniques et Conquestes de Charlemagne*, en 1458, avaient fixé une écriture, celle du *Girard de Roussillon*, du *Palamède* et de bien d'autres que collectionnait vers 1470 le bibliophile Louis de Bruges; projetant narrativement une image de l'Aventure et des vertus chevaleresques — image à la fois colorée et abstraite, répondant à l'attente de la cour en même temps qu'elle la provoque et qui, en dépit des caricatures du *Petit Jehan de Saintré*, restera à peu près inaltérée jusqu'à la folie de Don Quichotte, pour le « gracieux plaisir de la joyeuse lecture où ilz se délictent », comme s'exprime Aubert. De même que son père, Charles aime les livres; mais est aussi chasseur infatigable, bon bretteur, bon archer, habile aux échecs, à l'équitation, aux jeux de société, amateur d'art et de musique, pinçant la harpe, de surcroît bel homme, bon orateur et de noble maintien...

Les rois de France font par comparaison modeste figure. Louis XII et François Iᵉʳ éclipseront sa mémoire, mieux favorisés par la chance,

1. Cf. Burckhardt, II, p. 69-96.

ou par un génie politique plus efficace. Mais comme lui, comme
Philippe, « pères des escripvains » : en vertu (tendances personnelles
à part) des mêmes motifs. Parce que historiographes, orateurs (qu'ils
soient ambassadeurs ou hérauts), romanciers et poètes importent
essentiellement au jeu de la cour, auquel ils confèrent le verbe. Nous
verrons par la suite de quelle manière. Par-delà le cercle de ces fonc-
tionnaires du langage curial, la cour entière répète leur discours, y
participe en le fragmentant à travers sa parole quotidienne; mais
celle-ci, en quelque mesure, le fonde; il arrive même qu'elle s'efforce à
le reproduire. C'est ainsi qu'autour de Louis XII plusieurs gentils-
hommes, dont Louis de Luxembourg, comte de Ligny, et Jean Picart,
bailli d'Estrelan, échangent à plusieurs reprises, en 1503, 1504, puis
après 1512, des épîtres en vers : bercent, de lieux communs par où
s'évoquent l'amitié, les hasards de la guerre ou de la maladie, les joies
gaillardes ou les rigueurs de l'amour, l'ennui d'une campagne ou d'un
voyage qui les éloigne de Paris [1]. Le comte de Ligny, l'un des premiers
personnages du royaume, fait tenir sa plume par Jean Lemaire. Jean
Marot, plus tard, rimera vingt-et-un rondeaux pour le compte de dames
de la cour [2].

La cour tranche : il y a dedans, et dehors. La représentation implique
son cadre : comme un tableau. Cadre et limite, opposant des contradictoires, de l'une à l'autre desquelles s'opère une transformation
« boule-versante ». Pourtant, la représentation, par sursauts, déborde :
car elle s'intègre la guerre, art elle aussi [3], toujours recommencée, qui
pour le prince empanaché et sa mesnie est détour hors de son lieu, qui
l'y ramène. Les morts qu'on aura laissés en route figurent dans cette
scène comme une synecdoque de la gloire.

Dehors, Villon; dedans, nos rhétoriqueurs : noms emblématiques,
sans plus. Un lien les attache : celui même de ce rapport, entre les
termes duquel fonctionnent des structures analogues, inversées. Les
rhétoriqueurs, sans exception, furent liés, d'une façon ou d'une autre,
à quelque cour... à cela près, différence capitale, qu'aucun d'entre eux
ne remplit la fonction princière. L'*Abuzé* ne peut être sérieusement
attribué à René d'Anjou [4]. Quant à la vingtaine de poésies que nous
a laissées Marguerite d'Autriche [5], le discours qui s'y tient rappelle,

1. Becker, 1967, p. 558-574.
2. Lenglet, p. 314; Theureau, p. 126.
3. Burckhardt, I, p. 80-92.
4. Dubuis, 1973 *b*, p. XXIV-XXXI.
5. Thibaut, p. 37-65.

par sa texture et la légèreté de son ornementation, celui de Charles d'Orléans (mort en 1465) plutôt que celui des poètes que cette princesse n'a cessé de s'attacher, « acteurs » de la grandeur bourguignonne incarnée en elle. Sans doute, quand le poète *est* le prince, une distance s'abolit-elle : celle même où se déploie la visée encomiastique, la volonté de l'Autre, l'opposition radicale du texte et de son objet, de ce qui est posé comme réel et de ce qui en constitue le miroir : point-limite où la contradiction d'identité ne « joue » plus ; où la fonction du rôle se réduit à dire simplement : Moi.

La situation sociale des rhétoriqueurs se définit au contraire par un rapport de subordination, plus ou moins étroit sur le plan économique, mais toujours officialisé selon la titulature de quelque appareil d'État. Intellectuel (si l'on peut le qualifier de ce terme trop moderne), le rhétoriqueur ne joue certes pas dans la communauté un rôle aussi fondamental que le producteur ou le guerrier. Son discours pourtant importe à la régulation sociale : il confirme, sur le plan de l'idéologie dominante, une hégémonie. C'est pourquoi la société le fait vivre, l'encourage et le surveille [1]. La mobilité et les interférences des divers secteurs du fonctionnariat, dans les royaumes et principautés des XVe et XVIe siècles, interdit tout classement rigide. Bien des rhétoriqueurs furent frottés de droit, voire chargés, à un moment quelconque de leur carrière, de besognes juridiques ; la plupart d'entre eux appartinrent au clergé, certains furent prêtres. Mais ce double titre ne détermina pas nécessairement le choix des fonctions les plus voyantes dont ils furent revêtus par le prince. Je m'en tiens ici à dégager les tendances générales. Ainsi, Jean Molinet, né en 1435 près de Boulogne-sur-Mer, probablement en milieu bourgeois, passa, après l'achèvement, à l'université de Paris, d'études « libérales », plusieurs années difficiles en quête d'un patron auprès de qui employer son talent. Il assurera plus tard avoir frappé en vain à plusieurs portes : celle du triste roi Louis XI, peu sensible à sa rhétorique ; celles de la duchesse de Bretagne, des comtes d'Artois et de Saint-Pol, du roi d'Angleterre même. Il finit à l'âge de trente-deux ans par trouver preneur dans le duc infirme Amédée IX de Savoie, qui l'engage on ne sait à quel titre, mais meurt en 1472. Molinet réussit alors à se glisser à la cour de Bourgogne, où armé chevalier, il est attaché à la chancellerie de la Toison d'Or, et collabore avec l'indiciaire Georges Chastellain, dont la succession lui est accordée par le duc trois ans plus tard. A la suite de la crise politique de 1477-1481 qui constitue, nous l'avons vu, le contexte de la *Ressource*, Molinet, devenu veuf, reçoit, dans des circonstances mal connues, un

---

1. Cf. Mandrou, p. 9.

canonicat de Notre-Dame-de-la-Salle, à Valenciennes, et voit, en 1485, renouveler par Maximilien sa dignité d'indiciaire, désormais archiducal [1]. C'est dans cette double condition qu'il passera les vingt-deux années qui lui restent à vivre. Je considérerai donc comme principalement déterminante, dans le milieu curial, sa fonction historiographique. De même, l'œuvre de Jean Lemaire, qui, tonsuré dès sa jeunesse, finit comme Molinet ses jours chanoine à Valenciennes, est plus fortement marquée par les fonctions qu'il occupa successivement auprès de Pierre de Bourbon, du comte de Ligny, de Marguerite d'Autriche jusque vers 1510 [2], puis de la reine Anne : « clerc de finances », « privé et secret domestique », poète à gages, chroniqueur, inspecteur des chantiers de Brou...

Octavien de Saint-Gelays et Guillaume Cretin furent surtout hommes d'église, assez haut placés dans la hiérarchie : le premier, juriste de formation, devint en 1495, par la faveur du roi, évêque d'Angoulême ; le second fut chantre de la Sainte-Chapelle, puis trésorier de la Chapelle de Vincennes. Tous deux baignent en plein milieu clérical, milieu très inégalement lettré [3], mais où se forme alors un type d'intellectuel nouveau, conscient des liens qui attachent son sort à celui d'une cité construite par l'homme pour les hommes.

Quelle que soit la fonction qu'il remplit, le rhétoriqueur n'y accède et ne s'y maintient que par la faveur d'un prince ou grâce à la protection de grands seigneurs qui l'ont introduit auprès de celui-ci et consentent à le soutenir dans les mauvaises passes. Meschinot, sire des Mortiers, qui « servit en armes » sous cinq ducs de Bretagne, finit maître d'hôtel de la duchesse Anne. André de la Vigne, secrétaire du duc de Savoie dès 1496, devint poète royal de Charles VIII puis de la reine Anne, et plus tard chroniqueur de François Ier. Baude, par la faveur du dauphin, le futur Louis XI, obtint la charge de « receveur des tailles » du Bas-Limousin : tâche ingrate qui lui valut une série ininterrompue de procès. Gringore, protégé par Pierre de Ferrières, Germain de Gamay, Jacques de Touteville, fut « écrivain » de Louis XII. Jean Marot, né à Caen, bonnetier à Cahors, devenu en 1506 dans son veuvage, grâce à Michelle d'Eaubonne, valet de chambre et secrétaire lui aussi d'Anne de Bretagne, fut chroniqueur de Louis XII avant de passer, en 1514, au service de François d'Angoulême, le futur François Ier. Jean Bouchet, clerc de procureur, obtint en 1510 le titre de procureur et « écrivain » du duc de La Trémouille [4].

1. Becker, 1967, p. 542-552 ; Dupire, 1932, chapitre premier.
2. Frappier, 1958.
3. Guy, 1973, p. 30.
4. Guy, p. 48-49.

Aucun de ces poètes n'eut la chance de leur contemporain Olivier de La Marche, qui, attaché comme Molinet au duc Charles de Bourgogne, puis à Maximilien, appartint au groupe étroit de leurs plus hauts collaborateurs : bailli, prévôt, gouverneur de place d'armes, ambassadeur, riche de terre et d'argent. Eux, tributaires au jour le jour d'un mécénat qui, successivement ou simultanément, accorde ces charges mal stipendiées, ou paie d'honoraires incertains la composition de tel texte : espérant l'hypothétique appoint d'avantages en nature, vivre et couvert, don d'un vêtement neuf au changement de saison, étrennes, exceptionnellement un secours en cas de maladie. Le modèle antique de la dédicace, qu'avait plus ou moins maintenu la tradition médiévale, apparaît au frontispice de la plupart des ouvrages poétiques ou savants de ce temps : donnant donnant [1]. A toi ma prose ou mes vers, avec ta permission ou sur ton ordre; à moi de quoi manger demain.

Mais, quoique le désir de passer pour un protecteur des arts et des belles-lettres commence à se répandre dans la haute noblesse, ni la générosité ni le discernement n'y sont toujours égaux. Les cours où, dans les pays de langue française, cherchent de préférence à faire carrière les ouvriers de la plume dessinent un réseau assez lâche. En fait, un très petit nombre de princes et de grands attirent une clientèle étendue, passant, au gré des circonstances, de l'un à l'autre : circulation incessante qui resserre autant les liens de subordination que ceux de l'amitié, de la jalousie, parfois de la haine. Déjà nous avons ainsi rencontré les rois de France Charles VIII, Louis XII, François Ier, la reine Anne; en Bourgogne, le duc Charles et la duchesse Marguerite, dont la cour à Mâlines, de 1507 à 1530, fut l'une des plus brillantes d'Occident [2] : fille de Maximilien et de Marie de Bourgogne, fiancée répudiée de Charles VIII, veuve avant ses noces de l'infant de Castille, veuve, après trois ans de mariage heureux, du duc de Savoie Philibert le Beau, Marguerite, inconsolable, et dont la devise qu'elle choisit dit, plus encore que les vers de Jean Lemaire, l'équivoque de ses mélancolies : *Fortune infortune fort une.* Cependant, à Mâlines prévalent des influences et des visées politiques venues des pays flamands et brabançons, de l'Empire germanique, et la France s'éloigne : Van Eyck, Roger Van der Weyden, Pierre de La Rue, Claus Sluter; quant aux écrivains de langue française, ils glissent peu à peu vers des centres plus méridionaux.

Quelques grands seigneurs rivalisent avec les princes. A ceux dont les noms sont apparus dans les pages qui précèdent (au premier rang,

1. Kristeller, 1974, p. 14-15.
2. Thibaut, p. 22-31.

Louis de Luxembourg), joignons Louise de Savoie, Antoine de Lorraine, et surtout le cardinal Georges d'Amboise, conseiller de Louis XII, archevêque de Rouen, assez riche pour consacrer à la construction de son château de Gaillon la somme fabuleuse de 154 000 livres, mais qui mourut en 1510 sans avoir vu l'achèvement de cette œuvre. C'est dans un tel contexte que s'inscrit l'histoire de la famille Robertet, héréditairement attachée au service des ducs de Bourbon. Dans les années 1460, Jean Robertet, « auditeur » et secrétaire du duc Jean II, en même temps greffier de Clermont et bailli d'Usson, est le plus illustre poète de la cour de son maître. Passé au service de Louis XI à titre de « notaire », nommé greffier de l'ordre de Saint-Michel, il devient plus tard valet de chambre de Charles VIII et « examinateur » du Châtelet. Retiré dans ses terres après 1494, il cède ses charges à son fils Florimond. Celui-ci sut faire une assez solide fortune pour jouer comme d'autres au mécène éclairé. Le *David* de Michel-Ange orna son « hostel » de Blois. Molinet le qualifie de « scintillant », vante son « angélique engin »; Jean Marot, Jean Bouchet dédient des poèmes à ce « prince de rhétorique ». Son frère François suit une carrière parallèle, mais de plus fut poète, et parmi les quelques vers que nous avons conservés de lui figurent six rondeaux allégoriques transposant, en substance, les *Trionfi* de Pétrarque [1]...

Le seul mécène de condition bourgeoise qu'une reconnaissance royale alors consacrât ne fut autre que l'armateur dieppois Jean Ango, dans la flotte duquel Jean Parmentier fut pilote. Personnage considérable par sa richesse et l'audace de son génie, Ango est après Jacques Cœur le seul en pays français qui se puisse comparer à la fois aux grands marchands italiens et aux entrepreneurs maritimes d'Espagne et du Portugal. Il a misé sur la mer, et les ressources inouïes que recèle l'Océan occidental. Ses navires touchent le Brésil, les rivages du Canada (si l'on en croit le rapport de Savary), Pernambouc, les Moluques. Il règne sur cet empire virtuel dans son « hostel » dieppois, qu'il fit décorer par des artistes d'Italie, et dans son manoir de Varangeville : il y reçut la visite de François Ier lui-même et de sa cour, qu'il hébergea durant une semaine entière. Admiré par Marguerite de Navarre, par le cardinal Barberini, « magnifique et noble homme Jean Ango », selon la dédicace de la traduction du *Catilina* de Salluste que publia Parmentier en 1528 et qui devait être quatre fois rééditée en une dizaine d'années. Ici encore, comme si ces figures restaient inséparables, intervient le roi, à qui le poète projetait de dédier la traduction du *Jugurtha* entreprise en mer durant l'année 1529 et inter-

---

1. Zsuppan, p. 9-10.

rompue par sa mort. Nul doute que Parmentier, d'origine modeste, dépendît d'Ango de la même manière que d'autres de leur prince. La « momerie » (pantomime) allégorique dont il rédigea le livret de mise en scène, et sans doute dirigea l'exécution, le 27 juillet 1527, pour célébrer le traité de paix franco-anglais, soutient des intérêts politiques qui sont ceux mêmes d'Ango : si Charlemagne et le roi Arthur y représentent François Ier et Henri VIII, la foule des spectateurs découvrait la figure du grand Dieppois en filigrane sous le cortège des Neuf Preux, des Sages, des Arts personnifiés, des Vertus, qui les accompagnaient avec le Bon Peuple à cheval sur son tonneau... De même, la série des « chants royaux », les cinquante-cinq strophes de l'*Exhortation* de Parmentier, dont le discours exalte l'aventure maritime, ne faisaient que servir, sous le voile métaphorique, les visées commerciales de l'armateur [1].

Reste le cas marginal du chartreux Destrées, dont on ne sait rien, sinon qu'il se réclame de Molinet : c'est à la demande de Marguerite d'Autriche et à la gloire du couple ducal qu'il rima, vers 1504, son grand poème sur la sainte dont cette princesse portait le nom.

Carrières incertaines, tourmentées. Patrons et protecteurs ont parfois l'humeur versatile : un caprice vous condamne à la famine ; ils passent, comme toute chose, et leur mort ruine son homme du soir au matin. On l'a vu pour Molinet après janvier 1477. Au sein même d'une stabilité provisoire, ou dans la quête du poste convoité, vous menace la concurrence de rivaux. Le rhétoriqueur, sauf de rares exceptions, est toujours sur la brèche. Les princes utilisent leurs poètes comme ceux d'autres temps feront de leurs gazetiers : l'opinion, dans ce contexte, procède autant ou plus de l'intérêt économique du moment que de profondes motivations idéologiques. Jean Lemaire se brouille avec Marguerite d'Autriche, retrouve du service chez la reine Anne : il avait vilipendé les Français, désormais il les exalte. Au bout de deux ans meurt la nouvelle protectrice : le poète disparaît, englouti dans une obscurité qui ne nous laisse aucun document permettant de connaître sa, probablement triste, fin [2].

Dans le meilleur cas, sauf si la charge occupée comporte prébende, on ne saurait parler de salaire dans un sens contractuel. Les sommes versées varient d'un maître à l'autre, voire d'une année à l'autre : Molinet perçoit, comme indiciaire, en 1485, des émoluments annuels de 120 livres ; Gringore, entre 1501 et 1517, des honoraires de 100 à

1. Ferrand, p. XI-XVI, LVII-LX, LXXVI-LXXXIII et 117 ; cf. Mollat, p. 354-358.
2. Becker, 1970, p. 248-254.

150 livres pour chacun de six ouvrages littéraires, dont les livrets des entrées de quatre princes de la famille royale; Lemaire, en septembre 1511, pour l'exercice comptable d'une année qui se termine alors, une somme de 240 livres tournois, payée par le receveur général du Hainaut; en 1512, Marguerite d'Autriche le gratifie de 70 écus d'or pour lui permettre de régler ses dettes : Jean Marot touche, pour son service chez le roi, 240 livres en 1523, mais 120 en 1524[1]... Il est difficile d'apprécier absolument de tels chiffres. L'écu d'or « soleil » vaut, selon les époques, de 1 livre 3/4 à 2 livres 1/4. Sous le règne de François Ier, un maître des requêtes en tournée reçoit 5 livres par jour; un maître imagier réputé, 6 sols, soit, sur trois cent soixante-cinq jours, un salaire annuel de 110 livres environ; un compagnon maçon, dans le même temps, la moitié; un journalier agricole, le tiers[2]. L'irrégularité et l'absence apparente de critères présidant à l'attribution de ces « traitements » n'en sont pas moins significatives. Cretin et Jean Marot durent l'un et l'autre supplier François Ier de leur conserver leurs gages; Marot, quêter des subsides auprès de François Robertet, ce qui ne l'empêcha point de finir pauvre, ainsi que l'avait fait Meschinot... Dans l' « ère du prince », comme on l'a nommée[3], le poète reste maintenu dans une étroite dépendance économique qui constitue son statut normal. Les très rares individus qui y échappent n'infirment pas la règle. Quelle autre issue, quand pèse trop lourd la conscience d'une telle condition, que de jouer allégrement cette partie de servitude, quitte à en prendre une autrement subtile revanche ? Bouffons quand il faut l'être, mais d'une bouffonnerie qui sonne juste, car elle est rire de soi, dispersion amusée de ce qui ne tient pas à l'être : ce qu'*ils* m'ont fait. Armes anoblissant Molinet à l'apogée de sa célébrité : chevron sur champ d'azur à trois noix percées surmontées d'un moulin... Suprême ironie, alors qu'il demandait de l'argent ?

A quel point cette situation détermine une poétique, sinon dans son principe avoué du moins dans ses manifestations, nous le découvrirons peu à peu[4]. Le rôle qu'a fonction de tenir le poète sur la scène curiale, c'est, par délégation, celui du prince même : délégation à tout instant révocable mais qui, tant qu'elle perdure, le revêt d'un costume d'apparat par-dessous lequel nul ne s'informe de son corps.

1. Guy, p. 255 et 280; Becker, 1967, p. 551; Munn, p. 71.
2. *Journal...*, p. 19.
3. Le Goff, 1962, p. 138.
4. Wolf, p. 8-13.

Costume de langage, taillé dans le tissu protocolaire que produisent d'anciennes traditions féodales, exténuées. A la fois chant et discours, rêve et démonstration, l'art verbal met en perspective le Grand Jeu : célébration et intimisme, engendrant, à la surface des relations réelles, la figure d'autres relations, homologues certes à celles-ci, mais sans temps ni lieu. Tout discours, ainsi enté sur l'imaginaire, s'orchestre en vertu d'une harmonie exemplaire, interne, et si gratuite que l'ornement s'y confond avec la substance; que les ruptures, s'il en est, s'opèrent secrètement, sous la continuité superficielle. Le chant jadis pur du trouvère [1], fictivement individualisé par l'acteur dont la voix le porte, ne procède plus d'un mouvement unique : jeu dramatisé, multiple, il se déploie en chatoiements, en reflets d'un monde sur lesquels se penche l'œil fasciné [2]. Tenir ce rôle exige un double don, que possèdent au plus haut degré nos rhétoriqueurs : une foi totale dans le pouvoir de la parole, dans la sagesse qu'implique l'éloquence; mais aussi une confiance illimitée dans la vertu significatrice de l'histoire.

Mettons : de ce que le poète perçoit de celle-ci, du haut lieu où pour un temps il parade. Fasciné, l'œil n'en est que plus myope. La *Recollection des merveilles advenues*, dont Chastellain rima les quarante-trois premiers huitains, puis Molinet, en 1495, les cent six autres, trace en pointillé la chronique de hauts faits seigneuriaux, comme un catalogue d'arguments propres à ce que des critiques d'un autre âge nommaient des « poèmes de circonstance [3] ». Je ne reprendrai pas cette expression, les arguments m'importent peu. Il reste que la table des matières des *Faictz et Dictz* offre quelque enseignement : les titres du premier volume de l'Édition Dupire n'annoncent guère que discours à propos d'événements militaires (*Complainte de Grèce, De Nus de Nuz, la Journée de Thérouanne*), politiques (*Dictier sur Tournay, Sus ceux de Gand, Au roy de Castille*), ou relatifs à l'existence des princes, naissance (d'Éléonore d'Autriche, du futur Charles Quint), mariage (des infants d'Autriche et d'Espagne), mort (de Philippe le Bon, de Marie de Bourgogne, de l'empereur Frédéric, du duc Albert de Sassen, d'Henry de Berghes, d'Isabelle de Castille, de Philippe le Beau), incidents divers (le *Naufrage de la Pucelle, Un présent fait à l'empereur*)... La même opération, pratiquée sur la table de Saint-Gelays, d'André de La Vigne, de Jean Lemaire, de Cretin, de Jean Marot, dans une moindre mesure de Bouchet, fournirait des listes comparables, plus étoffées du reste chez le poète bourguignon qu'en France.

1. Zumthor, 1970.
2. Cf. Poirion, 1965, p. 79 et 480.
3. Dupire, 1936, p. 284-334 et 989-1014.

Il ne s'agit en cela de représentation qu'au sens théâtral du mot — une action mise en scène —, non à celui de figuration reproductrice. Ce discours « circonstanciel », même lourdement chargé d'amplifications descriptives, reste dans son élan premier un discours de persuasion plus que d'aveu, réitérant sans fin que l'objet dont il parle a trouvé, dans le *je* qui le prononce, un acteur adéquat. Mais cet objet n'est qu'une latence, une virtualité narrative, jamais entièrement réalisée : la parole poétique est intercession entre un ordre éphémère qu'elle tait et un ordre éternel qu'elle évoque sans le désigner. Certes, la *littera* de nos textes apparaît méticuleuse, fouillée, encombrée de ces détails allusifs dont le XVe siècle, dans tous ses arts, a le souci. Mais le fait cité ne constitue point une donnée : il est état de choses, lieu complexe d'affirmation, d'interrogation, de dénégation surimposées; les mots qui le disent, en s'intégrant au discours, y perdent partiellement leur statut de signe, ne sont plus que les particules d'une parole dont la seule signification est globale. Signification panégyrique, en vertu de la convention qui fonde l'univers de la cour; la « circonstance » la provoque, elle n'en fournit pas le thème. Double projet, selon lequel ce qui est dit prend consistance dans le miroir de ce qui ne l'est pas.

Aux causes générales de cette « différance », tenant à la nature même de l'écriture, s'ajoutent des déterminations propres aux formes culturelles du Moyen Age[1]. Le discours poétique médiéval, en effet, ne possède pas l'ouverture qui lui permettrait d'« imiter » n'importe quel développement imprévisible du « réel ». Il manque de toute aptitude à saisir le hors-texte en acte, comme succession de moments liés en séries contradictoires, d'accidents empiriques et inopinés. Il n'est pas, comme le devint un discours plus moderne, indéfiniment disponible. Le hors-texte se propose à lui comme une surface aux chatoiements fugitifs, dont seuls sont dicibles les rares traits constants; comme un réservoir d'indices, dont le langage a pour fonction d'extraire un petit nombre d'éléments, où il lit les traces d'une vérité dégagée des vicissitudes temporelles et spatiales. L'historiographie même, qui par vocation recherche avec un soin particulier, dans l'événement vécu, de telles potentialités signifiantes, constitue une pratique morale; le récit qu'elle expose renvoie à une échelle de valeurs éthiques qui lui reste extérieure et que le fait manifeste par le seul moyen de sa glose[2].

Le discours extrait ainsi de l'événement un sens, lequel appartient

---

1. Battaglia, p. 467-468.
2. Zumthor, 1975, p. 239-240.

à un ordre autre. Ce qui, hors-texte, est historique se trouve promu par la parole sur un plan que l'on dira, en donnant à ce terme son acception ancienne, politique. Le souvenir des faits, quelle qu'en ait été la perception première, est informé — cadré, mis en œuvre, poétiquement formalisé — en vertu d'une idéologie dont nous verrons par la suite comment elle inscrit expressément ses marques dans le texte. Peu importent ici ses manifestations tonales : courtisane, partisane, polémique. J'entends par idéologie (il n'est pas inutile de le préciser) un ensemble de schèmes intellectuels et discursifs remplissant une fonction sociale de légitimation de l'ordre, procès récurrent de création de valeurs, impliquant certitude quant à des relations historiques dont ni l'origine n'est mise en question ni la fluidité dénoncée; une fossilisation sous des termes tels que « nature », assurant et rassurant la conscience collective au prix d'une rationalisation du réel assortie d'une topique de consolation qui voile les contradictions vécues [1].

Molinet, dans la *Ressource*, se montre passionnément bourguignon et antifrançais, mais son discours dit cette passion comme un attachement inconditionnel à l'ordre aristocratique, d'où procèdent à ses yeux, si un prince vertueux le gouverne, vérité et justice. Sans jamais y parvenir tout à fait, le texte tend à se centrer sur soi, à articuler une expérience qui ne soit rien d'autre que lui-même. Sa référence s'établit ainsi au niveau de sa totalité plutôt que de ses parties : comme une lumière qu'il rayonne, non comme le geste latéral tendu vers les objets extérieurs, et que la progression de la parole ne cesse de « suspendre [2] ». Le sens littéral s'autodétruit à mesure que s'innove un sens autre, qui est la métaphore, toujours inachevée, du premier. On alléguerait ici les propositions par lesquelles Mukařovsky jadis raffinait sur les distinguos de Bühler et, d'avance, nuançait ceux de Jakobson : le discours « esthétique » (selon sa terminologie) s'oppose à tout autre en ce qu'il nie dialectiquement la communication « réelle » dont il partage certains éléments; dialectique qui prend consistance par la médiation des récepteurs, instituant ce discours en texte clos, en assurant la « concrétisation » (comme écrit, de son côté, Ingarden), indéfiniment renouvelable et changeante [3], en vertu d'une équivoque sur laquelle j'aurai longuement à revenir dans un chapitre ultérieur.

Par là, tout texte clos est fiction. Et la fiction entretient avec le « réel » un rapport qui n'est point d'existence, plutôt, d'une manière indirecte, de communication. Loin de refléter spéculairement le

---

1. Duby, p. 149-152.
2. Cf. Ricœur, p. 265-266, 278, 289.
3. Warning, p. 13-23 et 35.

contexte, le texte s'engrène sur les systèmes signifiants divers qui le constituent ; son propre système réagit à ceux-ci selon des lois qui ne sont plus les leurs : actualisant ce qu'ils excluent, renient, adombrent, ou bien au contraire ponçant ces menaces, colmatant ces brèches, comblant ces lacunes [1].

Le contexte social, nul ne le nie, s'investit dans la fabrication de l'objet « littéraire ». La question est plutôt : dans quelle mesure le social ainsi littérarisé perd-il son poids propre ? Le texte ne le « reproduit » pas ; il le re-produit, activement. Chaque discours trouve son propos dans ce qui est : il informe un contenu préalable, qu'il soumet à sa syntaxe. Pourtant se dessine une hétérogénéité, due au déplacement que comporte le transfert du hors-texte au langage, thématisant une subjectivité. Rien dans le texte tel que nous le lisons n'autorise un passage direct de l'un à l'autre niveau. D'où, idéologiquement, un probable dérapage. L'idéologie en effet ne se confond pas avec le social ; elle en est le produit ultime, au sein des groupes qui le vivent : ressortissant, quant à sa constitution première, à l'ordre du désir, elle se voit modelée, à partir de situations concrètes, par le politique, qui en réduit, jusqu'à l'effacer presque dans le discours commun, la marque individuelle. Mais le désir, à travers le discours poétique, resurgit plus vigoureusement, façonne le signifiant, le peuple de ses fantasmes. Cette pratique signifiante tend à s'opposer ainsi radicalement à l'Institution dans le moment même où celle-ci fait preuve de la force la plus opprimante : elle éclate, selon les rites propres de son langage, en pulsions, en instants de jouissance qui, s'infiltrant dans ce dire, y introduisent une étrangeté « inquiétante [2] ».

La fonction remplie par le rhétoriqueur à la cour est ainsi, à la fois, officielle et close, d'une part ; cachée, mais ouverte, de l'autre. Close dans la relation qui unit au prince le poète ; ouverte, dans le texte qu'engendre cette relation. On pourrait opposer, selon le point de vue, fonction sociale et fonction poétique et en interroger la coïncidence ; ou fonction de l'écriture en tant que résultant de certains rapports de travail, et sa fonction comme investissement d'une énergie individuelle. A partir d'un événement initial, naissance, mariage, bataille, mort, simultanément transmis et trahi (tel qu'en un autre le texte change le même), s'instaure une surface rhétorique que rongent de l'intérieur des mouvements nocturnes.

---

1. Cf. Iser *in* Warning, p. 301-305.
2. Kristeva, 1975, p. 13.

Fonction officielle : comme annonceur et porte-voix de la cour, le poète est indispensable à l'État au même titre que le héraut d'armes. L'ordre public, dont il maintient et nourrit le discours, se fonde dans et sur celui-ci. Les princes en ont conscience, assez aiguë pour tolérer, dans la louange, des nuances optatives

> A ceste fin qu'ils sachent les desroys
> De leur Conseil, qu'on ne leur ose dire,
> Desquelz ilz sont avertis par satire,

comme l'écrit Jean Bouchet à propos de Louis XII [1]. Le souhait porte sur une amélioration possible, voire une restauration de l'Ordre, perpétrable au niveau des acolytes du Maître, non de celui-ci même, pierre angulaire de l'édifice curial.

La vertu persuasive de la parole éloquente a partie liée avec l'existence urbaine en un temps où la ville, expansion de la cour, devient le centre ordonnateur de la vie publique, créateur des valeurs qui la polarisent [2]. Mais la ville est un site ambigu : la zone princière s'y trouve assiégée par un milieu bourgeois ambiant dont, à la fin du XVe siècle, elle ne se distingue plus de manière évidente. D'où une autre tension; d'où la nécessité, pour les rhétoriqueurs, et c'est leur fonction cachée, d'un refus. Si même le piétisme ou le pacifisme plat de quelques-uns d'entre-eux, comme Bouchet, Gringore, et parfois Molinet, trahissent la présence active du discours bourgeois dans l'intertexte, du moins ce que tous refusent (sans le proclamer explicitement), c'est l'accaparement et la conservation du sens, cette monnaie. Le sens, à la mode aristocratique, ils le dilapident : je reviendrai sur ce point... « capital »! Ce qu'ils refusent, c'est d'aliéner leur désir en l'investissant dans un avoir, une épargne : dans autre chose.

Ce que leur discours donne à entendre, à lire, c'est la loi. Ce qui l'écrit, c'est une violence. La violence circonvient la loi; l'écriture qui se fait s'asservit la lecture qu'elle provoquera. La loi se constitue dans le langage performatif du prince. Le discours curial, fondé sur la connaissance de la loi, n'est plus que constatif, figuratif, mais de façon que toute figure soit équivoque, sur ce théâtre. De telles exigences déterminent les formes du dire; mais celles-ci les confirment et les déterminent à leur tour : c'est au centre de ce cercle que se situent les facteurs discursifs dont je traiterai par la suite, la rhétorique, l'allégorie, la mythologie, les distorsions du signifiant.

---

1. Wolf, p. 13-15.
2. Vasoli, p. 29 et 35.

Peu importent dès lors, dans les marges très étroites de la surface textuelle, les rares ornements descriptifs ou les topiques qui semblent s'insurger ouvertement contre le langage de la loi : simple dédoublement du rôle, aussitôt récupéré dans l'unicité du jeu. Ainsi, les descriptions attentives, amicales, de petites gens, chez Molinet, ou telle déclaration de ses *Chroniques*, parangonnant la vaillance chevaleresque de quelques paysans [1]. Ainsi, le motif, récurrent tout au long du XVe siècle, depuis le *Curial* d'Alain Chartier, du *taedium curiae*, le dégoût des hypocrisies de la cour, qu'amplifie longuement l'*Abuzé*, et qui resurgit çà ou là, comme dans le *Séjour d'Honneur* de Saint-Gelays [2].

La véritable question se pose à un autre niveau : celui de la production des textes, et des contradictions qu'elle dépasse en les manifestant. De ce point de vue (partiel, du reste, mais primaire), les rhétoriqueurs m'apparaissent, collectivement, comme obsédés par la recherche d'un mode d'écrire qui permette de repersonnaliser le rapport de l'écrivant à l'écriture. Prisonniers de cours dont ils dépendaient pour le meilleur et le pire, ces hommes disposaient d'un seul lieu où se dérober à cette aliénation : l'intérieur même de l'univers poétique, c'est-à-dire l'acte constitutif du texte. Au sein d'un monde aristocratique qui faisait profession d'immutabilité mais où, sous des formes apparemment inchangées depuis deux siècles, toute existence devenait rite et spectacle, les rhétoriqueurs ont tenté de faire du langage même, et de lui seul, le spectacle, la scène et l'acteur.

Empêtrés, certes, dans des coutumes anciennes qu'ils n'avaient ni le pouvoir ni la volonté de mettre en question comme telles... tributaires, d'autre part, de l'outillage intellectuel d'un âge pré-linguistique, ne disposant d'aucun des moyens d'analyse qui sont les nôtres... naïfs et partiellement dupes, mais possédés par un dynamisme dont témoigne clairement, en plusieurs de ses parties, l'œuvre qu'ils nous ont laissée ; œuvre dont on peut dire qu'elle pratiqua, dans le langage hérité du Moyen Age et dans les structures mentales qu'il maintenait, un changement *radical* : j'entends ce dernier mot dans son sens étymologique. Ce que les rhétoriqueurs ont « changé » se situe quelque part dans les zones profondes où le langage s'articule avec le sens, où le sens s'enracine dans le langage : ils changèrent (ils tentèrent de changer) un signe dans l'algorithme initial, de sorte que la totalité des conclusions s'en trouve affectée, par-delà les vieilles coutumes compositionnelles qu'ils conservaient par inertie, sous la pression du

1. Dupire, 1932, p. 110, et 1936, p. 1002.
2. Dubuis, 1973 *b*, p. XLVI-VII; Mann, p. 59.

milieu ambiant. A l'abri de cette patente (leur « rhétorique »), c'est à rien de moins qu'à une déconstruction du langage poétique héréditaire (ce legs aussi indéniable et contraignant que les rites de la cour) que s'employèrent nos poètes. Mais ils s'y employèrent du dedans : dissociant les « types » traditionnels, évacuant, par hyperbole, les références métaphoriques, accumulant jusqu'à l'absurde, par redondance systématique, tous les jeux langagiers dont les générations antérieures avaient fait l'expérience. Ils n'innovaient guère. Ils allaient jusqu'au bout de tendances latentes depuis des siècles, sporadiquement manifestées chez quelques-uns de leurs lointains devanciers. Incapables de démonter le moteur, ni même, peut-être, d'en comprendre les mécanismes, ils l'emballaient.

Le discours de la gloire

Même corrodé par eux, le discours politique embrasse et supporte tous les autres. Posons ce principe pour clarifier la perspective : il sera temps bientôt de tracer les limites de son champ d'application. Du moins, à premier examen, semble-t-il déterminer la plupart des textes de mon corpus, l'œuvre de Molinet en particulier.

Il définit, en s'y circonscrivant, l' « horizon d'attente » du public que constituent la Cour, et la Cité en tant que représentée par celle-ci : public que l'on doit compter parmi les agents de production du texte [1]. Son horizon implique une norme, permettant, au-delà de la négativité propre à ce dernier, l'identification qui l'insère dans la continuité de l'histoire [2]. En ce sens, et au niveau le plus général, le texte se pose à la fois comme objet et comme action. Cependant, la société européenne de la fin du xve siècle, nous l'avons vu, dans son état conflictuel, tient encore, par bien des traits, au type de culture que l'on a nommé « paradigmatique », et dont l'idéal est un recours incessant à ses propres structures, une fidélité à ses archétypes; mais déjà s'y manifeste, avec violence, un autre type de culture, voué au changement, sinon à la fuite en avant que sera un jour le « progrès ». D'où les chocs, et les premiers ébranlements en profondeur, dont le discours politique a pour fonction de tenter la neutralisation ou le maquillage. Il en résulte une atténuation, sinon une résorption, de la fonction pragmatique du texte : son action, parce que d'abord théâtrale, ne se confond point avec l'action « efficace »; le texte, voulu art, a sa « réserve », quelque part, dans ce qui « n'est pas tout à fait le monde »; s'il agit, c'est de manière « réservée, inagissante [3] ». Le discours qu'il tient se décrit, dans sa spécificité, moins en termes de communication que de contraintes « hégémoniques » sur le langage. Dans sa manifestation, l'inscription idéologique traduit, certes, l'impact d'une conjonc-

1. Jauss, 1973, p. 169 et 183-189.
2. Jauss, *in* Weinrich, p. 264-272.
3. Blanchot, p. 284-285.

ture (entendue comme l'unité de contradictions perçues à un moment donné); mais le brouillage rhétorique étouffe autant qu'il est possible son effet : le revêtement figuratif comporte le plus souvent un élément hyperbolique de louange personnelle (du prince, ou de son substitut), élément qui parfois en recouvre la surface entière et en dissimule sous l'éclat de cette lumière artificielle les « structures profondes [1] ».

Celles-ci, à leur tour, présentent, à un degré d'abstraction suffisant, une telle stabilité que l'on pourrait les considérer comme un modèle narratif latent et statique. Le dynamisme textuel dès lors n'a d'espace où se déployer que dans la désignation des actants, et, surtout, dans les failles provenant de la complexité de ce modèle. Celui-ci, en effet, est double, et les deux ensembles conceptuels qui le constituent s'articulent malaisément.

D'une part, un modèle général oppose deux séries de termes interchangeables destinés à rendre compte de la relation entre le prince et son peuple :

$$\begin{matrix} \text{paix} & & \text{guerre} \\ \text{justice} & versus & \text{tyrannie} \end{matrix}$$

Une progression narrative conduit le discours de l'un à l'autre de ces termes selon un parcours circulaire comportant quatre modalités :
Modalités « historiques »
1. justice - tyrannie - guerre - paix (-justice) : soit, du bien au mal, et à la restauration du bien;
2. tyrannie - guerre - paix - justice : du mal au bien; c'est le parcours sous-jacent à la *Ressource du petit peuple;*
Modalités « prophétiques »
3. guerre - paix - justice - tyrannie, ce dernier terme comme vision négative d'un futur d'où il sera exclu;
4. paix - justice, termes d'un passé projeté sur l'avenir (promesse de restauration) *versus* tyrannie - guerre, termes du présent.

Quand l'énoncé se limite à proposer les termes d'une seule série, voire un seul d'entre eux, son caractère narratif s'estompe, au profit d'une description.

Dans les termes de la première série (paix, justice) s'investit la valeur d'identification; dans la seconde, celle d'aliénation; ou, plus généralement, « bien » d'un côté, « mal » de l'autre. L'ensemble a pour sujet et objet, respectivement, soit le prince, soit le peuple; du moins, le premier remplit-il toujours une fonction active; le second, passive.

1. Cf. Poirion, 1965, p. 466.

Au prince peuvent être adjoints ses suppôts (grands, riches, gens d'armes); le peuple peut être assimilé qualitativement aux « pauvres » ou représenté, en façon de synecdoque, par l'un de ses « états », paysans ou marchands, campagnards ou bourgeois des villes.

D'autre part, un modèle particulier s'applique au seul terme *guerre*, que la cour ne pouvait connoter univoquement comme aliénation et mal. D'où trois nouvelles séries de termes oppositifs, explicitant la cause instrumentale, la qualité et la conséquence de l'action guerrière :

faite par Nous	*versus*	par Eux
est juste	*versus*	injuste
procure gloire	*versus*	honte.

Prince et peuple sont unis dans le même *nous*.

La coexistence et les combinaisons de ces ensembles entraînent dans le système quelque déséquilibre, dû à l'intervention de l'idée de gloire. Tout discours politique opère d'infinies variations sur ce schème, y incorpore, de façon amplificatoire, divers lieux communs, descriptions et digressions. Au niveau syntaxique, l'investissement des valeurs s'opère, sauf exception, par le moyen de l'allégorie : je consacrerai un chapitre ultérieur à celle-ci. Enfin, la narration s'énonce souvent à la première personne : à tout le moins, l' « acteur » (l'auteur) intervient, et dit *je*. D'où une tension entre ce *je*, le propos qu'il tient, ce dont il ne parle point, et ce qui n'est pas lui : affrontement de termes au sein du rapport analogique ainsi posé entre les moyens et les fins du pouvoir politique et ceux du poète.

En termes greimasiens [1], on distinguerait, dans cette narration (virtuelle ou actualisée), sur l'axe de la communication (le « savoir »), deux actants : l'ordonnateur du destin, qui est le poète en tant que délégué de la cour, et l'objet du destin, cette cour même, représentée par le prince; sur l'axe du désir, deux autres actants, le prince et sa vertu; sur l'axe enfin de la participation, deux encore, la paix (la justice, nous) et la guerre injuste (la tyrannie, eux).

Mais un tel discours serait utopique s'il ne se rapportait à un lieu, réel quoique mythifié, la cour encore : ce lieu même dont l'abbaye de Thélème, en 1534, figurera l'envers irréalisé; et Villegaignon, vingt ans plus tard, l'antitype sur son îlot brésilien... Le premier élan se marque alors d'un mouvement qui traversera les XVIe et XVIIe siècles, inscrivant dans leur histoire et leur espace politique une cité idéale et sans lieu. Les rhétoriqueurs ne résistent point à cet emportement; mais la

---

1. Cf. Coquet, p. 71.

nécessité panégyrique chez eux dévie l'élan, sa visée ne s'écarte pas du palais dont on vit; le mouvement se rétracte, en appelle à quelque *renovatio mentis* comme en rêvèrent les réformateurs médiévaux [1].

Ce modèle latent transparaît sans trop de surcharges dans le *Débat de l'aigle, du harenc et du lyon* de Molinet, opposant, en 1467, trois « rois » (le duc Philippe de Bourgogne, l'empereur Frédéric III et Louis XI), figures de bons princes auxquels des circonstances différentes prêtent accidentellement des traits divers. Philippe règne en paix et en justice :

(Identification)	Le lyon suis, tous autres peu doubtans;
(Nous)	Des bêtes roy, je mène le doux temps;
(Bien et *Gloire)*	Pair des vertus, couronné des plus belles,
	Fleur de noblesse, en tous temps fleurissans,
(Paix)	Odeur de paix de rice fleur yssans,
(Justice)	Doux aux bénins et cruel aux rebelles [2].

Ce sont les termes mêmes qu'en 1509 encore Jean Marot mettra sur les lèvres de Paix prononçant, dans le *Voyage de Venise*, l'éloge de Louis XII [3].

Dans le *Débat* de Molinet, Frédéric, injustement vaincu, doit évoquer au passé sa grandeur; sa situation actuelle se définit donc par un cumul de contradictions :

> Mon bien n'est rien car ma ricesse cesse,
> Mon bruyt me nuit car ma noblesse blesse,
> Mon plait déplait car ma laidure dure,
> Mon corps est mort car ma vieillesse laisse,
> Mon fait est fait car ma détresse dresse,
> La mort qui mord est mon ardure dure.

Contradictions que seule permet de dépasser narrativement une invective contre la guerre et ses propagateurs. Cependant, Louis XI, vainqueur de ses ennemis, vante, par-delà une violence nécessaire, le rétablissement de l'idylle qui est la figure du bien :

(Identification)	Le hareng suis, portant la fleur de lis,
	Roy des poissons, ne crains gros ne delis,
(Gloire et *Justice)*	Beste n'oiseau sauvage ne champestre.

1. Marin, 1973, p. 87-114; Belmas.
2. Dupire, 1936, p. 628-635.
3. Lenglet, p. 57-58.

	Le fier lupart qui prenoit ses delis
(*Paix*)	En mon verger, doux que plume de lis,
(*Guerre juste*)	Ay enchassé bien loin de mon champ pestre.

Le *lupart* (léopard) en question emblématise sans doute les féodaux révoltés de la ligue dite du Bien public. Dans les manifestes et déclarations auxquels celle-ci donna lieu, s'était esquissé un discours de propagande fondé sur plusieurs des éléments de mon modèle. Un accent spécial y était mis sur les motifs concernant le « povre et menu » peuple des campagnes, objet typé de la tyrannie. Ces motifs réapparaissent, pour fonder l'éloge ou le blâme, dans les « vingt-cinq ballades sur vingt-cinq princes » que composa Meschinot vers la même époque [1] et dans plusieurs autres de ses poèmes courts [2].

En 1492, les Anglais débarquent à Calais à la demande de seigneurs bretons révoltés : Octavien de Saint-Gelays, alors attaché à la cour de Charles VIII, adresse à celui-ci un poème exaltant la juste guerre qu'il convient d'entreprendre :

(*Justice* bannie)	Nous voyons près et souffrons en nos parcs
	Loups et liépards, reproche inestimable;
(*Paix* bannie)	Nostre heur fuyons, laissant en toutes parts,
(*Gloire* bannie)	Comme couards ou gens dépourvus d'arcs,
(*Injustice*)	Pour tels soudards, dont moult suis lamentable :
(*Honte*)	Nous tenons table, et réputons à fable
	Non véritable le rapport qu'on en fait,
(*Souffrance*	
du peuple)	Mais cependant nostre peuple est défait...
(*Gloire*	
revendiquée)	Sus, gens de cœur, à l'enseigne courez
(*Guerre juste*)	Et recouvrez vostre propre domaine! [3]

La chronique nous apprend que le roi préféra payer de 745 000 écus d'or le retrait des envahisseurs. Le discours des poètes ne disposait pas des structures qui lui auraient permis de « représenter » un tel acte, d'en fournir une image figurale : il ne pouvait, quelque rhétoriqueur l'eût-il voulu, qu'embrayer sur le motif du retour de la paix; le modèle ne comportait aucun actant à caractère économique. L'implication idéologique est évidente, marquée par ce manque.

---

1. Martineau-Genieys, 1972 *a*, p. LVIII.
2. *Ibid.*, p. LVI, LVII, LXI, LXII.
3. Molinier, p. 277-281.

Les termes simples du modèle, à travers les transformations qui les affectent dans la performance, se chargent de motifs adventices, fonctionnant dans la narration soit comme amplifications exemplaires, soit comme figuration d'adjuvants ou d'opposants qui favorisent ou contrarient le triomphe final du Bien. Cette fonction narrative exige, dans le second cas, l'hyperbole; dans le premier, la multiplication des « lieux » rhétoriques démonstratifs : non seulement, en effet, ils prouvent la validité du discours, mais ils assurent la concrétisation de l'énoncé. Ils comblent, par artifice, l'écart entre les termes rigides et abstraits proposés par le modèle, et la diversité du concret : espace vide, qu'ils remplissent d'une énergie verbale provenant de leur redondance même. Il est commode de classer ces motifs en deux groupes, euphoriques et dysphoriques, selon l'ordre des valeurs qui s'y investissent. Je me borne à fournir quelques exemples.

MOTIFS DYSPHORIQUES. Certains d'entre eux sont empruntés à une tradition littéraire remontant au milieu du XIVe siècle, et attestée par des ouvrages comme le *Compendium morale de republica* de Raoul de Presles ou le *De casibus virorum illustrium* de Boccace, adapté en français, en 1409, par Laurent de Premierfait [1]. Peu m'importent ici ces antécédents.

Figuration du Mal : identification de la guerre avec Mars, décrit sous les traits d'une idole monstrueuse; ainsi, plusieurs fois chez Molinet; ou dans les *Folles Entreprises* de Gringore (1505).

Cause matérielle de toutes les formes du Mal affectant les princes et les empires : l'instabilité de Fortune; ainsi, Saint-Gelays, dans le *Séjour d'Honneur* (1490-1494); Cretin, dans sa *Complainte sur la mort de Guillaume de Bissipat* (1511).

Cause morale : l'action satanique, en vertu de laquelle la ruine des États est imputable aux crimes qui s'y commettent; la considération de l'histoire révèle, dans cette *translatio imperii*, l'effet d'un châtiment providentiel. Ainsi, dans la *Louenge des roys de France* d'André de La Vigne; dans telle ballade de Baude sur le « mauvais gouvernement de la cour », ou dans la *Déploration de l'Église*, de Bouchet (1510).

Réduction « théologique » des deux motifs précédents : c'est Dieu qui fait et défait les empires.

Cause prochaine : la dégénérescence de l'idéal chevaleresque, le bannissement d'Honneur; ainsi dans les *Folles Entreprises* de Gringore, dans le *Panégyrique du Chevalier sans reproche* de Bouchet (texte en

1. Bossuat; Gathercole, *in* Simone, 1967, p. 168-178.

prose, de 1527), dans l'*Erreur pusillanime* de Cretin, invective vengeresse de la journée des Éperons, en 1513.

Conséquence à long terme : le temps est une force de mort, dépourvue de tout élément purificateur ; l'Antiquité n'est aujourd'hui qu'un cimetière ; si le redressement tarde, bientôt les ruines mêmes auront disparu : ainsi, dans le *Voyage de Venise*, de Jean Marot (1509).

MOTIFS EUPHORIQUES. Ils contrastent globalement avec les précédents ; mais ils ne constituent, avec certains d'entre eux, que par exception des oppositions binaires.

Triomphe individuel sur la mort : la gloire acquise par l'individu, fruit de ses vertus, survit à sa puissance matérielle et à son anéantissement. La cause majeure de cette éternisation dans la mémoire des hommes est la pratique de la magnanimité : générosité, courage, splendeur du geste, désintérêt pour toute médiocrité, les vertus mêmes du comte de Ligny telles que les exalte Lemaire en 1504 dans la *Plainte du Désiré...* et qu'il les parodie, l'année suivante, dans les *Épîtres de l'Amant vert*, panégyrique du perroquet de Marguerite d'Autriche, malencontreusement étranglé par un chien. De même, à propos de Louis XII, à une dizaine de reprises dans le *Voyage de Gênes* de Marot. Ainsi encore, dans l'*Apparition du Mareschal Sans Reproche* de Cretin (1525).

Éternité spirituelle des empires : motif qui n'apparaît en français qu'après 1500, d'abord chez Lemaire et Marot, quoiqu'on le rencontre en latin depuis le début du xve siècle [1]. Les œuvres de l'esprit survivent à la ruine de l'État, et projettent sur l'avenir leur splendeur. Celle-ci se transmet, comme un courant énergétique, du passé au présent et aux siècles futurs, de sorte que la gloire d'un peuple ancien peut à tout instant se réincarner dans le peuple moderne, son héritier. Cette forme généralisée et dynamique de l'ancien topique de la *translatio studii* est, à son tour, à l'origine du « gloire immortelle de nos aïeux », bien connu de nos grands-pères.

Souvent, ces deux motifs généraux sont spécifiés par restriction : la source de la gloire s'identifie avec la bravoure ; *vertu* se résorbe dans ses connotations guerrières. Ainsi, dans le *Throsne d'Honneur* de Molinet (1467). Mais ici intervient une distinction analogue à celle qui oppose guerre juste à injuste. La vraie gloire en effet ne peut se confondre qu'apparemment avec la « fausse », et le discours du poète a pour fonction d'écarter cette apparence mensongère. La fausse gloire procède d'orgueil ; la vraie, de dévotion à justice. La seconde s'incarne éminemment dans le prince qu'on loue ; la fausse, dans ses

1. Joukovsky, p. 116-117 ; Mann, p. 53 ; Ehrlich, p. 78-90.

ennemis, ou dans les personnages moindres de la cour, à moins qu'elle ne soit l'objet d'une réprobation qui, sans s'appliquer à aucun nom, suggère la fragilité des valeurs chevaleresques. De toute manière, la vraie gloire s'en trouve grandie. Lemaire, dans les *Chansons de Namur* (1507) adressées à Maximilien et à Marguerite, vante ainsi avec humour le courage chevaleresque dont témoignèrent contre les Français les paysans du Hainaut, alors même que les nobles hésitaient à combattre :

> Donc s'ainsi est qu'armigère noblesse
> N'ayt ja daigné avoir les mains polues
> De ton vil sang qui plus que venin blesse... [1]

De même, dans le *Débat des François contre le sire Ludovic* de Gringore (1499), ou dans l'*Épistre envoyée par feu Henry roi d'Angleterre à son fils* de Bouchet (1512).

Au début du XVIe siècle, Lemaire et Cretin introduisent, peut-être à l'imitation des poètes latins leurs contemporains, une variante de ce motif, d'origine horacienne, intégrant à leur discours un éloge implicite de celui-ci : la gloire propre du poète, produite par l'écriture même : promesse d'éternité immanente, hors de toute référence explicite à une quelconque transcendance [2].

A la même époque, l'euphorie du discours se manifeste par l'emphase particulière marquant l'opposition Nous/Eux : ce qu'on a, peut-être abusivement, nommé le « patriotisme » des rhétoriqueurs [3]. Ainsi, avec virulence, dans le *Voyage de Venise* de Marot et l'*Entreprise de Venise* de Gringore, tous deux de 1509. P. Jodogne a montré combien pèse sur l'œuvre de Lemaire le contexte des réactions nationalistes françaises aux conflits italiens sous Louis XII. De là ces longs ouvrages exaltant la dynastie, les *Illustrations de Gaule* de Lemaire (1509-1513), les *Anciennes et Modernes Généalogies des roys de France* de Bouchet (1527). Le motif des heurs et malheurs du petit peuple trouve peut-être ici la source d'une resémantisation.

> Telz vous estes, ô peuple reluisant,
> Peuple de Gaule aussi blanc comme lait,
> Gent tant courtoise, et tant propre et duisant;
> François faitiz, francs, forts, fermes au fait,
> Fins, frais, de fer, féroces sans frayeurs... [4]

1. Jodogne, 1972 *a*, p. 303-306.
2. Burckhardt, I, p. 110-117; Jodogne, 1971 *a*, p. 162-164; Rigolot, 1976 *a*, p. 472.
3. Mann.
4. Frappier, 1947, p. 31.

Ainsi parle Lemaire dans la *Concorde des deux langages* (1511), qui, en dépit de son titre, proclame la supériorité du français sur l'italien [1]. Ce « patriotisme », en effet, se pense en termes de supériorité spirituelle plus encore que guerrière, et culmine en une exaltation de la langue maternelle.

Tous les poètes dont les ouvrages constituent mon corpus (à l'exception de Robertet et de Destrées) ont tenu ce type de discours. Dans les années qui précédèrent 1480, le conflit opposant Charles le Téméraire à Louis XI (figures quasi emblématiques des deux univers qui s'affrontaient en ce siècle) avait fourni le contexte propre à en fixer les termes. Certaines applications en apparaissent alors particulières au milieu bourguignon : ainsi, la déploration sur les villes ravagées par la guerre, Dinan, Namur, Liège, Tournai, interpellées par prosopopées s'accumulant graduellement jusqu'au climax de la mort du prince [2]. Côté français, la modalité panégyrique prédominera bientôt, dans le contexte des guerres d'Italie. L'expédition de Louis XII, en 1499, aboutissant à la prise de Milan et de Gênes, suscite toute une littérature : avec André de La Vigne, polémiste attitré du roi, Gringore, Saint-Gelays, Lemaire, Cretin, Marot embouchent les trompettes de cette gloire.

C'est dans la tradition bourguignonne que s'insère le discours politique de Molinet : hétérogène dans ses manifestations, enté sur les contextes particuliers les plus divers, il se déploie largement dans l'ensemble spatio-temporel de l'œuvre. On en repère les structures constitutives et les marques thématiques dans quatre cents à cinq cents des neuf cents pages que comptent les *Faictz et Dictz*. Mais, plutôt que de m'égarer dans de tels computs, assez illusoires, j'en analyserai le fonctionnement exemplaire dans la *Ressource du petit peuple*.

Nous avons, dans un chapitre précédent, considéré les éléments historiques qui « cadrent » cette œuvre, au niveau de la chronique. La *Ressource* fait indiscutablement référence à plusieurs facteurs de cette situation : les allusions directes y sont concentrées, de façon évidemment non fortuite, dans les deux discours de Conseil, lequel figure le gouvernement ducal. Le monologue final de Vérité en reprend quelques-unes mais en style optatif. Pourtant, si le texte communique ainsi au lecteur l'existence de certains « faits », il en. réduit la représentation à un petit nombre de traits, plus allusifs que descriptifs, esquisse une

1. Rigolot, 1973.
2. Doutrepont, 1970, p. 388-402; Thiry.

épure destinée à révéler, de l'événement, la dimension intemporelle : c'est-à-dire à la situer parmi les termes du modèle.

C'est dans cette perspective que le récit doit être lu. La structure, en effet, en présente une particularité, déterminée par la distinction qu'opère explicitement le poète entre deux plans de signifiance : l'un littéral, l'autre moral. Mais, loin de se dérouler parallèlement, selon des axes en ligne droite, ces plans ondulent et sont systématiquement entrecroisés.

Le texte comporte, de bout en bout, une alternance de passages purement narratifs, impersonnels, et de discours marqués par l'une ou l'autre des personnes *je* et *vous*, et véhiculant les fragments d'un autre récit :

Discours impersonnels	*Discours personnels*
1. Introduction (commençant à la 8ᵉ ligne du texte)	
	2. Monologue de Vérité
3. Première intervention de l' « acteur »	
	4. Plaidoyer de Vérité
5. Seconde intervention de l' « acteur »	
	6. Lamentation de Justice
	7. Réponse de Conseil
	8. Seconde réponse de Conseil
9. Troisième intervention de l' « acteur »	
	10. Oraison de Justice

Les passages 1, 3, 5 et 9 fournissent un récit suivi, cohérent quoique schématique, et qu'il n'est pas impossible de formaliser en termes d'actants et de fonctions. Il ne comporte toutefois aucune désignation d'agent qui soit par elle-même autodéterminée (nom « propre ») : si elle l'est, c'est par un artifice syntaxique (figure de *personificatio*); ailleurs, les désignatifs sont des génériques, spécifiés au seul niveau de la syntaxe *(la Dame)*. D'où un caractère emblématique, c'est-à-dire à la fois fictionnel et abstrait : comme si la constitution du « mythe », forme matricielle du récit, ne déclenchait pas le processus qui générerait totalement celui-ci, faute d'y pratiquer jusqu'à son terme l'apposition des *nomina*, cet *incrementum* que définit Quintilien et par lequel *non verbum pro verbo ponitur, sed res propre* [1].

1. Lausberg, § 102-103.

	Agents	*Actions*
En 1	le monstre	menacer
	son armée	tuer
	les suiveurs	détruire
	la Dame	voir et plaindre
	la jeune femme	souffrir, se pâmer
	son enfant	être affamé
— 3	une foule	accourir
	un homme dans la foule	s'avancer
	la Dame	interpeller, implorer l'aide
— 5	l'Homme	ramener à la conscience
	la jeune femme	se lamenter
— 9	l'Homme	s'éloigner vers un autre lieu
	la Dame ⎫	⎧ quérir ensemble de l'aide
	la jeune femme ⎬	⎨ pérégriner vers le salut
	l'enfant ⎭	⎩ arriver à l'abbaye d'Espérance

Trois situations se succèdent ainsi :

— situation initiale : ravages et souffrances causés par la guerre; perte de sagesse et de justice;

— situation médiane : guérison des souffrances, mais non compensation des ravages; quête de sagesse et de justice;

— situation finale : espoir d'un rétablissement futur de sagesse et justice, appuyées de puissance, qui annuleront l'effet des ravages.

Il ne se produit pas de retournement ni d'inversion complète des contenus posés. Le schème fonctionnel est marqué d'une ambiguïté, d'une incomplétude qui doit faire sens. Le terme désigné du voyage de l'homme, en 9, est Puissance; le pèlerinage des femmes les mène à Bonne Espérance. Cette dissociation, que rien ne compense dans la suite du texte, manifeste narrativement l'intention constatée au premier niveau. Même effet dans la distribution des actants : le sujet, dédoublé, de la fable est constitué par la jeune femme et son enfant; l'objet, dédoublé lui aussi, par sagesse (« conseil ») et justice; les opposants, ce sont le Monstre et son armée; les adjuvants, l'homme et la dame. Mais l'homme se nomme Conseil; la jeune femme, Justice. Les rôles interfèrent. L'adjuvant est, pour une part, intérieur à l'objet et au sujet même. Ne subsistent que trois termes tout à fait distincts : l'enfant (« petit peuple »), la dame (« Vérité », c'est-à-dire rectitude du savoir et du vouloir) et la guerre. Il n'y a plus d'objet identifiable en tant que tel.

Les passages 2, 4, 6 à 8 et 10 ne sont pas (sinon en quelques brefs fragments discontinus) narratifs. Leur rapport avec la série 1, 3, 5, 9 est de glose : par invective, lamentation ou prière. Ouverture et, virtuellement, désagrégation de ce fragile récit, que ces interventions tour à tour suspendent par interrogation ou exclamation, universalisent en aphorismes, réduisent en assertions gnomiques, corrodent d'allusions en multipliant à son propos les métaphores. Mais simultanément, par un effet inverse, l'allusion englobe une série de noms propres, personnes et lieux, historiquement et géographiquement déterminés et dont l'ensemble constitue un réseau référentiel assez lâche, courant dans la trame du discours et qui seul introduit dans la *Ressource* les indices explicites du hors-texte événementiel.

La tonalité dominante est dysphorique dans les passages 2 et 6, euphorique ailleurs. D'où une alternance : dysphorique (2), euphorique (4), dysphorique (6), euphorique ; cette dernière phase beaucoup plus longue (7, 8, 10) et dense, aux éléments entrelacés avec 3, 5 et 9 (guérison, pèlerinage, Espérance). Les parties dysphoriques, violentes invectives, s'adressent à la collectivité des Princes (2) et des Rois (6) ; les parties euphoriques en revanche multiplient les noms propres, qui tous (sauf en 10, oraison finale) réfèrent à des personnalités ou à des villes des États de Bourgogne.

En 2   les Princes (guerriers)
           les Turcs (seuls ennemis à combattre)
           le Saint Père de Rome (à protéger des Turcs)

— 4   la Bourgogne et ses ducs,
           Philippe   ⎱ (qui
           Charles   suivent les avis
           Maximilien ⎰ de Conseil)

— 6   les Rois (persécuteurs de Justice)

— 7   la Bourgogne, verger fleuri
           les deux Marguerites ⎱ (promesses du rétablissement
           le duc d'Autriche   ⎰ de Justice)

— 8   Flandre, Brabant, Hollande, Zélande, ⎱ (siège de
           Bruges, Gand   ⎰ Puissance)
           les gens de Viesville, Gand, Liège, Flandre,
           Angleterre,   (aides de
           « Saint-Pol » (Pierre de Luxembourg), le ⎱ Puissance)
           prince d'Orange, le cardinal de Saint-Vital,
           les évêques de Tournai et Cambrai

— 10   le roi Louis de France (qu'il prenne pitié)
            le roi Édouard d'Angleterre (qu'il nous aide)
            les dames du pays d'Autriche (qu'elles pleurent)

Je désignerai du terme de *mention* l'environnement du discours, au sens le plus large : environnement par rapport auquel se définit une situation d'énonciation, les circonstances de tout ordre qu'implique celle-ci ou qui la déterminent; et par *diction* l'environnement étroit des éléments discursifs, constituant l'enchaînement textuel. *Mention* et *diction*, en interrelation active, se modifient réciproquement, et tantôt la diction prédomine fonctionnellement sur la mention au point d'en occulter les effets; tantôt se produit le fait inverse. Si l'on considère, provisoirement, dans la *Ressource*, deux couches de discours (les deux séries ici distinguées : le récit et sa glose), on admettra que la diction prédomine dans les passages 1, 3, 5 et 9; la mention, en revanche, en 2, 4, 6, 7, 8 et 10, par la vertu des noms propres disséminés à travers le texte. Il reste néanmoins une isotopie commune, une disposition sémantique telle que la première couche de discours fonctionne, par rapport à la seconde, comme une redondance, de sorte que, à l'horizon de l'œuvre entière, la diction se trouve absorbée par le rayonnement de la mention, transformée, avec la multiplicité de ses figures, par celle-ci en indice global unitaire, renvoyant à l'intertexte politique, dynastique et guerrier.

Les ouvrages historiographiques qu'en vertu de leurs fonctions officielles rédigèrent Molinet, André de La Vigne, Jean Lemaire, Guillaume Cretin, Jean Bouchet proposent une réalisation particulière du discours de la gloire. Particulière dans ses fins avouées, rarement par son appareil rhétorique. Il est vrai que Chastellain, le maître de ces « historiens », avait naguère posé comme un principe de ne conter que « choses avenues », connues « non par doctrine d'escole, [...] mais par réale vision et expérience des cas » : simple topique de véridicité. Mais, derrière ce paravent (et à cela près que la chronique s'orne de descriptions de la vie de cour dont on peut faire crédit à son témoin oculaire), le même modèle général structure la narration : de façon plus explicite encore que dans les ouvrages poétiques (mais où passe la frontière ? Plusieurs passages de la *Louenge des roys de France* d'André de La Vigne content la guerre contre Gênes) dans la mesure même où prévaut la temporalité grammaticale du récit. La cour demande : elle veut entendre sa propre chronique, projeter sa gloire dans la durée vécue et mémorable; sans encore nourrir les ambitions érudites que connaîtra la fin du xvie, le xviie siècle, on collecte documents et signaux emblématiques; Jean Lemaire ne cesse de retoucher, recomposer, compléter ses *Illustrations de Gaule*. L'histoire n'est plus tout à fait, comme naguère, figuration d'un temps providentiel, décidé et soutenu par un Sujet inaccessible : c'est le prince qui la « fait », et confie à l'intelligence de son serviteur la fonction de modaliser les jeux du vouloir par une « fiction convenable [1] ». Un document de 1485 rappelle à Molinet ses obligations d'historiographe : « Tenus de [...] mettre et rédiger par escrit tous les faits, gestes, proesses et autres vertus comandables de feuz les prédécesseurs du roy, que Dieu absoille, et de luy [2]... ». Le bénéficiaire n'a pas le choix. Le discours de l'histoire est panégyrique, lui aussi. Mais comme pourrait l'être le tableau d'un peintre. D'où l'usage, ainsi par Molinet, par Bouchet, de la prose de préférence au vers; ou chez d'autres, comme André de La Vigne, du moins, la relégation des passages versifiés dans une pure fonction ornementaire. En vertu d'une tradition qui remontait au xiiie siècle, le vers en effet passait pour forme fictionnelle. Pour les auteurs qui, en tout ou partie de leur texte, y renoncent, cette décision a pour fin d'occulter l'aspect fictif du discours [3]. La longue *Chronique françoise*, inachevée, de Cretin (1515-1523), écrite à la demande de François Ier, constitue à peine une exception, tant le poète y met de soin à en rogner toute figure... contrairement à Jean Marot dans son allégorique *Voyage de Gênes* (1507), dédié à la reine Anne [4]. En principe, le discours historique ignore le *je*, sinon, çà et là, comme une récurrence du topique en question. L'énonciateur se dissimule, et la surface de son texte, tour à tour narrative et descriptive, représente, comme telle, cette dénégation du sujet. Elle la réalise au moyen d'une réification de ce dont elle discourt : déclare implicitement une vérité référentielle, dont un réseau d'indices de spatialisation et de temporalisation maintient la mémoire. Une glose, parfois allusive, voire simplement impliquée dans le choix des qualificatifs, s'intègre incessamment au récit, confirmant à la fois la réalité du moment narré et la capacité signifiante de ce qui se trouve ainsi instauré comme événement. Celui-ci signifie, de manière positive et directe, ou indirecte et négative (à l'opposé de ce qui se passe chez Commynes, pourfendeur de mythes), la vertu du prince [5].

1. Wolf, p. 59-60; Trisolini, p. 25-26; Abélard, 1976; cf. Greimas, 1976, p. 170-175, et Certeau, p. 14-15, 84-85.
2. Becker, 1967, p. 551.
3. Guiette, chap. v.
4. Theureau, p. 104-125; Cigada, 1968, p. 86-95.
5. Landfester; Dufournet, 1966, p. 80-148, 278-308.

Racontant, dans la seconde partie du *Vergier d'Honneur*, la journée de Fornoue, André de La Vigne enseigne à son lecteur que « lundy, sixième jour du moys de juillet, l'an mil quatre centz quatre vingtz et quinze », le roi ayant assisté à la messe de six heures, s'équipe et monte en selle en tête de ses troupes. « Or, pour parler de l'acoustrement du Roy, il est assavoir que il estoit aussi bien armé en prince de grand renom que jamais homme fut, car il avoit sur luy [...]. Son cheval estoit de poil noir, lequel lui avoit esté donné par monsegneur de Savoye, aussi le dit cheval s'appeloit Savoye, lequel estoit [...] » Ainsi durant des pages. On finira par arriver au champ de bataille, on entendra même le canon. Mais le Roy demeure au centre, axe de référence ultime, *hic et nunc*, et substitut de l'*ego*, « [...] lequel courageusement et chevalereusement se défendit comme preux et hardy, tant que au moyen de luy et de ceux qui estoient autour de luy jamais ne frappèrent coup plus avant ceux qui s'estoient par leur outrecuydance tant avancez. [...] » Les faits rapportés et que le texte, par de tels effets de dénomination, rassemble en événement relèvent de l'action guerrière, découpée et perçue selon la vieille tradition du discours épique [1] : le combat, et son décor, préparatoire, accompagnateur, consécutif. La glose implicite qui se tisse parmi ces éléments y projette les termes du modèle que nous avons vu, les organisant ainsi en producteurs de sens : ils se détachent sur ce fond à deux dimensions, à la manière des scènes peintes au retable, aux miniatures de telles *Riches Heures*, orientées vers le point de fuite, hors temps, désigné par son absence, en arrière ou en avant, au-dessus de ce plan d'or ou de bleu céleste ; plaquées sur cette abstraction nue et pourtant chalcureuse, en lignes concourantes où rien n'est principal ni accessoire puisque tout s'unit et se fond au lieu de leur concours. Et ce lieu, André de La Vigne, mettant cartes sur table, l'annonce d'emblée, au seuil de ce livre où l'on suivra (comme l'œil suit les traits du dessinateur) « de dinée en dinée et de soupée en soupée, où ledit Seigneur fut logé, luy et son train, soit en ville ou en village, en chasteau ou en maison de plaisance ; comment il fut reçu ; quel honneur luy firent les seigneurs et dames de toutes les contrées où il passa, avecques les entrées, triomphes et excellences que partout on fit à sa venue [2] ». Les *Chroniques* de Molinet, qui relatent en prose les événements intéressant la cour de Maximilien de 1474 à 1506, n'ont pas d'autre visée. La beauté de leur langue n'est pas ici en cause ; mais bien une

---

1. Wolf, p. 11-12 ; cf. Struever, Burke, Asher ; Zumthor, 1972 *a*, p. 322-327.
2. Guy, p. 210-211.

sorte d'incessante interférence entre leur texte et celui du discours politique que tiennent, durant les mêmes années, plusieurs poèmes recueillis dans les *Faictz et Dictz* [1] : Champion n'en signalait pas moins de deux douzaines! Dupire, dans les notes de son édition des *Faictz*, y mentionne entre trente et quarante références implicites aux *Chroniques*. L'auteur, en jouant ainsi sur un double registre, développait en contrepoint un thème unique, aux amplifications d'abord décalées, puis ramassées, nouées soudain en accord unissonant : la fugue (on disait alors le « canon ») de la gloire de son Maître...

Parfois, le narrateur choisit (ou bien on lui propose) un cadre plus vaste, l' « histoire » entière de la dynastie, du royaume ou de l'une de ses provinces depuis des temps reculés. Ce n'est jamais là, justement, qu'un « cadre » : fenêtre fictive, ouverte sur un spectacle découpé dans la continuité du monde. Ce cadre, le discours pictural le remplit, s'adapte à son échelle, sans que ses règles de fonctionnement en soient profondément modifiées. Ainsi, dans les trois livres des *Singularitez de Troye et illustrations de Gaule*, qu'écrivit Jean Lemaire entre 1504 et 1513, époque où il supervisa le chantier de Brou : conçue, non autrement que celui-ci, comme un panégyrique de la dynastie bourguignonne, c'est une « généalogie historiale de l'empereur Charles » (selon le titre primitif du livre III) qu'il édifie [2]. Ainsi encore, chez Jean Bouchet dans ses *Anciennes et Modernes Généalogies des roys de France* (1527), où chaque règne est, de façon programmatique, l'objet d'une double narration, en prose puis en vers. L'*Histoire et cronicque de Clotaire*, du même Bouchet, entreprise dès 1497 pour Charles VIII, centre le récit de ce règne mérovingien sur la figure exemplaire de Radegonde, reine et sainte : comme dans les récits de Destrées, l'éloge des vertus typées de l'hagiographie y est modalisé par le schème de la gloire terrestre [3]. Quant aux *Annales d'Aquitaine* (1524) de cet inépuisable auteur, le *je* narrateur s'y réintroduit, présente son discours comme la conséquence d'une vision initiale (le Temps n'est donc que la projection d'un ordre extra-temporel), puis le soutient de références à des souvenirs personnels, exemplarisés [4]. Même effet dans les *Illustrations* de Lemaire, dont le dieu Mercure lui-même prononce, en se nommant, le prologue.

Il arrive que l'attention du lecteur soit expressément orientée vers

1. Champion, 1966, p. 392-408; Dupire, 1932, p. 38-60.
2. Abélard, 1974.
3. Hamon, 1970, p. 174-176; cf. Certeau, p. 281-284.
4. Hamon, 1970, p. 184-205.

le point de fuite du tableau, grâce à l'introduction d'une perspective mythique. Celle-ci procède de l'un ou l'autre de deux schèmes qui, superposés au modèle narratif, en justifient la structure en la réalisant, avant même tout événement, dans un temps préalable. L'un d'eux, repris à d'anciennes traditions médiévales, prolongeant elles-mêmes des conceptions de la basse Antiquité, découpe la totalité des durées historiques en cycles dits « empires », identifiés comme les sièges successifs de la gloire : les Assyriens, les Alexandrins, Rome, la Chrétienté... Quatre, cinq, six : le nombre varie, selon l'amplitude du projet particulier, et selon que le schème embrasse ou non l'avenir concevable. Ainsi, au chapitre II, des *Illustrations* de Lemaire. Dégagé comme il l'est de ses implications théologiques premières, laïcisé et banalisé, ce « mythe » véhicule une pensée platonicienne, tendant à considérer le temps comme un procès de dégradation, une série de malheurs et de chutes, que seule peut compenser, racheter (dans tous les sens de ce terme) sa résorption dans un ordre moral. Le second schème, cumulable avec le premier (car, moins universel, il en explicite l'une des articulations), déclare la dynastie, objet de l'éloge, issue d'un prince troyen figuratif. L'origine virgilienne en est évidente, et l'on sait que Ronsard encore en fera le point de départ de sa *Franciade*. Périodiquement attesté chez les historiographes depuis le haut Moyen Age [1], il oriente la narration, fonctionne indépendamment de toute référence externe, signifie, si je puis dire, l'au-delà ou l'en deçà historique de l'histoire, dans un monde de valeurs épaulées par l'*auctoritas* antique. Les Romains sortent de la souche d'Énée, les Bretons de Brutus, les Français de Francus (encore dans les *Généalogies* de Bouchet), les ducs d'Autriche de Sicambre, petit-fils d'Hector, selon Lemaire au tiers livre des *Illustrations*. Mais le même auteur, du même souffle, crève ce cadre, d'un geste qui en manifeste la nature : des ducs de Bourgogne il fait les descendants du géant Tuyscon, né de Noé après le retrait des eaux... de sorte que les deux maisons princières au service desquelles il est alors voué témoignent, au cours des siècles, de la pérennité des deux sources livresques de toute sapience : la Bible et Homère, et de deux événements archétypiques qui ont déterminé le destin de l'humanité présente : le déluge et la ruine d'Ilion.

La tendance « didactique » qui anime ainsi le discours des rhétoriqueurs dans leur fonction de hérauts de la cour se manifeste parfois sous une forme différente mais étroitement apparentée à la première : comme elle, en effet, elle magnifie un Ordre, revendique une garantie

1. Zumthor, 1973, p. 17, 31, 45, 86 et 136; Joukovsky, p. 103-105; cf. Bayot.

extra-temporelle au sein des vicissitudes de l'existence. *Enseignement*, dans le sens premier de « désignation » et « marquage » : apposition d'un signe et, en le montrant du doigt, suggestion de sa référence. J'entends le discours à dénotation religieuse, idéologiquement lié au discours politique au niveau connotatif : comme en témoigne l'œuvre entière de Meschinot, et d'abord les *Lunettes des princes*, qui de 1465 à 1525 connurent soixante années de célébrité. Encore le qualificatif de « religieux » exige-t-il une spécification : moins que de référer à un ensemble dogmatique, le langage s'épuise en effusion piétiste, en prière de type litanique, cumulatif, juxtaposant sans les lier les termes d'une adoration; ou bien, comme dans les *Épistres morales* ou certaines ballades de Jean Bouchet, le plus fortement imprégné par ailleurs de phraséologie chrétienne [1], énonçant les règles idéales d'un comportement vertueux, sans jamais renvoyer explicitement aux structures doctrinales sous-jacentes. Ni théologie, ni ces ruptures de langue, ces éclats d'un imaginaire pulvérisé comme dans les écrits mystiques d'un Ruysbroeck, d'une Catherine de Sienne, d'un Suzo, d'un Tauler. Un discours humble, intimiste, plutôt proche de l'illustre *Imitation de Jésus-Christ* de Thomas de Kempen, d'un demi-siècle antérieure à nos rhétoriqueurs [2]. Les exceptions sont rares : ainsi, le chant royal de Jean Marot relatif aux débats du concile de Bâle sur le dogme de l'Immaculée Conception :

> Le chevalier je suys aux grises armes,
> Dit Noble Cœur, qui contre tous gens d'armes
> Veux soutenir ma maistresse et ma dame,
> Tige d'honneur, belle de corps et d'ame.
> Car dès l'instant de sa prime facture
> Elle a esté sans quelque tache infame
> Pure en concept outre loy de nature [3].

La métaphore, filée dans les cinq strophes du poème, allégorise le débat comme tel, non ses termes mêmes. Ainsi encore, dans le *Dictier des cinq festes Nostre Dame* de Molinet, éloge successif de la Nativité, de l'Annonciation, et des autres, dont l'argument narratif développe quelques phrases des Évangiles. Ou dans l'*Advocat des âmes du purgatoire*, du même poète, dont le contexte, plutôt que la théologie des « fins dernières », est l'histoire d'une apparition miraculeuse survenue à un certain Lucquet à cette époque-là [4].

1. Hamon, 1970, p. 254-280.
2. Cf. Wolf, p. 74-75.
3. Lenglet, p. 237-238.
4. Champion, 1966, p. 413-418.

Un vaste schème religieux embrasse virtuellement le modèle narratif politique, mais de façon imprécise, en vertu de la coïncidence admise entre le Bien de la cour et le Bien de Dieu, le second conférant au premier sa valeur éthique. L'identification ne peut se manifester toutefois qu'à certains lieux stratégiques, dans la figuration des Vertus et des Vices. Dès que le récit affleure en surface, il se confond avec des souvenirs bibliques, fonctionnant non point comme des structurants de niveau profond, mais comme des citations destinées à fixer le registre contextuel. Citations proprement dites, littérales, ou bien adaptées, amplifiées, paraphrasées : Dupire, dans les notes des *Faictz et Dictz* de Molinet, en relève une vingtaine; chiffre probablement trop modeste, car, au-delà de cette intégration plus ou moins littérale, la « citation » biblique constitue, réduite à une allusion, parfois à l'énoncé d'un Nom, un *exemplum :* à la fois récit, attesté dans la mémoire commune du poète et de ses lecteurs, et autorité, confirmant une proposition particulière. Le cas limite sera tel poème réduit à une glose de ce que la langue française d'alors nommait le *texte*, c'est-à-dire la lettre authentique d'un passage du Livre saint. Ainsi dans un chant royal cité par Fabri, en 1521, où chaque strophe commente un ou deux versets des psaumes ou du *Cantique*, liant narrativement l'ensemble dans l'apologue de la Licorne et du Chasseur d'enfer [1]. Selon une tradition qui remontait au XIIIᵉ siècle, le *texte* ainsi paraphrasé est parfois celui d'une prière canonique, *Pater* (ainsi, chez Molinet), *Ave Maria* (chez Molinet, chez Cretin), l'hymne *Salve Regina* chez Lemaire. Les phrases, les mots successifs de la prière, dispersés parmi les flots du discours, s'intercalent dans leur propre glose en une suite parfois vertigineuse de heurts et de ruptures. Je reviendrai plus tard sur ce procédé.

Le discours religieux, sous l'un ou l'autre de ces aspects, prédomine dans deux douzaines des cent soixante pièces constituant le recueil des *Faictz et Dictz*. Proportion idéologiquement significative, non moins que la répartition des arguments. Chez Molinet comme chez la plupart des autres rhétoriqueurs, l'intention qui le plus souvent polarise ce discours, c'est l'éloge de la Vierge : intention que, nous l'avons vu, institutionnalise le règlement des puys de Dieppe et de Rouen. Les chants royaux, ballades et rondeaux de Parmentier, plusieurs de ceux de Cretin, se fondent sur cette pratique patentée, élément de l'Ordre garanti par le prince. De même, chez Molinet, le *Dictier de l'arondelle*, ou la litanie pantogrammatique de l'*Oroison sur Maria :*

1. Héron, II, p. 102-104.

Marie, mère merveilleuse,
Marguerite mundifiée,
Mère miséricordieuse,
Mansion moult magnifiée,
Ma maistresse mirifiée,
Mon mesfait maculeux me matte [1].

L'éloge plus rarement s'adresse à quelque saint : le lien curial se manifeste alors de façon explicite. Le poème exalte le patron baptismal du maître (ainsi l'*Oroison de sainct Ipolite*, de Molinet, en l'honneur d'Hippolyte de Bertholz, grand argentier de Bourgogne) ; ou bien il narre des actions vertueuses auxquelles comparer, pour sa gloire, celles d'un prince (ainsi, l'*Oroison à saint Adrien* du même Molinet) : c'est là le dessein de la *Vie de sainte Marguerite* de Destrées, dessein que les acrostiches introduisant dans le texte les noms de Maximilien et de son épouse annoncent de manière peu ambiguë.

Cette prédominance, dans la mémoire du texte, sur tous les autres éléments de l'idéologie religieuse, du récit biblique, des prières les plus populaires, du culte de la Vierge et des saints, semble trahir une tendance commune à nos poètes. Le discours religieux manque de référence ultime propre. Il signifie au niveau du sensible, de la perception du concret ; produit un sens particulier, émietté, dont la cohérence ne peut se définir, abstraitement et par voie d'allégorie, que relativement au politique. Il a, lui aussi, son cadre et son point de fuite. Mais le cadre reste flou ; le point de fuite est pure négativité : la soumission tacite à l'autorité de l'Église. Une Église d'autant plus dominatrice que dépersonnalisée, dénarrativisée. On insulte, si besoin est, le clergé, les moines, le pape : surnommé « l'Homme obstiné » dans le *Jeu du prince des Sotz* de Gringore (1512), servi par Hypocrisie et Simonie ; objet d'un calembour presque obscène dans le titre de la *Chasse du cerf des cerfs*, du même (vers 1510), entendez le *Servus servorum Dei*, titre abusivement humble pris par le pontife. Mais il s'agit de Jules II, en conflit avec le roi de France : le modèle politique suffit à structurer le texte. S'agit-il de moines, leur comportement ne porte sens que par rapport à l'Ordre, dont la cour constitue la seule image *dicible*.

L' « enseignement », selon les termes où je l'ai défini, exige dans de tels textes l'accumulation des signes et de leurs preuves. Il tend ainsi spontanément à un gonflement verbal multipliant dans le discours les

1. Dupire, 1936, p. 455.

points de référence au concret, dispersant l'attention du lecteur dans une diversité extrême que subsume en fin de période un mot, un nom, une proposition axiomatique en assurant après coup la lumineuse unité : les procédés mêmes que J. Dufournet, les relevant dans les *Mémoires* de Commynes, qualifie (du point de vue de l'historien moderne) de « déformations [1] ». Ainsi, presque sans discontinuer, sur deux cent cinquante vers célébrant, dans le *Voyage de Venise* de Jean Marot, l'entrée de Louis XII à Milan [2]. D'où le nombre et, parfois, le raffinement des descriptions, toujours orientées, comme une énigme l'est vers sa solution, vers la pointe révélatrice, signifiantes en vertu d'elle. D'où aussi l'érudition, la totalité du savoir emblématiquement intégrée, au moyen de ses unités les plus fortement marquées, dans le plan du discours, que ce soit au niveau littéral ou comme termes métaphoriques.

Ces traits, communs à tous les rhétoriqueurs, ont souvent (dans une perspective différente, péjorativement connotée) servi à les définir comme « école ». Là n'est pas mon propos : mais plutôt de dé-signer le poème du rhétoriqueur comme le lieu de concentration, au moins virtuel, de tous les éléments alors disponibles du langage. Il est aisé de grappiller à travers ces textes ce que, dans le vocabulaire, les figures, les allusions narratives ou les descriptions, leurs auteurs ont tiré de la science scolaire de leur temps : Aristote et Macrobe, Pline et Isidore, Vincent de Beauvais, la *Genealogia* de Boccace se pressent dans la parole de Jean Lemaire tout au rond de sa *Couronne margaritique* [3]; la *Genèse*, la *Légende dorée*, les *Acta sanctorum*, Boccace encore et Christine de Pisan, dans le *Chappelet des dames* de Molinet... Peu importe. Mais les mots mêmes semblent travaillés d'un besoin de scientificité fictive, d'anoblissement par le savoir : prolifération de termes écumés du latin ou du grec, superficiellement travestis à la française... malgré le regret qu'en éprouve l'*Instructif de seconde rhétorique* placé en tête de l'anthologie *le Jardin de plaisance* (1501). Ainsi, Molinet :

> Se trop avant mon rude engin s'ingère
> Et, spéculant, vulgaires mots congère
> Pour collauder tes faits chevalereux,
> Martir inclit, très illustre armigère [4]...

---

1. Dufournet, 1975, p. 136-149.
2. Lenglet, p. 172-173.
3. Jodogne, 1972 *a*, p. 216-247.
4. Dupire, 1936, p. 506.

J'emplirais sans peine de telles citations un gros volume. Les techniques les plus noblement attachées au train curial constituent une mine où peu de rhétoriqueurs se privent de puiser : héraldique, cosmographie, bestiaires, univers de connaissances, de mythes en voie d'effritement, de désirs, de regrets, parfois cumulés en un discours presque ésotérique tant il est plein (ainsi, dans la seconde *Épître de l'amant vert* de Lemaire), ailleurs concentrés sur une strophe, une tirade, que la suivante, par sa limpidité référentielle ou son ironie, vient aussitôt mettre en question. Pourtant, ce sont moins ces connaissances comme telles qui importent au poète, que la parole qui les porte. C'est en tant que langage qu'elles fonctionnent dans le discours, y assurant le contact et l'échange entre la gloire du prince et l'infinie richesse de ce qui est.

Allégorie et allégorèse

L'une des marques formelles qui, au sein de ce que j'ai nommé le « discours de la gloire », distinguent entre les textes où il s'investit n'est autre que l'allégorie. La présence ou l'absence de cette « figure » (si c'en est une vraiment : question, justement, à débattre) permet d'opposer le groupe, non marqué, des textes historiographiques à tous les autres. A quelques exceptions près, comme le *Vergier d'Honneur* d'André de La Vigne ou le *Voyage de Gênes* de Jean Marot, exemples mixtes, écrits du reste en vers, le récit historiographique, la « chronique », est dépourvu d'effets allégoriques, sinon parfois (en particulier, chez Molinet) en manière d'ornement fugitif. Ailleurs, l'allégorisation du modèle narratif latent constitue l'une des réalisations de ce que Rasmussen définissait comme le « style curial », style nominal, catégorisant gens et choses, et dont le lexique s'organise autour de « termes de référence » à fonction matricielle, renvoyant univoquement aux valeurs de la cour. Les deux classes de textes ainsi distingués, tout en réalisant le même modèle latent, s'opposent en effet par leur manière de produire la « fable » qui le manifeste. Celle-ci, dans le récit historiographique, re-produit une « vérité » externe, façonnée, artificialisée, reconstruite en vertu d'une vraisemblance morale. Les textes de l'autre classe produisent la fable directement à partir d'une *sententia* (laquelle du reste est identique à cette vraisemblance) : l'usage de figures allégoriques tient lieu alors de « vérité », mais à un niveau différent dans la hiérarchie de ces facteurs de structuration :

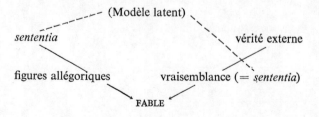

78

L'opération allégorique fait interférer, avec le modèle narratif politique, un schème éthico-religieux du type :

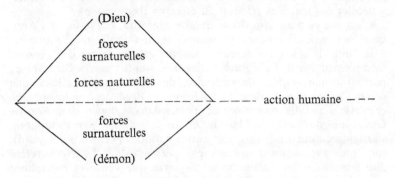

Les sommets des deux triangles restent généralement implicites [1]. Les éléments positifs et les valeurs euphoriques se situent au-dessus de la ligne de l'action ; le reste, au-dessous, à des profondeurs diverses.

Or, la pratique allégorique, au xve siècle, manque d'innocence, et ne saurait être considérée sans réduction abusive sous son aspect rhétorique seul. Elle avait derrière elle une longue histoire, à la fois continue et non rectiligne, et impliquait, sous le couvert d'une identité des formes, plusieurs attitudes épistémiques [2].

Initialement, l'allégorie est *mode de lecture*. Elle se fonde sur un ensemble de pratiques et d'idées assez confuses (et souvent contestées), d'où se dégage une conviction majeure : si le sens est dans les choses, la vérité, elle, n'y réside pas. La vérité reste paradigmatique ; le sens se déroule syntagmatiquement. Le langage communique le second, mais voile la première. Il exige donc une double intellection, afin de manifester le lien qui les unit. L'intelligence des mots qui disent les choses permet de saisir leur « sens littéral » ; par la voie de l'analogie, l'intelligence du sens littéral fait accéder au sens « allégorique » (parfois subdivisé selon des finalités qui n'importent pas à mon propos), relatif à un vrai conçu comme transcendant ou essentiel. Appliquée au Livre saint, la lecture allégorique recourt à des analogies que

1. Rasmussen ; Kibedi-Varga, p. 112-113 ; Helmich, p. 156-162.
2. Jung, 1971 *a ;* Zumthor, 1972 *a*, p. 126-134 et 1975, p. 253-255 ; Helmich, p. 1-18 ; Piehler, p. 1-30 ; Pépin, p. 11-52 ; cf. Rigolot, 1976 *b*.

garantissent la Révélation et la tradition dogmatique. Appliquée au texte des poètes, elle n'en peut dégager que la vérité morale, plus empirique et, dans certaines limites, mouvante; ou, par conjecture, y déceler des marques référant au discours théologique.

C'est par ce biais sans doute qu'elle engendra, dès la fin de l'Antiquité, un *mode d'écriture* que, pour éviter des confusions, je préfère, à la suite de quelques auteurs, désigner par le terme d'*allégorèse*. Complémentaire de l'allégorie, l'allégorèse suit le mouvement inverse : partant d'une vérité, elle engendre, des éléments de celle-ci, une *littera*. Vérité morale dans la tradition de Prudence, philosophique chez Alain de Lille, *fine amour* des poètes dans le *Roman de la Rose* de Guillaume de Lorris [1]. Mais la *littera*, constituée par métaphore, s'articule autour de Noms, soit emblématiques (Vénus, ou Renard), soit, plus typiquement, formés par *personificatio*. Le Nom réfère directement au sens allégorique, de sorte que vérité et métaphore s'épaulent l'une l'autre, fondant la signification ultime du discours à la fois sur des formes posées comme substantielles et sur une histoire. D'où une opposition fonctionnelle avec l'allégorie-lecture : celle-ci est glose; elle tient un discours axiomatique, dit que « cela est ». Statique, elle se borne à juxtaposer, avec l'arbitraire de l'*auctoritas*, signifiant et signifié. Dans l'allégorèse, en revanche, le *sensus allegoricus*, en s'intégrant à un discours qui se fait, assume les catégories de lieu et de temps. C'est pourquoi toute allégorèse implique un récit, au moins virtuel, comporte un dynamisme signifiant produit moins par les actants comme tels que par l'action qui, tour à tour, les disjoint et les conjoint. Les actants en effet, parce que Noms propres, fonctionnent comme des signes isolés, aux valeurs immuables, tandis même que, dans l'enchaînement du discours, ils signifient par le récit : du sémiotique au sémantique subsiste un écart dont la béance appelle, de la part du lecteur, une interprétation.

La narration se signifie elle-même, *mythos* au sens aristotélicien, fiction heuristique organisée en réseau de représentations figurées. Seule la dimension narrative de l'allégorèse permet de montrer causes et implications : car il s'agit de *montrer*, non d'expliquer; à ce théâtre, il faut sa diégèse. Les valeurs qu'il doit manifester nécessitent un procès pour s'investir dans tel ou tel de ses rôles. Ainsi en va-t-il du long *Séjour d'Honneur* (entendez : la cour) rimé de 1489 à 1493 par Octavien de Saint-Gelays : « Traité de la vie humaine », comme le déclare son auteur, mais dont l'appareil allégorique encyclopédique est dynamisé par une structure narrative de type (pseudo)-autobiogra-

---

1. Jauss, 1960.

phique [1]. Le récit actualise les Noms de la manière dont, pendant que dure la représentation, l'acteur qui joue le rôle du Christ dans une *Passion*, est le Christ... En lui et par lui passe à l'acte l'histoire sacrée, virtuelle, latente sous la nôtre. Dès qu'elle est posée dans le discours allégorique, la figure aspire à « passer à l'acte », elle aussi. L'instauration du Nom projette toute prédication dans l'ordre mythique : le discours qui l'opère réintègre ce que Lotman nomme la « couche mythologique » de la langue naturelle. En ce sens, l'allégorèse refuse toute mimesis : elle promeut un discours à dessein ambigu, qui ne soit assimilable ni à celui du chroniqueur ni à celui du logicien ; elle fracture la continuité des apparences, afin de libérer, dans la parole, la parabole. Il est remarquable qu'au temps des rhétoriqueurs elle procède souvent, comme au second degré, par description d'images visuelles, figures supposées peintes ou sculptées sur les murs ou au fronton d'un édifice, lui-même « utopique ». Ainsi, à plusieurs reprises, chez Lemaire. Le dessein de l'allégorèse s'oppose ainsi au dessein philosophique, moins du reste par sa finalité que par les moyens qu'il met en œuvre. Le philosophe découvre syllogistiquement une vérité ; l'allégorète contemple celle-ci face à face, puis la voile pour la communiquer, de la manière dont, par prudence pour les yeux des spectateurs, on leur désignerait le soleil à travers une nuée. Le philosophe déduit, des effets, leurs causes : il opère hors temps, hors lieu. L'allégorèse procède temporellement : la relation signifiante se construit, de moment en moment, selon la successivité même de la métaphore filée qui la constitue [2].

Ce système triompha dans la poésie du XIIIe siècle, où, nourri de scholastique, il tendit à rationaliser tout discours en y manifestant la transcendance de l'Ordre qu'il avait pour fin d'inlassablement répéter. Cependant l'Ordre déjà se fissurait sous les mots ; la pensée analogique, malgré les formes linguistiques qui en maintenaient l'apparence, faiblissait. Au XVe siècle subsiste, presque inchangée, une procédure discursive ; mais la Ressemblance s'est émiettée ; l'Ordre qui la justifiait a éclaté : subsistent les Noms dont on le désignait depuis toujours ; mais, cet Ordre, nul ne sait plus trop où il est. La pratique de l'allégorèse reste générale ; mais l'incertitude ne peut que croître, sur sa référence, dès lors fractionnée : moins vérité dernière que spectacle imposé. Le sens allégorique glisse ainsi peu à peu dans la dépendance

---

1. Molinier, p. 75-112.
2. Zumthor, 1975, p. 255 ; Helmich, p. 267-274 ; Lotman-Ouspenski, p. 18-31 ; Rigolot, 1976 *a*, p. 480 ; Todorov, p. 387 ; Bergweiler, p. 118-226 ; Murrin, p. 10-11 ; Pépin, p. 131-154.

du littéral; de ce dernier, il avait été l'origine, et comme l'étymologie; voici qu'il n'en est plus guère que la glose. Dangier et Courtoisie, dans le *Roman de la Rose*, possédaient un monde d'existence propre, assuré par le discours collectif de l'Amour, auquel ils référaient le récit dont ils étaient les actants. Prudence et Justice, dialoguant chez Molinet, tiennent, certes, au discours moral de l'Institution; mais c'est davantage encore comme des indices vides qu'ils fonctionnent, requérant de la part du lecteur un effort de sémantisation qui les personnalise, historiquement, effectuant leur identité : à Justice donnez le nom de tel prince ou de telle classe de princes; à Prudence, celui de son conseiller. Je laisse à d'autres de s'interroger sur l'incidence en ce point des orientations philosophiques alors dominantes, de la victoire depuis un siècle assurée du nominalisme sur le « réalisme » traditionnel [1]. La Mélancolie éveillant Charles d'Orléans dans sa chambre de Blois n'est plus que le prédicat d'une action littérale, cet éveil même impliquant *per accidens* un certain état du cœur.

Au terme de cette évolution, la figure allégorique se prête à l'ultime avatar, qui fera d'elle un simple emblème du littéral. D'où son extension au XVe siècle : l'allégorèse s'évade du cercle étroit de la poésie, s'inscrit dans le discours des mœurs, où tout lui devient support possible : n'importe quel objet d'usage, quelle qualité (forme, couleur), quel nombre convient à lui servir de Nom, et ces Noms s'organisent en relations codifiées, au sein d'une vaste et complexe emblématique sociale [2]. Dans le fonctionnement interne des textes, de plus en plus déterminé par cette tendance générale, la « personnification » tend à une réification; Amour ou Haine, Justice ou Guerre, fût-ce dans les *Lunettes des princes* de Meschinot ou dans le *Dyalogue de Vertu militaire* de Lemaire, à ne pas signifier autrement que le diamant signifie l'innocence, le chiffre 12, les Apôtres, le pronom, l'imperfection de l'homme pécheur selon Gerson, la jarretière des dames, la vertu de résolution, selon Olivier de La Marche.

Rien cependant n'est en cela tout à fait net, et la survivance, dans la tradition poétique, de procédés discursifs anciens donne du flou à la distinction qu'il convient pourtant de pratiquer, chez les rhétoriqueurs et leurs contemporains, entre deux variétés d'allégorèse, souvent du reste combinées, l'une ou l'autre prédominant simplement :

— l'allégorèse narrative, formellement traditionnelle, qui maintient la fiction personnalisante, marquée par l'emploi de Noms abstraits ou mythiques — Justice, Noblesse, Peuple, France, Hercule ou Alexandre;

---

1. Raynaud de Lage, p. 15-29.
2. Huizinga, p. 211-223; Wolf, p. 66-68; cf. Fox, p. 73.

— une autre allégorèse qui, centrée sur la description d'un être ou d'un objet concrets, réels ou fictifs (parfois animal, comme dans les *Regnars traversans* de Bouchet), tient de l'énigme, telle que la définira Sébillet en 1548 : « Entends donc que l'Énigme est allégorie obscure. [...] Aujourd'huy ce nonobstant il est fort reçu. [...] Sa forme est perpétuelle description [...] et la vertu de l'énigme est l'obscurité tant dilucide que le bon esprit la puisse esclaircir après s'y estre quelque peu appliqué [1]. » Ainsi, certains des *Dictz moraulx* de Baude (nos 18, 21, 42, en particulier), à cela près qu'un vers du texte, généralement final, fournit la clé, et confronte le lecteur avec quelque déclaration politique ou morale. Dans le *Dit* 18, l'élément générateur d'« obscurité dilucide » est un calembour sur le mot *tyran*, et le texte décrit un archer malfaisant, « tirant » sans avoir été provoqué [2]. La *Robe de l'archiduc*, de Molinet, dans le contexte des événements qui suivirent la mort de la duchesse Marie, allégorise sous la figure d'une robe somptueuse, tour à tour déchirée, partagée, rapiécée, enfin remise en état, les possessions de la maison de Bourgogne. Le *Débat de l'aigle, du harenc et du lyon* figure ainsi l'empereur, le roi de France et le duc Philippe ; le *Débat des trois nobles oiseaux*, combinant calembour et allégorie, Louis XI, roitelet, Charles le Téméraire, grand-duc, et Sixte IV, *papegaut* (« perroquet »).

C'est ainsi que, parfois, le temps se fige en vision : la métaphore, en signal conventionnel : procédures des fêtes, des entrées princières, devises, blasons, tous les éléments typés du jeu de la cour, faisant de la scène aristocratique le lieu d'un spectacle emblématique, renvoyant infiniment à lui-même, qui *se* montre, qui s'offre à la *vue*, à ce « sens » dont tous les arts du xve siècle attestent la fonction prédominante dans cette société [3]. Au portail du *Temple d'Honneur*, que décrit, dans son poème de 1503, Jean Lemaire, sont sculptées les statues de six Vertus personnifiées, dont les robes portent des lettres emblématiques formant par leur succession le nom de PIERRE (de Bourbon) : série de descriptions emboîtées, qui se signifient énigmatiquement l'une l'autre : les statues spécifient sémantiquement le temple qui les soutient ; les inscriptions, le chœur des Vertus qu'elles revêtent ; l'ordonnance des lettres brodées engendre dans le texte un texte second qui le glose et confère son identité à la désignation totalisante d'Honneur. L'allégorèse entre « dans le décor », se fond dans les « couleurs » du costumier et du rhéteur. Pourtant, elle ne s'y confond pas toujours.

1. Gaiffe, p. 175-177.
2. Scoumanne, p. 102, 105, 128.
3. Huizinga, p. 297.

L'allégorèse narrative fait prédominer la ligne sur les couleurs, que fonctionnellement elle se subordonne; dans l'allégorèse descriptive, le rapport s'inverse. Globalement, l'une et l'autre ne s'en opposent pas moins au discours chevaleresque des « romans » à la mode : au projet d'une aventure mythifiée, elles substituent celui d'une lecture raisonnable du réel, en appellent à la mémoire de l'auteur et à sa faculté de percevoir, dans ce qu'elles peignent ou dessinent, la métaphore de ce qu'il vit [1].

Le texte ne peut plus être lu en termes stricts de niveaux de signification. Bien plutôt on y perçoit, sous les valeurs véhiculées par la figuration, les traces d'un dynamisme où histoire et glose s'impliquent mutuellement, et progressivement s'autodéfinissent : ce que le texte propose, c'est, plus qu'une suite exemplaire d'épisodes, un mode particulier de penser l'événement. Le discours allégorique du rhétoriqueur vise moins à reproduire ce dernier qu'à fournir à son propos un modèle de réflexion et de jugement. Dans la figure allégorique — dont la fonction ornementale n'intervient que de surcroît — s'est presque totalement résorbé, durant cette fin du Moyen Age, le symbole — réaliste, obscur, flottant, mais promoteur d'action et de découverte — auquel sa clarté et sa précision substituent l'affirmation de rapports certains. C'est pourquoi sans doute il n'y a point d'allégories chez Villon... C'est aussi pourquoi l'allégorèse envahit au xve siècle le théâtre, au point d'y engendrer un type particulier de « jeu », la *moralité*, dont les acteurs sont identifiés, par leur costume emblématique et leur discours, avec des abstractions personnifiées : je renvoie à ce sujet au livre récent de Helmich. André de La Vigne composa, semble-t-il, deux moralités, et Parmentier nous en a (entre d'autres perdues ?) laissé une qui fut montée au puy de Dieppe en 1527, à l'occasion de la paix signée par François Ier et Henry VIII [2].

L'allégorie (lecture) et l'allégorèse (écriture) demeurent, en dépit des distinctions nécessaires, étroitement liées l'une à l'autre. L'écriture engendre la lecture et vice versa; en chacun de ses instants successifs se constitue l'instance où se conjoignent les facteurs de cette double opération, concourant à la production du discours. D'un point de vue descriptif, néanmoins, je classerai à part quelques ouvrages dont le texte même se donne, en tout ou en partie, comme lecture, j'entends comme glose. Le xve siècle eut, en ce genre, son classique, l'*Ovide*

1. Poirion, 1971.
2. Zumthor, 1972 *a*, p. 121-122; Kerdaniel, p. 95-111; Ferrand, p. 66-90; Helmich, spéc. p. 112-139, 163-224, 315.

moralisé, dont la version primitive remonte à environ 1300, et fut refaite en prose, pour le roi René, en 1467. « Moralisé », c'est-à-dire glosé par allégorie. Molinet reprend vers 1500 le *Roman de la Rose*, ré-écrivant, sous couleur de modernisation en prose, ce vieux texte allégorique, qu'il allégorise à son tour, y lisant une emblématique des Vertus, afin, dit-il, « de tourner et convertir souz mes rudes meules le vicieux au vertueux, le corporel en l'espirituel, la mondanité en divinité [...] et par ainsi nous tirerons le miel hors de la dure pierre, et la rose vermeille hors des poignants espines ». C'est ainsi que l'éveil de l'Amant, qui, par un matin de printemps, sort de son lit, se vêt et descend vers une claire rivière, figure le nouveau-né qu'au sortir de sa mère on conduit aux eaux baptismales. L'entrée dans le Verger d'amour signifie la retraite au cloître qu'est la vraie religion ; Cupidon avec ses flèches n'y désigne-t-il pas le Saint-Esprit et sa grâce, la Fontaine amoureuse, la Source de Sapience ? La dame et l'ami, ce sont l'âme et l'ange qui la garde. Quant à la rose, c'est celle même que, selon la légende, Joseph d'Arimathie reçut miraculeusement lorsqu'il descendit de la croix le corps de Jésus [1]...

Une intention plus complexe préside aux *Fantasies de Mère Sotte* de Gringore, en 1516. Le prologue annonce une condamnation de la guerre et des troubles auxquels met fin, apparemment, le règne qui vient de commencer. But inavoué de l'opération : gagner la faveur du nouveau roi, le poète ayant, dans le prédécesseur défunt, perdu son protecteur. L'ouvrage traduit en belle prose française, parfois en vers, vingt-sept contes tirés du vieux recueil des *Gesta Romanorum*. Chacun de ceux-ci constitue le centre d'une constellation textuelle : un poème introductif énonce quelque question morale, que le conte illustre ensuite, en façon d'apologue, fournissant la *littera* dont l'interprétation qui suit donne allégoriquement la glose, en fonction des vertus publiques et privées caractérisant la domination du Bon Prince [2].

Le texte glosé, dans ces deux exemples, préexiste à la glose. Dans la *Couronne margaritique* composée par Jean Lemaire en 1504-1505 pour Marguerite d'Autriche après la mort de son époux, dix parties en vers, correspondant aux dix lettres de MARGUERITE, sont suivies d'autant de discours en prose tenus par dix « orateurs » anciens ou modernes, dissertant chacun d'une vertu, d'une gemme et d'une dame exemplaire dont l'histoire conserve le souvenir : vertus, gemmes et dames dont les noms successivement ont pour initiale M, puis A, puis R et la suite, jusqu'à épuiser le Nom qui les subsume en élucidant

---

1. Dupire, 1932, p. 71-101 ; Champion, 1966, p. 406.
2. Frautschi.

l'énigme : Jean Robertet loue la Rectitude, le Rubis, et la sainte reine Radegonde ; Vincent de Beauvais, l'Expérience, l'Escarboucle et l'Elisa de Virgile... cependant que les propos de ces sages situent chacune des vertus de Marguerite dans le rapport qui l'unit aux quatre cardinales, Prudence, Justice, Tempérance et Force. Un système complexe régit ainsi la distribution des dames, celle des gemmes, comme celle des orateurs intégrant au texte sur plusieurs plans simultanés sa propre glose [1].

Conformément à une coutume déjà ancienne, le récit allégorique est souvent encore, chez les rhétoriqueurs, délimité par ce que naguère j'ai nommé un « type-cadre [2] » : proposition narrative initiale (et parfois finale) aux traits figés, fonctionnant comme un signal à déclencher une action qui en concrétisera progressivement les termes. Type du songe, à la manière du *Roman de la Rose*, d'emblée détachant des vigilances de l'éveil un monde de métaphores posé comme construction onirique : le schème en est relativement rigoureux, comportant les éléments successifs d'indication de temps emblématique (printemps, ou au contraire hiver), d'un état d'âme, de l'inconscience du sommeil, que suivent un *je vis, je rencontrai*, puis la description du lieu, l'apparition du personnage et son discours. Parfois manque l'un de ces éléments, le cadre n'en demeure pas moins reconnaissable. Ainsi, dans les *Lunettes des princes*, dans le *Lyon couronné*, dans la troisième partie du *Temple d'Honneur* de Lemaire, chez Saint-Gelays, chez Cretin [3]. Type de la vision, provoquant un effet du même ordre, libérant à la fois la parole et les fantasmes individuels ou collectifs, dans la *Ressource du petit peuple*, ou dans l'*Apparition du Mareschal Sans Reproche* de Cretin. Type du pèlerinage, projetant la narration dans un espace indéfini, récursif, désidéral : dans la *Complainte sur la mort de Madame d'Ostrisse* de Molinet ou, moins nettement, emboîté par la vision, dans la dernière partie de la *Ressource*. Type de la rencontre, le plus fortement stylisé et d'usage universel [4] : ainsi, sous une forme à variante (le lieu est le parvis d'une église et sa foule de pauvres), au début de l'*Abuzé*. Type enfin du débat, sur lequel je reviendrai.

Ce mode d'encadrement ne fait qu'accuser l'un des caractères de l'allégorèse : le récit se profile dans un espace fictif, lui-même signi-

---

1. Jodogne, 1972 *a*, p. 219-229 ; Bergweiler, p. 166-185.
2. Zumthor, 1972 *a*, p. 92.
3. Hue, p. 51-54 ; Chamard, p. 136-140.
4. Zumthor, 1972 *a*, p. 298-300.

ficatif en vertu du choix des lieux qu'il désigne, et où se situent les actants, s'accomplissent les fonctions. Espace qui tend ainsi à constituer la narration en « art de mémoire », à la manière de ceux qu'explora et analysa F. Yates [1] : effet d'autant moins dilué que l'allégorète recourt à des figures plus traditionnelles et mieux typées, celles de vertus théologales et morales, celles de vices, celles même de la *fine amour* ou certains emblèmes d'usage général.

Destiné à fixer le jugement sur une réminiscence, à convaincre en émouvant, afin de plier l'imagination aux contraintes rationnelles, l' « art de mémoire » opère avec une double série d'*objets* emblématiques et de *localisations*, dont les coïncidences dessinent une sorte de tableau synoptique complexe de l'ordre de notions auquel on se réfère. Les relations de cet art avec l'allégorèse poétique exigeraient une étude qui n'a pas encore été faite, et que je ne puis entreprendre ici. Du moins, d'ores et déjà, Yates a-t-elle souligné la parenté qui unit ces systèmes dans certaines œuvres picturales du xive siècle. Au cours des xve et xvie, les traités sur l'*ars memoriae* se multiplient en Italie; depuis 1450, certains d'entre eux substituent, à la série traditionnelle des *objets*, un ensemble de figures humaines personnifiant, selon le procédé le plus constant de l'allégorèse, les diverses notions en cause. Enfin, on aurait tout lieu, me semble-t-il, de se demander si ne dérive pas directement de l'art de mémoire une technique compositionnelle d'usage alors très général, mais le plus souvent liée chez les rhétoriqueurs à l'allégorèse : celle qui consiste à ranger, par leur initiale, les parties successives du texte selon l'ordre de l'alphabet ou, comme dans la *Couronne* de Lemaire, selon l'ordre des lettres d'un Nom générateur : cette distribution pré-ordonnée (sur laquelle je reviendrai) remplaçant les *localisations* artificielles de la tradition.

Régnant ainsi en maîtresse sur le discours politique des rhétoriqueurs, l'allégorie n'y reste pas confinée. Elle fonctionne de manière identique dans le discours religieux, spécialement celui des poèmes proposés aux puys et dont le thème obligé est la louange de Notre-Dame : ainsi, chez Parmentier, chez Cretin. De même, dans le discours amoureux, encore assez étroitement figé, comme nous le verrons, dans les formes anciennes de la *fine amour*. Le *Siège d'Amour* ou la *Bataille des deux nobles dames* de Molinet s'articulent sur les figurations du *Roman de la Rose*. Telle ballade de Jean Marot, exploitant au maximum les virtualités de ce registre, intègre à son énoncé une sorte de

1. Yates, 1966, chap. iii à v.

glose suggérée par le simple passage du nominal (figuratif) au verbal (littéral), rapportant ce dernier au *je* énonciateur, féminin :

> *Amour* me rend par mon vouloir sujette,
> Où, loyaument je vueil aymer sans feinte;
> *Désir* m'esprend; mais j'ai raison parfaite. [...]
> Pour bien *aymer* nulle je n'en accepte
> Pareille à moy, tant en soit elle atteinte,
> Pour *désirer* aucune n'en excepte.

Ainsi encore de Regret, Espoir et Doute, repris avec Amour et Désir au vers-refrain, par où l'on revient à la stabilité de ces *substantifs* [1]... Par un effet de transfert registral, le discours politique récupère parfois en énigme l'allégorèse amoureuse. Ainsi, chez Molinet le *Bergier sans solas*, où Pan figure Charles VIII; le soleil, Apollon et Titan ensemble, Maximilien; d'autres astres, dieux ou déesses, divers personnages de leur cour. Ainsi, dans la plupart des « pastorales » et « bergeries »...

C'est au point de fuite des diverses perspectives ainsi dessinées que je situerais exemplairement la *Ressource du petit peuple*. Je distingue en effet dans ce texte trois fonctionnements allégoriques selon que la figure y émerge en tant qu'ornement, en tant que règle narrative ou en tant que mode de signifiance.

Comme ornement, la figure allégorique apparaît à plusieurs reprises dans la *Ressource*, toujours sous le même aspect particulier : celui de l'utilisation de noms mythiques. Ceux-ci en effet, dont les *Poetriae* de ce temps fournissent divers catalogues, constituent des formes matricielles de contenu [2], riches de potentialités signifiantes, lisibles sur plusieurs plans, « historique », moral et, selon les contextes, politique ou théologique. La *Ressource* groupe ces noms en séries cumulatives, à valeur hyperbolique. Les chefs de l'armée dévastatrice s'appellent « Cacus, Nemrod, Denys, Dioscorus, Dacien, Marchien, Symphronien, Rictiovaire, Olibrius, Agricolan, Matrocolus, Elmoradach, avec Néron qui portoit l'estandard »; les rois et héros qu'engloutit la mort, cités par Vérité dans son premier discours, « David, Sanson, Perséus, Herculés [...] », que suivent seize autres noms. Même type d'accumulation, un peu plus loin, énumérant les peuples les plus renommés de l'histoire, et les Justes du temps jadis. Peu importe l'identité des êtres

---

1. Lenglet, p. 329-330.
2. Cf. Murrin, p. 117-131; Bergweiler, p. 59-102.

ainsi désignés : question d'érudition. D'un point de vue historique on peut s'interroger sur les liens de ressemblance attachant Olibrius à Néron, Ulysse à Charlemagne. La plupart de ces personnages se trouvent regroupés en listes d'*exempla*, traditionnelles et significatives comme telles : l'auteur, pour les besoins du rythme ou de la rime, ajoute-t-il au canon quelque unité nouvelle, celle-ci est englobée dans la connotation générale.

La première partie de la *Ressource*, coïncidant (en étendue, donc en durée) avec la première moitié du texte, antérieure au premier discours de Conseil, est ainsi scandée par cette quadruple figure, réapparaissant à intervalles réguliers : deuxième et cinquième pages de l'édition Dupire, puis dixième et treizième. Une sorte de contrepoint se dessine, définissant successivement dans le discours quatre lieux d'ancrage thématique : les Destructeurs, les Héros, les Royaumes de gloire, les Rois de justice; et les groupes typiques ainsi connotés possèdent deux traits communs : ils réfèrent à l'ordre social des empires, et ils appartiennent au passé révolu, c'est-à-dire, relativement au poète et à son public, à l'ordre des morts. Ce dernier caractère est moins net dans la première accumulation, où Néron et les autres peuvent être interprétés comme les figurations de forces mauvaises éternellement à l'œuvre : aussi bien, ils apparaissent dans l'introduction narrative, ce qui les distingue fonctionnellement des trois autres accumulations, successivement insérées dans les discours de Vérité (deux fois), puis de Justice, où, mentionnant un bien antique et perdu, ils appellent l'espérance d'une rénovation.

Dans la seconde partie du texte, à deux reprises Conseil (qui représente aussi le « conseil » ducal), répondant à Justice, reprend des éléments des trois dernières de ces énumérations figurales : les Romains, et David, Alexandre et César. Mais le « genre » du discours a changé : l'*ornatus* allégorisant est devenu argument historique, preuve, confirmation d'une espérance jusque-là diffuse et comme abstraite; les noms emblématiques, actants d'un bref récit, explicitation d'une connaissance.

Comme règle narrative, l'allégorèse se manifeste par la série des « prises de parole » constituant dix-neuf des vingt-cinq pages du texte. Successivement en effet discourent Vérité, Justice et Conseil (la cinquième épître morale de Bouchet fait expressément de Justice et de Conseil les adjuvants principaux des rois). La fin de l'introduction annonce explicitement que Vérité « desgorgea son invective contre les recteurs de la chose publique, et dit [...] ». Même lien narratif ailleurs : « Vérité s'escria vers luy à haute voix et se prit à dire »; Justice « en regrettant ses bons amis proposa ces motz ». Lorsqu'en revanche

Conseil répond à cette dame éplorée, puis quand celle-ci réplique et que Conseil conclut, seule l'apostrophe, en tête de la première phrase de chaque intervention, désigne respectivement de quels interlocuteurs il s'agit. L'oraison finale de Justice est derechef introduite narrativement : « à haute voix prononça »...

Se détache ainsi un bloc de discours dialogués sans interruption narrative, bloc que précèdent deux monologues de Vérité, et que suit celui de Justice. Mais il n'est pas certain que cette distribution soit la plus pertinente pour la description du texte. En effet, tous ces discours comportent un destinataire, désigné par un *vous* que le contexte permet d'identifier grâce aux noms et désignatifs en apostrophe. Ce *vous* est tantôt un collectif, renvoyant à une catégorie socialement déterminée; tantôt, il a valeur individuelle, adressé à un interlocuteur. Aucun des discours ne mêle ces deux *vous*. De ce point de vue, la structure discursive de la *Ressource* est la suivante (je marque d'une ligne pointillée les passages narratifs, impersonnels, en prose) :

Locuteur	Prose ou vers	Nature du vous
Vérité	vers	collectif *(princes puissants)*
Vérité	prose	individuel *(Conseil)*
Justice	vers	collectif *(dames de cour)*
Conseil	prose	individuel *(Justice)*
Justice	prose	individuel *(Conseil)*
Conseil	prose	individuel *(Justice)*
Justice	vers	collectif *(Dieu, rois, dames)*

Seuls les seize derniers vers du texte n'entrent pas dans la régularité de ce schéma : narratifs, mais versifiés, ils constituent un discours personnel, énoncé par un *je* et adressé à un *vous* indéterminé :

L'histoire que je vous présente
Ne peut guère de mieux avoir.

Or, tous les autres discours en vers ont pour destinataire un *vous* collectif. On peut en inférer que celui-ci l'est aussi. *Je* désignant expressément l' « acteur », *vous* désigne probablement son auditoire. Mais, nous l'avons vu, *je* se dilate finalement en *nous* : la sphère des relations qu'embrasse ce dernier est virtuellement infinie ; elle englobe, avec le poète, la totalité référentielle de *vous*. En d'autres termes, les mots « je *vous* présente » ne sont-ils pas spécifiés par l'ensemble des *vous* figurant dans les autres discours en vers : rois, princes, dames, Dieu restant hors de cause, puisqu'il est l'objet même de la phrase ultime « prions Dieu » ? Rois, princes, dames : n'est-ce point là, sous une forme condensée mais conforme à la vraisemblance du Grand Jeu, ces « nobles hiérarchies de la haulte cour temporelle, potestés, dominations, throsnes, vertus, ducz, marquis, comtes et barons », comme s'exprime Conseil, l'ordre du pouvoir identifié à celui des chœurs célestes ?

En tant que mode de signifiance, l'allégorèse fonctionne ici, tour à tour ou cumulativement, mais selon des principes d'organisation différents, comme procès de nominalisation ou comme énigme.

L'énigme constitue une partie de l'introduction, où elle forme antithèse avec le motif idyllique de la rencontre qu'exposent les premières lignes. Elle se déroule en une description emblématique dont chaque élément fournit l'indice d'une qualité : « Se vis un très parfond abisme, duquel, avec feu, flame et fumée qui première en saillit, sourdit sur pieds une très laide, espoventable satrape, fille de perdition, fière de regard, horrible de face, difforme de corpz, perverse de cœur, robuste de bras et ravissant des mains : elle avoit le chef cornu, les oreilles pendants, les yeux ardants, la bouche moult tortue, les dens aigus, la langue serpentine, les poings de fer, la panse boursouflée, le dos velu, la queue venimeuse et estoit puissamment montée sur un estrange monstre à manière de leuserve fort et corageux à merveille, jetant feu par la gueule, chaux et soufre par les narines, chargée à tous léz d'espées, couteaulx, dolequins, rasoirs, scies, faux, dagues, planchons, paffus, piques, pinces, pouchons, forches, fourches, arcs, dards, harts, licolz, chaînes, cordes et cagnons, ensemble plusieurs instrumens convenables à son office et portoit sus la croupe un bariseau plein d'escorpions, riagal, arsenic, uile, plomb bouillant, harpois, azil et mortelles poisons. »

— Circonstances de cette apparition : abîme, feu, flamme, fumée ;
— désignation : « fille de perdition », syntagme de style biblique, indiquant l'origine et la finalité ;
— qualités : laideur (laide, horrible, difforme, chef cornu, oreilles pendantes, panse boursouflée, dos velu) et cruauté (*espoventable*,

fière, c'est-à-dire féroce, perverse, robuste, *ravissant*, au sens de « voleuse », dents aiguës, langue de serpent, poings de fer, queue venimeuse);

— situation : montée sur un monstre à figure de loup cervier ;

— qualité de cette monture : *forte et corageuse*, entendons agressive ;

— son action : vomit feu, soufre et chaux ; porte un attirail d'armes frappantes, piquantes, tranchantes, ainsi qu'un baril de poisons divers : tous instruments de mort sanglante et de meurtre secret.

La plupart de ces traits descriptifs sont amplifiés par cumul : chaque détail importe moins par son pouvoir dénotatif propre que par la tension hyperbolique qu'il engendre ainsi au plan d'une connotation générale d'horreur. Un certain hasard semble présider au choix des noms et des adjectifs jetés dans cette tirade. Aucune nécessité ne semble appeler, et dans cet ordre, les parties décrites de la « fille de perdition » : regard, face, corps, cœur, bras, mains, tête, oreilles, yeux, bouche, dents, langue, poings, panse, dos et queue. Pourquoi pas les jambes, les pieds, le sexe ? Pourquoi pas le vêtement ? Reste l'effet connotatif, indiscutable. Or, cet effet évoque un texte : celui même de l'Apocalypse, spécialement les chapitres xii et xiii : « Et ecce draco magnus rufus, habens capita septem et cornua decem [...]. Et vidi de mari bestiam ascendentem [...] similis erat pardo et pedes ejus sicut pedes ursi et os ejus sicut os leonis [...] ». Aucune particularité descriptive ne concorde, mais bien la fiction globale : surgissement d'un monstre inhumain, aux membres incohérents, figures animales menaçantes, et dont la seule présence déchaîne la Guerre.

La nominalisation fonctionne à la fois au niveau discursif et à celui de l'organisation macrotextuelle. Elle contraste ainsi doublement avec l'énigme introductive, que pourtant elle embrasse en l'intégrant à sa structure.

On peut distinguer, de celle-ci, les unités qui la constituent, et les relations posées entre ces unités.

Les unités sont de deux sortes. Les unes constituent sur le plan narratif les agents principaux. Elles sont à leur tour marquées d'un double trait : agents récurrents dans le récit ou (c'est le cas de la « fille de perdition ») sujets d'une action unique mais hautement mise en relief, ils ne sont nommés qu'après, et parfois assez longtemps après, avoir été décrits. Ce retard de l'apposition du nom constitue une technique romanesque traditionnelle depuis le xiie siècle ; ici, elle permet de poser d'abord le *sensus litteralis* avant de suggérer la *sententia* par le nom propre, qui interprète la lettre, double procédé constituant la *personificatio*. Les autres unités, non décrites, portent des noms qui surgissent dans le texte en figure d'accumulation référant à des « personnages » socialement et narrativement subordonnés aux agents principaux.

Selon l'ordre d'apparition dans le texte, on relève :

— le monstre femelle de l'introduction, nommé par la suite Tirannie ;

— sa compagnie, formée de Crudélité, Famine, Fraude, Rapine, Sacrilège, Conspiration, Meurtre et Félonie ;

— la « dame prudente, sage et de grand autorité », qui parcourt la campagne dévastée, et qui trente lignes plus loin sera nommée Vérité ;

— la jeune femme blessée, dont on apprendra peu après qu'elle s'appelle Justice ;

— son enfant, qui sera désigné par la suite comme le « petit peuple », seule personnification dans le récit d'un terme à la fois concret et collectif, ce qui lui confère une marque particulière ; le « petit peuple » est (autre marque) le seul actant purement passif, dont la description du reste souligne l'innocence et l'inconscience ;

— un homme mûr, sorti de la foule anonyme, « assez grave, de révérend maintien, discret et bien morigéné », que Justice, un peu plus loin, interpelle du nom de Conseil, et qu'elle dit son « bon amy », tandis que lui la nommera sa « chère dame », *ami* et *dame* ayant une forte nuance courtoise, sinon érotique ;

— le peuple infidèle de Justice : Clergé, Chevalerie, Marchandise et Labeur, termes renvoyant à la distinction ancienne des ordres de la société, *oratores*, *bellatores*, *laboratores*, ces derniers à leur tour distingués selon les fonctions économiques d'échange et de production ;

— Puissance, à laquelle référence est faite comme à l'adjuvant majeur, désirable, mais absent et qui le restera jusqu'à la fin du récit ;

— les termes divers (agents ou fins) du pèlerinage, brièvement cités par l'« acteur » : le charretier Bon Vouloir, ses chevaux Désir de Paix et Ardeur de Foy, la jument Patience ; puis l'abbaye de Bonne Espérance et son abbesse (?) Charité. Ces désignations, à l'exception des vertus Patience et Charité, constituent un microsystème formellement et sémantiquement marqué : *Vouloir*, *Désir*, *Ardeur* et *Espérance* possèdent en commun une dénotation dynamique, relative à l'acquisition d'un bien ; narrativement, en tant que figures allégoriques, ils signifient un mouvement et son premier terme, provisoire. De plus, chacun de ces « noms » est déterminé : qualitativement par *bon* ou substantiellement par *paix* et *foi*, ces déterminations actualisant le dynamisme dénotatif.

Des relations fonctionnelles, systématisées, s'établissent au sein de deux groupes d'unités et entre ces groupes. Tirannie et sa suite forment l'ensemble sommairement hiérarchisé des Mauvais, des Ennemis, dont les autres « personnages » souhaitent compenser la nocivité grâce à une action collective : l'aboutissement de celle-ci demeurera hors récit. La structure du groupe des Bons, victimes et rédempteurs, est plus rigoureuse. Vérité et Justice sont sœurs. Un lien d'amitié chevaleresque unit Vérité à Conseil. Justice, de son côté, a pour fils Petit Peuple, pour fidèles (en cet instant, égarés) les quatre ordres sociaux, pour aides ou serviteurs les actants du pèlerinage, pour séjour de repos l'Espérance et pour alliée désirée, Puissance. Organisation aristocratique, qui réfère explicitement au spectacle de la cour tel que, le percevant à travers les débris du mythe féodal, Jean Molinet, en 1481, le voyait se dérouler sous ses yeux.

Ce réseau relationnel imite un « réel » dont peu importent les aspects fictifs. Il représente, en les localisant aux emplacements indiscutables d'une hiérarchie sociale idéale, les forces morales qui la maintiennent et celles qui la menacent. Mais, simultanément, une autre localisation mémorielle valorise, d'une manière différente, les principales personnifications de Molinet et les relations qui les unissent. Les emplacements respectifs renvoient en effet à un texte saint qui, pour l'auditeur pieux et lettré du xve siècle, pouvait d'autant moins ne pas se dessiner à l'arrière-plan de ces structures qu'un sermon illustre de Bernard de Clairvaux, maintes fois exploité par la prédication populaire, mettait en haut relief les versets 11 à 14 du psaume 84 :

« Misericordia et Veritas obviaverunt sibi; Justitia et Pax osculatae sunt. Veritas de terra orta est, et Justitia de coelo prospexit; etenim Dominus dabit benignitatem, et terram suam dabit fructum suum. Justitia ante eum ambulabit et ponet in via gressus suos. »

Vérité et Justice, narrativisées en actants, impliquent Miséricorde et Paix, narrativisées en actions, en tant que moyen ou fin. Vérité apparaît sur terre, sans que son origine soit autrement indiquée (« Une très révérende dame [...] se mit aux champs pour visiter ce grief dommage »); de « nobles royaux atours », lacérés par les mauvais, attestent la hauteur d'où provient Justice. Dieu, par le truchement des princes, donnera au monde la bonté, ainsi qu'il l'a prophétiquement manifesté dans l'action du médecin Conseil, guérisseur de Justice, de sorte que la promesse est ainsi assurée d'un renouveau des fruits de la terre produits par le travail du petit peuple. Or, Prudence, Vérité, Justice et Paix sont, hors texte, des figures typées dans la tradition des arts plastiques; leurs ornements, leur séjour, reconnus [1]. C'est à elles que renvoie la référence implicite au texte sacré... Sans doute, rien n'est ici que suggéré : ce qu'en effet déclare le psalmiste, c'est l'objet du désir, « notre » espérance.

---

1. Tervarent, v. index.

Un humanisme dissident?

Dissident : ou timoré, ou qui tantôt s'ignore et tantôt accuse hyperboliquement tel de ses traits, aux dépens des autres ? Je n'ai l'intention ni de répondre à ces questions, impliquant l'existence d'une forme de comparaison univoque, ni d'ajouter quelques pages au menu déjà gargantuesque des études sur l'humanisme. J'entends plutôt situer, aussi brièvement que possible, mes rhétoriqueurs par rapport à un ensemble de mouvements, assez hétérogènes dans leurs effets, qui traversent le XVᵉ siècle, en dynamisent en certains secteurs la pensée, et de toute manière importent à la définition de l'intertexte.

Inutile d'insister (assez d'autres l'ont fait [1]) sur l'imprécision du terme *humanisme*, qui les désigne collectivement : forgé en allemand au milieu du XIXᵉ siècle, sur le nom *humaniste*, lequel avait été, vers 1540, emprunté par le français à l'italien *umanista*, mot de jargon universitaire créé une cinquantaine d'années plus tôt pour qualifier les professeurs de rhétorique et de littérature, *litterae humaniores*... Cette étymologie ne saurait évidemment justifier la réduction de l' « humanisme » à un fait de littérature ni à une pratique érudite. Il s'agit bien plus, au cours de deux siècles d'histoire européenne, de l'éveil progressif de curiosités nouvelles, et d'un lent déplacement des centres d'intérêt générateurs de réflexion, régulateurs des comportements intellectuels, et modalisateurs des discours [2]. Peu importe ici la recherche archéologique qui en repère les premières manifestations dans la France du XIIᵉ siècle. C'est à l'intérieur du cadre ecclésiastique, dans les universités italiennes du XIVᵉ, parmi de multiples querelles de personnes et l'opposition résurgente de l'Académie et du Lycée antiques, dans l'Avignon papale où séjourna longtemps Pétrarque, que prennent consistance les tendances auxquelles sera confrontée la pratique poétique des rhétoriqueurs [3]. Tendances trop profondément

1. Cf. Jodogne, 1972 *b*, p. 538-542.
2. Cf. Simone, 1967 et 1968; Vasoli; Saulnier, 1973; Ouy, 1973; MacNeil; Mandrou, p. 14-64; White.
3. Chastel, p. 57-177.

enracinées dans les expériences et les coutumes locales pour que, entre la scolastique de la Sorbonne, le platonisme florentin, l'évangélisme, se dessine une philosophie commune qui les intègre : un syncrétisme plutôt, nourri de compilation (les *Adages* d'Érasme, publiés en 1508, eurent cent trente-deux éditions au XVIᵉ siècle) et de soucis moraux, chrétiens, parfois nationalistes. On a pu parler d'une pluralité d'humanismes [1]. Le trait qui les unit réside en effet dans une attitude mentale plus que dans les effets, très divers, de celle-ci, foncièrement anti-intellectualiste, plus fidéiste que rationnelle. Pragmatisme embrassant virtuellement tous les domaines de l'action : Machiavel, après la chute de Savonarole, tentera d'élaborer une politique humaniste, contradictoire du reste, centrée tantôt sur le prince, tantôt (dans son *Tite-Live*) sur la nation ; pragmatisme déterminant surtout des modes de pensée et la production de discours : intérêt pour les arts du langage comme tels, surtout la rhétorique ; revalorisation des notions d'*inventio* et de *persuasio ;* recherche, à travers une typologie des arguments « probables » et « possibles », de principes qui systématiseraient le savoir selon les besoins réels du corps social. D'où une redéfinition implicite des fonctions instrumentales du langage, mis au service de connaissances concrètes, utiles, déliées de leur substrat métaphysique, mais en même temps (au contraire de la tradition antérieure) dédaigneuses des technologies, indignes, en dépit de leur progrès effectif, de devenir objet d'histoire [2]. La science ne se ramène plus à une contemplation désintéressée de l'être ; elle irradie un enseignement infiniment adaptable, proposant aux humains guide et méthode : *via*, désormais, plus qu'*ordo*. Germe l'idée nouvelle d'une perfectibilité de la science, d'une identité du savoir et de la communication. Recule le type ancien du *magister :* s'y substitue celui, idéalisé par les souvenirs antiques, de l'*orator*. Mais, à ce niveau de la distribution des rôles, ne règne pas une moins grande diversité. Médecin, professeur, juriste, poète, et parfois tout ensemble ou successivement. Rien que de banal de voir, autour de 1500, Alban Zum Thor enseigner à Bâle, à deux années d'intervalle, l'éloquence grecque, puis la médecine. Sebastian Brandt, étudiant en philosophie, professeur de droit, chancelier de la municipalité de Strasbourg après 1503, lié à la cour de Maximilien, ambassadeur de sa ville auprès de Charles Quint, ami d'Érasme, portraituré par Dürer, avait dans son âge mûr publié l'illustre *Narrenschiff* (« la Nef des fous », 1494). Aussitôt traduit en français (1497 : trois éditions en deux ans), en latin (même année), puis dans la plupart des langues

---

1. MacClelland, p. 314 ; Chastel, p. 41-56.
2. Vasoli, p. 1-3 ; Cachetti ; Gimpel, p. 226-227.

européennes, ce texte assumait, avec la tradition médiévale des « estats du monde », morale et contre-morale en une vision prophétiquement ironique de l'humanité. Une nouvelle tradition en surgit, dont le chef-d'œuvre reste l'*Encomium Moriae* d'Érasme [1] (1509).

Optimisme du discours, que sous-tend l'idée, généralisée chez ces savants, de l'éminente dignité propre à l'homme et à ses œuvres. De façon quasi emblématique, l'année même où Constantinople tombe sous l'assaut des Turcs et où s'effondre la chrétienté orientale, Nicolas de Cuse publie son *De pace fidei*, dialogue fictif entre philosophes grec, italien, arabe et asiatique : recherche, sous l'apparence déchirée des religions en conflit, d'une unité humaine qui est désir de salut. Dans la même perspective de pensée paraît, en 1486, le *De dignitate hominis* de Pic de La Mirandole. Le latin renouvelé, obsédé par la rhétorique cicéronienne, de ces théologiens, de ces philosophes, de ces poètes draine des aspirations intellectuelles et politiques diffuses dans le siècle, mais auxquelles il confère, pour les initiés, la force convaincante d'une beauté [2]. Se constitue, de pièces et de morceaux, l'image d'une perfection désirable, à la fois individuelle et sociale : dans l'ordre de l'éthique, de l'esthétique (quant à la considération de cette beauté ou à sa conformation dans l'objet fabriqué), dans l'ordre aussi de l'organisation collective (par l'art du gouvernement, le droit, les règles du maintien, l'étiquette). Cette tendance véhicule un platonisme qu'ont rénové, dès 1420, les traductions du *Phédon*, du *Phèdre*, du *Gorgias* par le Florentin Leonardo Bruni, avant Marsile Ficin : retour à l'homme, plus inquiet de son destin que soucieux d'investigations sur la nature, projetée en vision hermétique, idéale.

Selon une opinion assez largement répandue, et que nourrit le mythe de la gloire romaine [3], cette perfection n'a pas trouvé de manifestation discursive plus adéquate que dans les grands ouvrages de la littérature antique. D'où la résurgence de la *Philologia*, à laquelle Guillaume Budé consacrera son traité de 1530, et qui se subordonne les *artes* médiévaux : amour du savoir transmis par les livres, et volonté d'une interprétation immédiatement ordonnée aux valeurs ainsi en cause : deux générations de savants, de Gaguin à Budé, travaillent à l'émendation des textes aristotéliciens. Par-delà le septénaire traditionnel des « arts libéraux », c'est un ensemble virtuellement encyclopédique de connaissances que subsume la philologie. D'où la curiosité pour les langues, l'étude de l'histoire, de la cosmographie, l'intérêt pour les techniques

---

1. Könneker.
2. Murarasu, p. 1-6; cf. Kristeller, 1975, p. 143-158.
3. Joukovsky, p. 140-144.

qui tendent à maîtriser le temps et l'espace, du calendrier au calcul de la longueur du méridien, de l'architecture à l'astrologie [1]... D'où encore, remontant aux sources, les chasses aux manuscrits, la constitution de bibliothèques privées; mais aussi la glorification des procédés et des gestes mêmes de la lecture, de l'écriture [2] : Jean Trithème, réformateur monastique, historien, compose, à l'époque du premier essor de l'imprimerie, son *De laude scriptorum* à la louange des copistes! Le même auteur publie en 1494 le premier répertoire bio-bibliographique des *Scriptores ecclesiastici*. Mais la finalité des énoncés par lesquels se transmet (en se glorifiant) ce savoir se distingue mal du discours qui les pose et la fixe : traités ou poèmes d'argument religieux ou politique, intégrant au verbe biblique, à celui de la théologie (ainsi, dans le *De partu Virginis* de Sannazaro) les figures mythiques de l'Antiquité; à la vision d'une histoire esthétisée, cette érudition vorace; aux mollesses de l'élégie, les aphorismes d'un stoïcisme tempéré de sagesse chrétienne et, parfois, de souvenirs horaciens [3].

L'homme se fait par son œuvre; mais il a besoin d'aide. Une herméneutique éclairée y pourvoira : *studia humaniora*. Le faisceau d'idées, de rêves, d'ambitions, de désirs qui constitue l' « humanisme » possède une composante pédagogique presque constamment perceptible. La perfection ne s'imite pas, elle se construit : l'image qu'on en conserve devant les yeux est celle d'un trio qu'il s'agit de réaliser, par opération éducatrice, en le dégageant du « vieil homme » : l'orateur, le prêtre et le prince. Ce sont là les trois porteurs par excellence de la parole, aux fonctions bien distinctes : au prince, le discours de commandement; au prêtre, celui d'intercession; à l'orateur (par quoi entendre aussi, et surtout, l'écrivain), le discours de persuasion. Schématiquement, la société se réduit à eux; et les fonctions du langage, à celles qu'ils assument. Conception étroitement aristocratique : quoique souvent issus de milieux modestes, haïs par les gens de vieille noblesse non moins que par les marchands, les « humanistes » ont partie liée avec les princes, de la protection desquels ils dépendent. Il est vrai que, en en dépit de l'opposition tenace des traditionalistes, ils commencent à pénétrer dans les universités, investies à la fois de l'intérieur et de l'extérieur, occupent quelques chaires. Mais les universités, comme les cours, de plus en plus se replient sur elles-mêmes, en une organisation hiérarchique et quasi nobiliaire qui joue le jeu du pouvoir [4].

---

1. Kristeller, 1974, p. 3-4.
2. Rizzo.
3. Burckhardt, I, p. 191-200.
4. Ouy, 1973, p. 42; Le Goff, 1962, p. 139-148, 173-175 et 180-183.

Lorsque le mouvement se manifeste en France, autour de 1400, la plupart des hommes qui l'incarnent sont liés, d'une manière ou de l'autre, avec l'université de Paris. Jean de Montreuil, Nicolas de Clamanges, Gontier Col, Guillaume Fillastre reconnaissent comme l'un des leurs le chancelier Gerson. Ces attaches se maintiendront, tant bien que mal, jusqu'au début du xvie siècle : Guillaume Fichet, recteur de l'université, et fondateur de l'imprimerie de la Sorbonne, rêve de concilier le thomisme officiel avec le platonisme ; Robert Gaguin préside depuis 1483 la faculté de droit canon ; Lefèvre d'Étaples, professeur à celle des arts, publie les *Livres hermétiques* révélés par Ficin, les ouvrages de Raymond Lulle, d'Hildegarde de Bingen, de Nicolas de Cuse, mystiques, ésotériques, fondateurs de la « docte ignorance [1] ».

Cet « humanisme » français n'est pas un simple rejeton de celui d'Italie : les influences ultramontaines ne s'y manifestent guère avant le voyage de Guillaume Fichet à Milan en 1470, et d'abord dans le Midi et à Lyon. Au sein de l'institution universitaire, et en réaction contre les habitudes qui s'y maintiennent, tentative de libération des discours ; revendication des valeurs de la grammaire et de la rhétorique comme formes de pensée autant que de dire : Gaguin, Tardif, Trithème, Budé. Cette réflexion se concentre sur l'usage du latin, instrument universel de transmission du savoir. Elle ne peut manquer cependant de concerner, à plus ou moins long terme, par voie de conséquence, la langue vernaculaire. Gaguin (qui fut l'auteur d'une histoire latine des rois de France, fondée sur d'anciennes chroniques et traduite en 1514 par Pierre Desrey) publie, dans la même année 1498, son *De arte versificandi*, traité de prosodie latine, et le *Conseil proufitable contre les ennuis et tribulations du monde*; il a traduit en latin le *Quadriloge invectif* d'Alain Chartier, et en a repris l'argument dans son poème *Débat du laboureur, du prestre et du gendarme* (1480 ?). Guy intégra ces textes à ce qu'il nommait « l'école des rhétoriqueurs ».

Plus que celles du vers (alors que recule puis est abandonnée la pratique de la versification rythmique, création du haut Moyen Age), les formes de la prose latine, remodulées selon un mouvement oratoire inspiré des plaidoiries et traités de Cicéron, tendent à se reproduire en langue vulgaire [2]. Mais ce contact agit comme révélateur d'une crise : les langues confrontées, affrontées, se mettent réciproquement en question, s'interrogent sur leur identité [3]. Ce n'est point, pourtant,

1. Ornato; Le Goff, 1962, p. 175-176; Ouy, 1970.
2. Dionisotti.
3. Ruggieri, p. 304-310.

avant le milieu du XVIe siècle que se marqueront une volonté de rupture et l'émerveillement pour le monde nouveau qu'on se croit en train de construire. Jusque-là, quelle que soit la pratique, on pense amélioration et réforme, non bouleversement, ni reniement de l'ensemble des traditions médiévales. Ainsi qu'on l'observe au sein de toutes les cultures de type traditionaliste, le renouvellement prend forme d'archaïsme. Ceux que nous appelons les classiques ne sont pas, parmi les Anciens, les seuls auxquels on se retrempe. Les humanistes baignent, à la manière de leurs devanciers depuis le Xe siècle, dans la littérature du bas Empire, des écrivains hellénistiques, des Pères de l'Église : ce terreau où s'enracinera un jour, après une réévaluation des éléments qui le constituent, le maniérisme baroque. Comme, de leur temps, celle d'un Boccace, d'un Coluccio Salutati en Italie, la culture livresque de l' « humaniste » français du XVe siècle ajoute ainsi peu de chose au vieux donné scolaire ; et ce peu de chose, il l'y incorpore sans tenter de le dénaturer. De même que Pétrarque avait fréquenté Philippe de Vitry, Nicolas Oresme, Philippe de Mézières, de même un Gerson, un Gaguin encore restent étroitement tributaires des *auctores* canoniques [1]. En dépit des traductions d'auteurs classiques, comme celles de Quinte-Curce et (sur la version latine du Pogge) de la *Cyropédie* de Xénophon, exécutées pour Charles le Téméraire par le noble portugais Vasque de Lucène, la bibliothèque que se font constituer par leurs lettrés les ducs de Bourgogne demeure principalement orientée vers le passé [2]. Si perce le sentiment d'une différence, c'est plutôt à l'égard des Italiens que celle-ci se définit, dès le début du XVe siècle et, en dépit d'indéniables influences florentines, plus fortement avec Gaguin [3]. Pourtant (ou : en effet), plusieurs hommes de plume, émigrés d'outre-monts en France, y assurent une présence active (sous sa forme latine) de l' « humanisme » italien : historiens, comme Paul-Émile de Vérone (*De rebus gestis Francorum*, 1517); poètes, comme Balbi, Stoa, surtout Fausto Andrelini. Venu de Forli dès 1489, celui-ci s'introduisit bientôt dans le milieu de la cour; attaché au roi depuis 1496, comblé de faveurs par Charles VIII et son successeur, secrétaire de la reine Anne, il fut tenu pour un maître par plusieurs Français, dont Guillaume Cretin [4].

Gaguin, religieux trinitaire, depuis 1473 général de son ordre, théologien tenté par le mysticisme, et l'un des apôtres du dogme de l'Im-

1. Jodogne, 1972 *b*, p. 539; Huizinga, p. 333-334.
2. Doutrepont, 1970, p. 472-501; Gallet-Guerne.
3. Ouy, 1970, p. 18-83; Simone, 1968, p. 3-35; Di Stefano, 1971 *a;* Mann, p. 52.
4. Tournoy-Thoen; Joukovsky, p. 136.

maculée Conception, est par tempérament proche d'Érasme [1]. Autour de lui, le premier « humanisme » français reste imprégné de religiosité. Le plaisir nouveau que trouvent ces doctes à la recherche des Anciens n'implique aucune nostalgie païenne : les valeurs attachées aux institutions de la Rome antique, à son histoire, à sa mythologie, aux modes de son langage sont valeurs rhétoriques. Elles investissent un discours dont la fonction est à la fois de les transmettre et d'en permettre le décodage en termes modernes et chrétiens [2]. Plutôt qu'une règle de comportement, elles engendrent une vaste figuration allégorique. Dans la mesure où celle-ci débouche sur quelque projet utopique, ce dernier se définira comme une restauration du christianisme primitif, de la pureté de la foi, de la pauvreté d'une Église originelle; mais rien, dans ce rêve, très semblable à celui de la plupart des « hérétiques », ne met en question l'existence ni la pratique de la théologie. Les hommes qui font ce rêve, qui usent de ce langage, ont revêtu de hautes fonctions au service du roi ou de la hiérarchie ecclésiastique, et n'en contestent aucunement le principe. Gontier Col, riche et menant train seigneurial, fut receveur des aides, secrétaire du duc de Berry, notaire royal, général des finances, ambassadeur, et si bien haï du petit peuple que celui-ci mit à sac son hôtel de la rue Vieille-du-Temple lors de la révolte des Cabochiens. Jean de Montreuil, successivement secrétaire du roi, du dauphin, de plusieurs ducs, cumule les prébendes ecclésiastiques. Guillaume Fichet, qui devint camérier du pape, allait recevoir la pourpre cardinalice quand il mourut prématurément en 1480. Gaguin se vit à cinq reprises, entre 1477 et 1492, chargé de missions diplomatiques en Allemagne, en Italie, en Angleterre. Guillaume Budé, gentilhomme parisien, secrétaire du roi, maître des requêtes, ambassadeur à Rome, s'intéresse aux questions d'histoire monétaire et aux problèmes relatifs aux poids et mesures antiques (*De Asse*, 1514). Tous, cependant, abandonnent au prince, au prélat la gestion du corps social : leur activité se masque de désintéressement; leur discours s'énonce sous le prétexte de l'*otium* antique, mal distinct à leurs yeux de la retraite monastique. Comme les grands seigneurs leurs contemporains, mais aussi comme Cicéron ou Horace, ils recherchent et vantent le loisir et la solitude champêtres : pour Jean de Montreuil, celle de son abbaye de Châlis; pour Nicolas de Clamanges, son prieuré de Fontaine-aux-Bois... Utopie de ces lieux clos, où le temps, suspendu, estompe son visage de mort : *et in Arcadia ego*.

1. Huizinga, p. 340-341.
2. Ouy, 1970, p. 91-93.

Que conclure de ces brèves remarques, sinon l'inanité d'une typologie, son incapacité à s'ériger en système : rhétoriqueurs *versus* humanistes ? Les uns et les autres constituent une même classe d'hommes, dont les origines, le mode d'insertion sociale, les carrières et plusieurs tendances d'esprit sont également semblables. On a souvent remarqué combien les poètes français de langue latine (au contraire des italiens) tiennent de près aux rhétoriqueurs : même souci de camoufler les lézardes du mythe social, mêmes types de discours et, dans une moindre mesure, mêmes recherches formelles visant contradictoirement à quelque émancipation du signifiant : Bourguignons, comme Pierre de Bur (mort vers 1500), Remacle d'Ardenne (qui fut secrétaire de Marguerite d'Autriche), Valerand de La Varanne (qui écrivit entre 1500 et 1515), Humbert de Montmoret (mort vers 1525); Français : Germain Brice (ami et correspondant d'Érasme, aumônier du roi et chanoine de Notre-Dame, mort en 1538), Guillaume du Bellay, dans sa jeunesse, avant que ne l'accaparent, sous François Ier, ses tâches diplomatiques [1]...

C'est au niveau de l'action — son champ, sa visée, ses possibilités concrètes — qu'une comparaison peut s'établir, du reste entre individus mieux qu'entre groupes. F. Simone naguère posa en termes généraux le problème, rangeant l'œuvre des rhétoriqueurs parmi les manifestations du premier « humanisme » européen [2]. De façon plus particulière, je m'interrogerai sur la présence ou l'absence, dans les textes de mon corpus, des divers traits auxquels j'ai cru pouvoir ramener la définition de ce mouvement.

Certains de ces traits se retrouvent chez tous, caractérisant, plutôt qu'une doctrine, une configuration mentale commune, productrice de discours identiques dans leur intention globale : manque d'intérêt pour la recherche théorique et le raisonnement, mais goût très vif de réfléchir sur les pratiques; acceptation indiscutée des limites qu'impose à cet exercice l'appartenance à un milieu élitique, dont on admet qu'il constitue la figure de l'univers et le fondement des valeurs; souci de moralisation et sentiment de l'identité culturelle nationale, tous deux nourris aux mêmes sources livresques, exaltés par les mêmes exemples historiques, conceptualisés selon des schèmes analogues.

D'autres faits s'infléchissent, chez les rhétoriqueurs, dans une direction qui, sans être la même chez tous, suit un parcours spécifique : la valorisation des arts du langage, subsumés dans le terme d'*éloquence*,

---

1. Jodogne, 1971 *a*, p. 160; Murarasu, p. 41-72; Thibaut, p. 124-125.
2. Simone, 1968, p. 169-201.

la conscience aiguë de l'éminente dignité de la poésie s'appliquent chez eux presque exclusivement à la langue française, même si un Molinet parfois se servit du latin (dans quatre pièces des *Faictz et Dictz* [1]) : le français constitue le lieu et la fin de leur discours, et, dans l'attention qu'ils apportent au travail du vers, des sons, des mots, dans leur incessante ré-auscultation de ce matériel hérité, il en est le principal objet. L'image d'une perfection idéale, vers quoi se tend le désir qui anime ce discours, se rapporte chez eux étroitement à la figure du prince, à peine à la leur propre ni à la fonction qu'ils assument et ne glorifient, s'ils le font, qu'en s'adressant l'un à l'autre, compères en foire. D'où l'aspect orthodoxe de leur religiosité : leur peu d'intérêt pour la théologie implique moins une revendication tacite de pureté évangélique qu'une réduction aux pratiques officialisées.

C'est dans cette perspective qu'il convient de replacer un facteur souvent monté en épingle de façon quelque peu abusive : la connaissance qu'eurent les rhétoriqueurs des littératures antique et italienne [2]. Tous furent bilingues, plus ou moins philologues, amateurs d'érudition littéraire. Leur vénération pour les œuvres de la latinité ne constitue que l'un des effets, certes majeur, de leur admiration de l'*Imperium* romain (auquel se réfère expressément, à deux reprises, Molinet dans la *Ressource*) : exemple et source d'art oratoire et de morale ensemble, ces œuvres fournissent au discours actuel un plan toujours disponible de référence. D'où le choix des lectures, et certaines préférences : les historiens, Virgile, Ovide [3]... ou Végèce, que citent Molinet dans la *Ressource* encore et Villon dans le *Testament !* Des souvenirs se fondent ainsi au texte, parfois déterminent, de manière plus ou moins manifeste, l'*inventio*, la *dispositio*, l'*amplificatio*. Reproduction du dessein supposé, emprunt d'un cadre général ou d'une argumentation, citations quasi littérales, allusions fugitives, mimétisme stylistique volontairement ou non dissimulé : du moins toujours le transfert d'une langue à l'autre comporte-t-il un indice de réfraction tenant au poids propre des traditions qui formalisent l'énoncé dans l'idiome vernaculaire. Par ailleurs, la densité de ces « souvenirs » varie beaucoup d'un rhétoriqueur, d'un texte à l'autre. Nulle chez Baude, chez André de La Vigne, chez Gringore; très faible chez Molinet, dans le discours duquel parle à mi-voix çà et là le Virgile des *Bucoliques* [4]; forte dans

---

1. Dupire, 1936, p. 802, 831, 841 et 883.
2. Wolf, p. 45-47; Jodogne, 1971 *a*, p. 165-166.
3. Guy, p. 10.
4. Ainsi, Dupire, 1936, p. 929.

l'œuvre de Cretin, où se pressent, parfois indiscernablement mêlées aux traces de textes médiévaux, celles d'Ovide, Properce, Tibulle, Catulle, Horace, Juvénal, de Virgile surtout ; où l'auteur mentionne Cicéron et Quintilien [1]. Meschinot a lu Cicéron et Virgile [2]. Dès 1498, le jeune Lemaire se constitue une anthologie que nous avons conservée et où des extraits d'Ovide, de Virgile et de Sénèque côtoient des textes bibliques et quelques poèmes récents ; mais, dans les quatre volumes de son œuvre, Jodogne ne relève pas plus d'une douzaine d'emprunts textuels aux autres classiques [3]. Quand Meschinot et Cretin citent Platon, ils se réfèrent sans doute à quelque intermédiaire médiéval : sauf pour Saint-Gelays et Lemaire, qui eurent accès à des traductions latines, les Grecs ne sont rien que des noms pour les rhétoriqueurs, intouchés par le timide mouvement d'hellénisme venu, en leur temps, d'outre-monts, par celui même qui se dessine en pays flamand. Hermonymos séjourne en France dès 1476 ; Lascaris, pour plusieurs années à partir de 1495. Un premier livre grec est imprimé à Paris en 1507 ; un enseignement de cette langue y sera donné de 1508 à 1514, puis disparaîtra pour quinze ans... avant les *Commentarii* de Budé, parus au temps où les armées turques campaient sous Vienne, quelques mois avant la création par François Ier du Collège de France.

La connaissance de l'Italie nouvelle, des œuvres de ses savants et de ses poètes, est à peine moins irrégulièrement distribuée. Seuls André de La Vigne, en 1496, Lemaire, en 1506, puis en 1508, passèrent les Alpes et firent de la civilisation péninsulaire une expérience personnelle : Lemaire rassemble des observations politiques concernant la république de Venise, prend connaissance d'ouvrages historiques comme ceux d'Annius de Viterbe [4]. Néanmoins, surtout depuis qu'en 1494 les expéditions royales ont renoué par la violence un lien rompu depuis près d'un siècle, une masse d'informations sont tombées dans le domaine commun, de sorte qu'une image, plus ou moins déformée, des événements, des hommes et des coutumes d'Italie s'offre à la portée de tous. Des livres circulent ; écrits en latin, parfois traduits en français, ils trouvent aisément lecteurs : Molinet copie un passage du *Commentarius* de Poliziano dans le chapitre de ses *Chroniques* traitant de la conjuration des Pazzi [5]. La colère soulevée, chez un Gaguin, un Champier, un André de La Vigne, un Jean Marot, par la superbe des

1. Guy, p. 231-233.
2. Champion, 1966, p. 217.
3. Jodogne, *in* Simone, 1967, p. 179-210 ; Jodogne, 1972 *a*, p. 169-170 et 188, 199, 257, 259, 260, 263, 265, 273.
4. Jodogne, 1971 *b*, p. 91.
5. Champion, 1966, p. 292 ; Jodogne, 1971 *a*, p. 167.

compatriotes de Pétrarque et leur dédain des Français n'affecte en rien le prestige du poète (Marot fut nommé « le premier pétrarquiste » français) ni du moraliste [1], dont on lit du reste surtout les ouvrages latins, de même que de Boccace le *De casibus*, pris à la médiévale comme un recueil d'*exempla*, et la *Genealogia*, répertoire de noms mythologiques... quoique le *Décaméron* ait été traduit dès 1414. *La Divine Comédie*, dont se souviennent vaguement plusieurs rhétoriqueurs, n'est guère plus à leurs yeux qu'un modèle de moralisation de l'histoire. Pétrarque, Boccace, moins nettement Dante : il ne semble pas que Lemaire, le mieux italianisé de tous, ait poussé plus loin ses lectures.

A l'époque même où les « humanistes » livrent au public lettré pêle-mêle traductions françaises du latin, latines du grec avant que celui-ci ne passe, avec le *Plutarque* de Budé, directement en français, les rhétoriqueurs occupent, à l'égard de cette entreprise collective, la même position marginale : à la fois participants et comme timides, à l'exception de Saint-Gelays, traducteur de l'*Énéide*, des *Héroïdes*, du traité de Symonetta sur les persécutions et de l'*Historia Euryali et Lucretiae* d'Eneas Piccolomini, déjà traduite du reste une première fois par Tite Favre pour les dames de la cour de Bourgogne. Lemaire traduit de l'italien l'opuscule de Giovanni Rota sur le Sophi, roi de Perse, et du latin le *De rosis*, apocryphe virgilien, qu'il présente au lecteur comme une allégorie, mais dont il respecte la forme au point de ne pas dépasser le nombre de cinquante alexandrins pour rendre les vingt-cinq distiques de l'original... Cretin met en vers français une épître latine d'Andrelini relative à la victoire d'Agnadel [2]. Quant aux deux traductions que Parmentier donna de Salluste, déjà signalées, elles constituent l'un des exemples les plus achevés de la prose oratoire des rhétoriqueurs, destinées, selon le prologue du *Catilina*, à « donner et apporter fruit de grande utilité et d'exemple bon et salutaire à la chose publique [3] »...

Ainsi s'explique que plus d'un critique moderne ait considéré les rhétoriqueurs comme étrangers au courant « humaniste », ou peu touchés par lui, à l'exception de Jean Lemaire, à qui plusieurs études ont, à cet égard, attribué une situation particulière [4]. Tous les rhétoriqueurs n'en baignent pas moins, plus ou moins profondément,

---

1. Mann, p. 54-57 et 65; Trisolini, p. 23-30.
2. Jodogne, 1971 *a*, p. 166; Munn, p. 148-157; Guy, p. 190 et 226.
3. Posadowski-Wehner, p. 60-67.
4. Doutrepont, 1934; Frappier, 1963 *a* et *b;* Jodogne, 1971 *b*.

dans ce courant : les Français davantage que les Bourguignons, un Guillaume Cretin plus qu'un André de La Vigne. Mais en vertu de quel critère fixer la ligne d'étiage ? Leur pratique donne une certaine impression d'archaïsme : que vaut cette impression ? Là n'est pas le problème mais bien dans les contraintes socio-historiques qui déterminent les modalités de leur discours. Les rhétoriqueurs n'ont pas de « loisir » : l'*otium* n'entre pas (sinon, fugitivement, à travers les *Épistres familières* de Bouchet) dans le magasin de leurs concepts opératoires. Payés pour faire œuvre d'éloquence, ils ne peuvent tenir dans le secret d'une confidence un discours par vocation public. S'ils ont un secret, et qu'ils partagent avec d'autres doctes de leur temps, c'est à l'intérieur de ce discours même qu'ils le cachent.

Le poids des coutumes

Le discours de la gloire, qu'il soit ou non infléchi par un prétexte religieux, rehaussé des prestiges de l'érudition « humaniste », n'est point le seul (je l'ai signalé) que tiennent les rhétoriqueurs. Sans cesse, en concurrence avec d'autres discours dont les règles propres, inégalement formalisées, ont été parfois transmises au xvᵉ siècle d'un assez lointain passé, il s'en nourrit, s'en conforte, les absorbe, les intègre à sa visée, ou bien leur cède, craque sous leur pression. Le xviiᵉ siècle louis-quatorzien est encore loin, au fond d'un avenir qui se dessine mal en ce présent empêtré de mythologies empruntées [1]. La diversité, l'incohérence apparente des modes médiévaux de pensée et de langue subsistent dans le sous-œuvre et souvent l'emportent en surface : absence de cette fiction romantique de l'unité, dont nous avons eu tant de mal à dégager, depuis peu, le regard critique. Le texte n'est « un », si l'on tient à ce terme, qu'en cela qu'il existe, assumant sa multiplicité et ses contradictions.

A plusieurs reprises déjà, j'ai invoqué, dans les chapitres précédents, diverses traditions, au terme desquelles se situa la poésie des rhétoriqueurs. L'hétérogénéité foncière d'un héritage culturel conditionne alors tout texte poétique, dans le travail qui le produit : dans l'écriture. Traditions idéologiques, constituant (si l'on admet, très provisoirement, cette dichotomie) la substance d'un contenu; conventions topiques qui en fournissent la forme; inertie de types d'expression maintenus depuis des siècles contre vents et marées, sous les innovations de détail qui en altèrent çà et là les apparences les plus immédiatement perceptibles. Mais les anciennes cohérences ne persistent qu'au niveau de mots, d'idées « molles »; si d'aventure on les revendique, c'est sur le mode de la tromperie : je veux dire de l'équivoque.

J'ai signalé, au début de ce livre, les liens qui attachent la pratique des rhétoriqueurs à celle de leurs contemporains, et la manière dont certains *Arts de seconde rhétorique* invoquent l'autorité de poètes du

1. Cf. Reiss, p. 204.

XIVe, voire du XIIIe siècle. Tous les rhétoriqueurs ont lu le *Roman de la Rose* et puisent à pleines mains dans les ouvrages didactiques, satiriques, moralisants dont Jean de Meun formalisa la tradition ; ils connaissent, dans leurs versions prosifiées, les derniers avatars de la chanson de geste et du roman courtois ; ils n'ignorent pas totalement la poésie des trouvères du XIIe siècle. Leur « culture littéraire » ne va peut-être pas plus loin ; mais lorsque à la fin du XVIe siècle Claude Fauchet, au livre II de son *Origine*, cite les noms de cent vingt-sept poètes français antérieurs à 1300, peut-on faire honneur à sa seule érudition de l'importance de cette liste ? Plusieurs des textes qu'il mentionne ainsi n'alimentaient-ils pas depuis longtemps un fonds commun de lectures, banalisées pour des générations de lettrés au point de perdre, dans le souvenir, leur identité ? Je ne sais. Toujours est-il qu'un répertoire médiéval, mémorisé, préexiste à la poésie des rhétoriqueurs et en conditionne nécessairement pour une part la structuration. Mais, proposant une solution, non identifiée comme telle, à des problèmes dont il fixa jadis les termes (au XVe siècle, déjà dépassés), ce répertoire ne répond plus tout à fait à l'attente du poète ni de la cour. Il engendre, entre le discours qui le réassume et les circonstances, un conflit à l'issue imprévisible, qui peut aller de l'archaïsme accepté (ou recherché) à l'éclatement parodique [1].

Fondant *a priori* la réalité poétique comme autodéterminée, la tradition, *continuum* mémoriel, porte la trace des textes successifs où s'est réalisé un modèle nucléaire que nul ne met en question comme tel et qui en est venu à constituer une forme de pensée et de sensibilité. Lieu de rapports intertextuels, elle confère à ce que ici, et maintenant, j'écris le statut de re-production, adhérant, en vertu de mon intention formalisante, à un système conçu comme éternel. L'écart des temps empêche le texte nouveau, ainsi posé, d'être immédiatement réappropriable par notre discours moderne ; il occulte et déguise à nos yeux en inertie le dynamisme joyeux qui fit de lui, dans sa fraîcheur, le carrefour d'une participation unanime. Intégrant à la re-production une part d'individuel et de vécu, la tradition en rature la contingence. Recueil de paradigmes, savoir implicite et commun, elle organise une sorte de « modèle analogique », un code quasi iconique définissant des finalités extérieures au discours du poète, dont elle détermine le fonctionnement, mais aussi qu'elle revêt de l'autorité émanant du

---

1. Warning, p. 34-35.

passé et des longues durées, et projette sur l'avenir, programme de ce qui n'est pas encore donné [1].

La diversité des facteurs qui la constituent s'est fixée, depuis le XIIIe siècle scolastique, en une pluralité de rhétoriques, que la rhétorique enseignée coiffe et récupère tant mal que bien, de sorte que ce matériau de réemploi, collectionné et sans cesse réarrangé en ensembles nouveaux, ne signifie plus vraiment pour son propre compte, dénote moins qu'il ne connote [2]. Cette récupération, on l'obtiendra au cœur du « labyrinthe » qu'invoque Evrard l'Allemand [3], selon la glose expliquant ce mot par l'étymologie *labor intus*, le dur-travail-qui-se-fait-dedans. Qui se fait par la manipulation même de ce que j'ai nommé les « types », d'un terme subsumant toutes les marques à quoi percevoir, par l'analyse, dans le texte médiéval, la présence active d'une tradition. Un « type » se compose de deux éléments solidaires, linguistique et figuratif, dont généralement l'un, plus stable que l'autre, prédomine, sans que leur lien fonctionnel soit jamais rompu [4] : choix lexicaux préférentiels, formules, lieux communs, schémas descriptifs, ensembles thématiques préstructurés, fictions compositionnelles, tous éléments autour desquels cristallise le discours, et que le rituel même de la cour contribuait, après plusieurs siècles d'usage, à maintenir, en leur conférant une technicité qu'ils n'avaient pas toujours eue. Certes, si l'on considère l'ensemble de la poésie du XVe siècle, on constate que ces éléments, peu à peu, çà et là (chez le Charles d'Orléans des années 1450-1460, par exemple), se subordonnent, de façon inégalement tranchée, à une poétique de la *mimesis* et de l'aveu [5]. Rien de tel, sauf exceptions rares et tardives comme les *Epistres familières* de Bouchet, chez les rhétoriqueurs : dans leurs vers, quel qu'en soit le prétexte, les éléments empruntés au langage poétique antérieur sont si nombreux, et constituent des réseaux si denses, qu'ils semblent manifester, à tous les niveaux du texte, l'intention de s'y résorber. Le dessein formalisant global d'où provient le texte désigne celui-ci comme un *artifact* au confluent de toutes les traditions qui, en latin ou en langue vulgaire, depuis plusieurs siècles, tendirent à opacifier le langage. Compte tenu des tensions locales qui ne cessèrent, au sein de ces traditions mêmes, durant des siècles, d'opposer « anciens » et « modernes », et des faux-semblants non moins que des

1. Zumthor, 1972 *a*, p. 75-82; Eco, p. 192-193, 215-216.
2. Jenny, p. 267 et 275-280.
3. Faral, p. 336.
4. Zumthor, 1972 *a*, p. 82-95.
5. *Ibid.*, p. 279-285.

trouvailles innovatrices auxquelles elles donnèrent lieu [1], les rhétoriqueurs n'inventent rien, travaillent sur un donné qu'ils tiennent de leurs devanciers. Comme leur maître Georges Chastellain, ils déclarent humblement participer aux quatre éléments composant un univers qu'ils n'aspirent ni à récuser ni à dominer :

> Je suis un tout de la moindre mesnie
> Du ciel, de l'air, de la mer, de la terre [2].

Pourtant, en s'y pliant sans révolte, ils en poussent jusqu'à l'extrême les tendances et les lois, au point d'en distordre la vérité prétendue : « Mais suis celui... » Ils sont, en leur temps, les plus traditionnels et conservateurs des poètes, ou plutôt ils apparaissent tels en surface. Le sont-ils profondément ? On ne peut manquer d'être frappé par la constante volonté, affirmée, de fidélité aux modèles, l'exactitude minutieuse de leurs définitions des « formes fixes », de leur pratique de la rime, des figures de sons et de mots... Fidélité, exactitude que l'on est porté à identifier avec la conscience qu'ils eurent du rôle social qu'il leur fallait jouer pour vivre. Mais, d'autre part, cette si fréquente outrance dans l'application même, cette concentration sur le plus artificiel de l'artifice, ces redondances jusqu'au vertige verbal ?... Excès, démesure : à mes yeux, l'indice global d'une transformation voulue ; comme si, au-delà d'un certain seuil d'intensité, le quantitatif débouchait sur autre chose. Mais un autre chose intériorisé, intégré au texte et qui, s'il modifie celui-ci, renforce en même temps son appartenance à la tradition.

... à *la* tradition, *aux* traditions : le singulier collectif universalise, au niveau d'une typologie des cultures, la pluralité du réel, l'une et les autres de multiples traditions engagées dans d'instables relations mutuelles et dont le faisceau sous-tend, oriente, rendit possible une pratique poétique séculaire. Mon propos n'est point d'en faire ici l'inventaire, mais seulement de discerner des points d'articulation. C'est pourquoi, corrigeant, selon la doctrine des physiciens d'alors, la métaphore de Georges Chastellain, je ramène par commodité à quatre le nombre des éléments fondamentaux de cet univers traditionnel :

— le *feu*, que, depuis les premiers trouvères, se transmettent en

1. Jauss, 1973, p. 11-29.
2. Maurin, p. 482.

langue française chanteurs de cour et ménestrels, dans l'espace circulaire d'une joie épanouie au souffle de la voix qui sans fin répète la fidélité d'un désir sans objet;

— la *terre*, chaude et humide, où colle et parfois s'embourbe un discours chargé d'intentions « didactiques » ou de figurations « satiriques » étroitement contraintes en schèmes que le pronom personnel feint parfois d'assumer (la vieillesse, la mort, la variabilité de la femme, la roublardise du moine; ma vieillesse, ma mort...);

— l'*eau* fluente du discours « humaniste » où, par la puissance de la métaphore, la poésie s'assujettit toutes les disciplines du savoir, s'érigeant ainsi elle-même en métaphore de l'ordre cosmique, par quoi s'y inscrit et porte trace l'universalité de l'intelligible : mais peut-être le terme de métaphore est-il, ici comme ailleurs, abusif, et ne faut-il concevoir qu'une multiplicité d'images indéfiniment substitutives l'une de l'autre, enfilées par une flèche fantasmatique...

— l'*air*, enfin, invisible animateur par quoi l'on respire. Les trois premiers éléments embrassent le monde, la vie, l'homme, promus au rang d'acteurs sur la vaste scène des discours. Mais, simultanément, y fermente une ironie foncière, omniprésente, latente ou manifeste, circulant entre les rôles de la scène aussi bien que dans ses coulisses et dans l'espace par-dessous. Elle aussi discours, affirmant que toute loi implique un au-delà de la loi, qu'il suffit d'ajouter aux qualités propres de l'objet représenté n'importe quelle qualité autre pour faire apparaître la probable fausseté des premières et en bousculer le concept. Enraciné dans des habitudes remontant au plus haut Moyen Age, le discours ironique corrode et gauchit les formes et leur fonctionnement aussi bien que le procès de signifiance.

Chacun de ces éléments comporte ses propres indices formels, inégalement accusés, mais toujours identifiables. Les rhétoriqueurs, « philosophes moraux », *faiseurs* de langue vernaculaire, intègrent la diversité de ces marques à une forme complexe multipliant les cadres, emboîtés, cumulés, aptes à circonscrire strictement la scénographie du texte, à lui interdire le débordement guerrier.

Je traiterai ici des deux premiers éléments. Le troisième a fait l'objet du chapitre précédent; je consacrerai au quatrième le suivant.

La tradition qu'en langue française avaient fondée les « trouvères » remontait, plus haut qu'eux, aux « troubadours » occitans, dont ce nom, calqué, donna le leur. Je renvoie, à propos de la forme initiale de ce type de discours, à mon *Essai de poétique*, où je l'ai longuement analysée, sous son aspect poétique et dans ses fondements socio-historiques [1]. Un bref rappel suffira. A travers les expériences des premières générations de troubadours, entre 1100 et 1160 (date où l'empruntèrent les Français), se constitua un modèle de chant qui unissait indissociablement texte et mélodie en une action vocale aux contours spatio-temporels (longueurs et rythmes) fixés par des règles coutumières relativement rigoureuses : la « chanson ». A l'intérieur de ces limites, le chant se déployait comme un appel, adressé par un *je* innommé [2], à un objet absent, dont la possession ou la privation eût signifié dans le présent joie ou douleur, et projetait dans un avenir indéfini espoir ou crainte. Les paroles s'enchaînaient, hors de toute relation causale, en vertu d'une narrativité latente, conférant des rôles actantiels au *je*, à l'objet, à la joie, à la douleur, à l'espoir, à la crainte. Ce schéma se réalisait à travers une métaphore nucléaire identifiant la relation du sujet à l'objet avec le rapport du vassal au seigneur, producteur de service et de foi, de récompense et de générosité, sans jamais abolir l'obstacle de cette distance. Le plus souvent, l'objet se lexicalisait sous la forme du mot *dame* (le féminin de *seigneur*); la relation désirante, en *amour*. Par la suite, il arriva que Dieu ou, surtout, la Vierge se substituent à la dame. Autour de ces termes simples s'organisait un ensemble de métaphores secondaires, de termes clés, de comparaisons typées, d'une grande stabilité sous les innombrables variations individuelles, et que j'ai désigné du nom de « registre [3] », à la fois schème discursif sous-tendant une écriture collective et matrice des formes culturelles que prend, en milieu aristocratique (et parfois bien au-delà), le fonctionnement de la sexualité.

Ce modèle demeura inchangé jusqu'à la fin du XIIIᵉ ou le début du XIVᵉ siècle. Depuis lors, en dépit d'altérations croissantes, il conserve ses traits essentiels : les règles perdent de leur sûreté et de leur nécessité profonde, mais la surface est peu touchée. Aux alentours de 1500, plusieurs humanistes italiens redécouvrent les sources textuelles de cette poésie : Bembo, dans son *Della volgar poesia*, renoue le fil qui de Pétrarque mène aux troubadours; Equicola, secrétaire d'Isabelle d'Este, extrait des *Vidas* de ceux-ci les éléments d'un art d'aimer. Il est douteux que les rhétoriqueurs aient eu connaissance de ces recherches : leur pratique n'en est pas moins entée sur la tradition, qu'elles tentent d'éclairer. L'espace du poème reste un lieu clos, le *jardin* où s'accomplira l'amour, *hortus conclusus* dont la figure hante les imagiers de ce temps [4]. Mais, de plus en plus, des développements

1. Zumthor, 1972 *a*, p. 189-243 et 466-475.
2. *Ibid.*, 1975, p. 181-196.
3. *Ibid.*, 1974 *b;* Corti, 1976, p. 82-89.
4. Tervarent, p. 420, 434-435.

amplificatoires s'articulent sur les termes registraux, désormais souvent allégorisés : descriptions concrètes, particularisantes; allusions ou exemples : illustratifs, mythologiques, historiques; parfois fictions autobiographiques. La narrativité du système, de latente, aspire à devenir explicite : d'où, contradictoirement, une sorte d'ouverture. Cet élargissement du champ imaginaire s'accompagne d'un durcissement et d'une complexification des formes rythmiques. Le moule unique et très souple de la « chanson » éclate et en engendre deux autres, plus rigoureusement définis, le « chant royal » et la « ballade », auxquels se joignent les formes du type rondeau, d'autre provenance. Je reviendrai ultérieurement sur ces genres versificatoires, qui dès la fin du XIIIe siècle servent de support à cette poésie. L'effet de ces transformations s'accuse, dans la seconde moitié du XIVe, par suite d'une rupture qui ruinait la raison d'être et la finalité primordiale d'une esthétique : musique et poésie se séparent. Encore un point sur lequel il me faudra revenir : on entrevoit ses immenses conséquences.

Le « registre » de ce qui fut la chanson subsiste pourtant, matériellement reconnaissable sous les fards et, parfois, sous des travestissements aux plis somptueux. Les poètes jouent librement de ses *disjecta membra :* aucun doute ne les effleure, semble-t-il, quant à leur valeur de beauté et à leur efficacité oratoire, mais ils n'en perçoivent plus l'organicité. Le système perd ainsi dans leur écriture à la fois le dynamisme qui fut originellement le sien et, au niveau phraséologique, sa souplesse. Son aire de manifestation se limite du reste au discours d'intention érotique : les motifs religieux et politiques sont désormais liés, nous l'avons vu, à d'autres formes de diction. Le « registre », pré-figure globale de la chanson, éliminant de celle-ci la pure impressivité [1], est devenu langage, ensemble d'unités et de règles syntaxiques, d'usage virtuellement universel.

Réduction et dissémination : les deux aspects de ce procès engageaient la classe aristocratique entière, au sein de laquelle un tel langage trouvait son domaine à peu près exclusif de validité. Très tôt, en effet, l'énergie qui nouait, dans la circularité du chant, les termes de la « fine amour » troubadouresque (et *fine* détient ici une valeur quasi alchimique) s'était dissoute dans la linéarité de récits l'associant, selon quelque intention éthique, à l'aventure guerrière. Projetés en narration explicite, ces termes s'y déployaient sans « fin » propre : ni but ni achèvement. Rien ne les retenait de tomber dans l'idiome mondain, dans les mœurs de la cour : au XVe siècle, réactivés par les « romans de chevalerie » confectionnés pour celle-ci, ils consti-

---

1. Zumthor, 1972 *a*, p. 232, 239-242, 251-252.

tuent l'exquise et grave étiquette d'un discours princier [1]... d'où la métaphore clichée des « Amoureux de l'Observance », assimilant la collectivité des nobles amants à un ordre monastique (à quoi semble faire allusion Molinet vers la fin de la *Ressource*). En 1400, à l'inspiration de la reine Isabeau, un groupe de seigneurs parisiens, auxquels se joindront bientôt de grands bourgeois, a fondé la « Cour amoureuse » : imitant statuts et structures d'une institution judiciaire, la Cour à pour objet de promouvoir « les deux vertus d'umilité et léauté, à l'onneur, loenge et recommendacion de toutes dames et damoiselles »; elle s'attribue le droit de juger les conflits amoureux et institue, sous la présidence du « Prince d'Amour », des concours de poésie entre les « factistes et rhétoriciens » qu'elle compte parmi ses membres. Sa création, au seuil du siècle, fait figure emblématique. Elle imprime sur le mode d'existence aristocratique une marque dont les traces ne s'effaceront que très lentement. Peu importe ici que, dès son origine, elle ait étendu son influence jusqu'à Lille et Tournai, et attiré la clientèle de nombreux nobles bourguignons. Je retiens pour plus pertinents les attendus de sa charte, relatifs à la peste qui sévissait alors dans l'Ile-de-France : « En ceste desplaisant et contraire pestilence de épidimie présentement courant en ce très crestien royaume [...] pour passer partie du temps plus gracieusement et afin de trouver esveil de nouvelle joye [2]... » Je m'en voudrais de commenter. Mais l'intention ici manifestée trahit l'état de crise provoqué par la perpétuation d'un tel discours. Crise dont on relève des traces positives, toujours plus denses à mesure que l'on avance dans le siècle, d'Alain Chartier à Martial d'Auvergne, à Villon et au-delà : parodie, rejet pur et simple ou, après 1500, tentatives « humanistes » de réinterprétation en termes pseudo-platoniciens [3]... en attendant qu'un Du Bellay, un Ronsard, un Héroët ne raniment les derniers débris du système en les intégrant dans un lyrisme plus lourd de pulsions sensuelles et de volonté de savoir.

Les rhétoriqueurs sont contemporains de la crise à son moment le plus aigu. Aussi bien que d'autres, ils possèdent le langage de la « fine amour », partie de leur éloquence. Moins que d'autres ils le mettent en question, trop liés au protocole de la cour; ou, s'ils le parodient, comme nous le verrons, leur dessein se dissimule sous le masque d'un rire plaisant. Souvent, ils l'utilisent, de manière ornementale, dans tel passage d'un ouvrage étendu et de dessein général différent.

1. Poirion, 1965, p. 60-61; Huizinga, p. 112-131.
2. Poirion, 1965, p. 37-43.
3. Fox, p. 38-45; Quislund.

Ainsi, Molinet, dans le *Hault Siège d'Amour*, long poème partiellement narratif et en partie dialogué, de la lointaine lignée du *Roman
de la Rose* [1]. Quand le poème entier tient un discours érotique, quand
y parle seule la fiction d'un désir, la densité et la relative homogénéité
des éléments traditionnels sont, chez le rhétoriqueur, plus grandes que
chez la plupart des autres poètes de ce temps. Mais, sur cette qualité,
influe la forme versificatoire choisie, ballade ou rondeau. La ballade,
par sa longueur (je reviendrai sur ce point), exige développement narratif ou amplification accumulative ; le rondeau, par l'effet du triple
refrain, non moins que par sa brièveté, se clôt davantage sur lui-
même et retrouve, sinon la circularité des anciennes chansons, du
moins la neutralité parfaite d'un message hors temps et hors lieu [2]. Que
l'on compare la ballade *Plus rien ne vois qui resconfort me donne* de
Meschinot avec tel de ses rondeaux :

> Plus suis dolent que nulle autre personne ;
> Plus n'ay d'espoir d'aucun allègement ;
> Plus ay désir, crainte d'autre part sonne ;
> Plus cuyde aller vers vous, moins sais comment ;
> Plus suis espris, et plus ay de tourment,

et la suite en gradation pathétique sur trente-six vers. Mais en revanche :

> Pour amer trop fort
> Je porte tel deuil
> Qu'oncques ne fut d'œil
> Vu nul si très fort.
> Je n'ay nul confort,
> Ains tousjours me deuil
> Pour amer trop fort.
>
> Fortune me mord
> Souvent à son veuil,
> J'en requier et veuil
> Recevoir la mort
> Pour amer trop fort [3].

Douleur, et la mort métaphorique qui fige l'obstacle ; louange et
requête ; espoir ou crainte, allégorisés à l'instar des figures du *Roman
de la Rose* — toujours lui : les maîtres-termes de l'ancien modèle

1. Dupire, 1936, p. 573.
2. Poirion, 1965, p. 318-342 et 366-390.
3. Löpelmann, p. 181.

glissent sur le *dis-cours* de cette galanterie discrète, ruisseau qui revient à sa propre source, et s'y perd... On citerait de même, d'une anthologie confectionnée vers 1470-1475 pour Louis Malet de Granville, lieutenant-général de Normandie, plusieurs rondeaux que certains attribuent à Molinet [1].

L'unité d'un tel groupe de poèmes provient moins d'un arrangement semblable de traits lexico-syntaxiques (un « style ») que de la permanence d'un schème imaginaire profond, non encore complètement désarticulé. Une série de rondeaux de Jean Marot manifeste « éloquemment » ce caractère. Ainsi :

> Plus chaud que feu je languis par tes yeulx,
> Et si ne puys mes regrets ennuyeux
> Bouter à fin : car ton regard me livre
> Feu si très-doulx qu'en mourant me fault vivre
> Souz un espoir incertain d'avoir myeulx.
> Comme chandelle est par vent gracieux
> Tost morte et vive, ainsi ton riz joyeulx
> Me fait mourir, puys tout à coup revivre
>   Plus chaud que feu.
>
> Doncques craignant ton refuz furieux,
> Je te supplye, en l'honneur des hauts Dieux,
> Fais distiller ton cueur plus dur que cuyvre
> En Eau de Grace, afin que je m'enyvre
> De ton amour, qui me brusle en tous lieux,
>   Plus chaud que feu [2].

Selon une coutume vieille déjà de deux siècles, il arrive enfin que des ouvrages plus ambitieux et d'intention plaisamment didactique fassent du langage de la « fine amour » celui d'un panégyrique des dames et de leurs chevaliers servants. Ainsi, chez Gringore, les *Menus propos des amoureux qui n'ont la grâce de joÿr de leurs dames, figurez pour les hommes, bestes et oiseaulx, selon leur nature et complexion* (1521), ou, chez Bouchet, les *Triumphes de la noble et amoureuse dame et l'art de honnestement aymer* (1530), qui n'eurent pas moins de dix-sept éditions! La finalité sociale en diffère à peine de celle d'un discours politique : le *feu*, asservi, instrumentalisé, n'y brûle plus.

La terre : schèmes de pensée monastique remontant aux premiers siècles du christianisme; thèmes de prédication progressivement consti-

1. Löpelmann, p. 146 et 201.
2. Lenglet, p. 249.

tués en ensembles structurés; fragments exemplaires des Pères de l'Église, d'historiens ou de poètes antiques, véhiculés et dépersonnalisés par l'école : ces facteurs, et bien d'autres sans doute. L'inventaire n'en a jamais été fait, sinon sous la forme réductrice d'une « recherche des sources » livresques. Mais il s'agit moins de livres que d'un fonds de connaissances empiriques et de jugements accumulés, typés, aux origines indiscernables comme telles, et constituant l'un des trésors communs de cette culture. Organisés en discours polymorphe, mais dont quelques axes stables assurent la cohérence, ces éléments, que j'appellerai « éthiques » (en donnant au terme un sens très large), n'ont point été, comme la « fine amour », appropriés par une classe sociale. Sans raisons bien fondées, beaucoup de médiévistes en considèrent comme « bourgeoises » les manifestations poétiques. Je préfère écarter cet *a priori* : à des nuances près d'ornementation, le discours « éthique » peut être aussi bien tenu au sein de la cour (où il sert indirectement un dessein politique) que, à l'intention de marchands urbains, par un clerc au seul souci pastoral; et, parmi la masse illettrée, il éclate, se colore et se fige en proverbes et en dictons, citations anonymes renvoyant à cet intertexte omniprésent.

Triomphe du *lieu commun* : de la scène langagière où tous reconnaissent l'image, à peine grimée, de ce qu'ils savent d'eux-mêmes. Miroir tendu au siècle par le langage de son idéologie. En surface, le lieu commun remplit une fonction universalisante. Mais, sans le déclarer, il en gauchit l'exercice, car ce qu'il dit se solidifie en « type », plus inerte à mesure que s'écoule le temps des existences. Type phraséologique : le *ubi sunt* des *Dames du temps jadis* de Villon, mais aussi bien de Meschinot (strophes 13 et 14 des *Lunettes*) et de plusieurs de ses émules. Type narratif : la Roue de Fortune (et toi, tantôt en haut, tantôt en bas), que l'on retrouve alors sur les images dessinées ou peintes, identifiée par la tradition avec la Roue du monde entraînant les astres sur son cercle et dont le système des tons musicaux reproduit le mouvement [1]. La plupart des lieux communs « éthiques » que prit ainsi en compte la société à laquelle appartiennent les rhétoriqueurs se localisaient, comme en vertu d'un autre « art de mémoire », aux emplacements déterminés par un modèle fixé dès le XIIᵉ siècle en langue française : celui des « estats du monde [2] ». Amplification d'un antique schéma énumératif des trois ordres fonctionnels du corps social, ce modèle se manifestait en description nominatrice des situations de pouvoir, hiérarchiquement du presque tout au quasi-rien,

1. Liborio; Kämper; Tervarent, p. 325.
2. Zumthor, 1972 *a*, p. 134-135.

117

du pape et des rois aux bourgeois, aux « vilains » et aux femmes... Deux figures générales, déterminant une stratégie de discours, pouvaient interférer dans sa réalisation : le *contemptus mundi*, mépris (laïcisé) du monde terrestre et du temps présent, et le motif de l'instabilité du destin.

Assumé par un discours érudit, souvent le lieu commun se revitalise par invocation d'autorité : on appelle Cicéron ou Boèce à confirmer telle assertion traditionnelle. Aucune règle : citation authentique, extraite ou non de son contexte; glose, avouée ou non; fiction pure ? Peu importe; mais bien l'invocation comme telle, soutenant la validité du dire et revendiquant explicitement l'universel. Peu importe que le texte allégué soit une proposition doctrinale, une anecdote, tel élément d'une fable : toujours il fonctionne comme *exemplum*, exemplification de l'énoncé, posant, entre celui-ci et ce que l'on cite, une relation semblable à un rapport allégorique. Les rhétoriqueurs réfèrent ainsi leur discours « éthique » à un ordre de vérité qu'attestent des noms comme ceux de Valère Maxime, de Pline, d'Ovide, de Sénèque, mais aussi de Salomon ou du Psalmiste, de Moïse ou des évangélistes, ensemble avec Charlemagne, Renaud de Montauban, ou Nature et Génius du *Roman de la Rose*, encore. Ces autorités, de l'extérieur, épaulent et justifient le discours, fondent et soutiennent, par fiction rhétorique, les éléments amalgamés d'une tradition.

Les *Dictz moraulx* de Baude constituent une anthologie miniaturisée de lieux communs éthiques [1]. Relatifs à quelque valeur chrétienne, ainsi l'opposition des délices du renoncement et des faux plaisirs mondains (*Dit* n° 47); la comparaison des voluptés avec le chant des sirènes (n° 48); relatifs au langage dans sa fonction de véracité : opposition du service de Dieu et de la médisance (n° 26), dénonciation commune du mensonge et de la flatterie (n° 17); relatifs, plus généralement, à la conduite de la vie : nul ne peut s'élever que par étapes (n° 16), tout ouvrage exige persévérance (n° 35), instabilité de Fortune (n° 29); relatifs, enfin, aux rapports sociaux : méfaits de l'ingratitude (n° 37), vanité du crime ou de la révolte (n° 13). De telles propositions se rencontrent chez la plupart des rhétoriqueurs. La « sagesse » de Baude émane d'un discours proverbial, éclaté en descriptions menues, mais toujours maintenues par le lien du lieu commun sous-jacent. Je traiterai plus tard de l'aspect rhétorique de ces procédures, et ne retiens pour l'instant que cette seule référence au hors-texte

1. Scoumanne, p. 75-78.

traditionnel. Les quarante-huit brefs poèmes (quatre, huit, douze vers, à quelques exceptions près) constituant le recueil des *Dictz moraulx* étaient destinés à être brodés en devises sur des tapisseries figurant visuellement une situation ou une action particulières dont le texte déclare, par description ou narration, le sens littéral, tandis qu'en émerge, par l'effet de cette référence, la *sententia*.

La différence n'est que de surface, entre ces rimes mineures, l'exiguïté de leur dessein, leur finalité immédiate, et le vaste projet des *Épistres morales* que publia Jean Bouchet en 1545 (mais qu'il avait écrites entre 1524 et 1534) [1]. Le même discours s'y tient, mais explicite, abondant, redondant, et qui lentement s'écoule dans le lit dessiné par le schème des « estats du monde », élaboré en forme prédicatoire :

> Vous suppliant que, pour la consonnance
> D'Amour mutue où tous les Chrestiens
> Participer doyvent par leurs moyens,
> Vous priiez Dieu, et aussi Nostre Dame
> Pour le salut de mon corps et mon âme...

Mais le courant diverge en deux bras distincts : vingt-quatre épîtres que divisent deux parties. La première comporte quatorze poèmes concernant les hommes d'Église et la masse des fidèles en tant que tels ; la seconde, dix, relatifs aux ordres politiques : prêtres, moines, prédicateurs, moniales, veuves, parents, enfants, jeunes filles, maîtres et serviteurs, écoliers puis vieillards, du point de vue des vertus et des vices conformant leur pratique à leurs fins dernières ou l'en écartant ; puis rois et princes, gens de cour, nobles, hommes d'armes, de justice (des juges aux bourreaux), le peuple comme objet du pouvoir, puis percepteurs, astrologues, médecins et tous ceux qui détiennent les lois du destin corporel, marchands enfin et artisans, quant aux vertus et aux vices cimentant ou dissociant la société profane. A chacun sa règle, fixée hors temps, mais non hors lieu, dans cette rigoureuse topographie du Bien [2]. Positif *versus* négatif, comme une évidence. Le contexte vécu, s'il était ici fondateur, aurait donné plus d'emphase à la description du versant négatif. Mais interfère-t-il dans les intentions du poète, que la tradition en corrige l'énoncé en le ramenant à une collectivité anonyme (les rois, les juges) ou à une généralité virtuellement allégorique : ce n'est point à tel roi que j'en ai, mais à l'Injustice ; à tel prélat, mais à la Simonie ; à telle femme, mais

---

1. Beard, introduction.
2. *Ibid.*, p. I, folio 14 et II, folio 10.

à l'universelle Luxure. Les Noms propres s'effacent, assumés par ces Noms ou par ceux des personnages emblématiques, aux listes plus ou moins canoniques : les Neuf Preux, les Dames illustres, les Héros victimes de la femme, d'Adam à Samson, d'Aristote à Merlin l'Enchanteur... Procédés d'atténuation rhétorique de la « satire », plus constants et systématiques chez les rhétoriqueurs que chez d'autres écrivains de ce temps [1]. Inversement, le catalogue typé des vertus et des vices ne s'élargit que très rarement, et à peine, pour embrasser un jugement sur telle pratique réelle, non réductible aux termes hérités : ainsi, dans l'allégorique *Chasteau de labour* de Gringore (1499), la louange du travail manuel le plus humble... neutralisée, il est vrai, par l'ironie de sa conclusion : vive l'oisiveté [2]!

Les *Danses Macabré* qui, peintes, mimées ou rimées, se projettent sur les murs des cimetières, sur les tréteaux d'une fête monastique, comme à Besançon en 1453, ou sur le papier des poètes, de la fin du XIVe siècle au début du XVIe, ne sont autres qu' « estats du monde » réduits à l'affirmation réitérative de la toute-puissance de la « Camarde ». Elles intègrent et formalisent une tradition d'invectives poétiques contre la mort qu'inaugurèrent au XIIe siècle des vers magnifiques du moine Hélinand de Froimont. Le langage des rhétoriqueurs, non moins que celui d'un Villon, véhicule les éléments de ces discours : ensemble de motifs peu variables, engendrant quelques métaphores typiques, soutenus de lieux communs assurés, que vivifie parfois grammaticalement un *je*, un *nous*, un *toi*. Tout s'écroule et déchoit, la maladie nous marque, la vieillesse me ronge, aucune de vos joies n'est pure, une angoisse la corrode. Ainsi chez Molinet [3]. L'angoisse touche les sens mêmes : voyez ces cadavres décomposés, ces membres défaits. Où est la beauté de naguère ? Où la jeunesse ? Et d'invectiver l'horrible Atropos, au nom obsessionnellement récurrent chez nos rhétoriqueurs, de Molinet à Baude [4]. Mais Molinet parfois, comme dans le *Hault Siège d'Amour*, rejette cet euphémisme mythologique, et interpelle par son nom l'adversaire :

> O Mort, très rabice bice,
> Tu n'es pas génice nice
> Mais de deuil nourrice rice,
> Génitrice

1. Wolf, p. 27-28.
2. *Ibid.*, p. 32-35.
3. Dupire, 1936, p. 65.
4. Joukovsky, p. 120-123.

De toute dolente lente,
Lente au povre et preste au rice.
Male lice sans malice,
Lice moy dedans ta lice.
        Lance et glice
Mon corps en mortelle tente [1].

Le dynamisme rhétorique du discours « éthique » comporte, au niveau de la réalisation des motifs, deux modalités alternatives, également réglées : affirmation élogieuse ou dénonciation. Le texte pose et vante l'ordonnance providentielle des « estats », ou décrit avec âpreté son contraire : opposition aisément récupérée, si besoin est, par le schème politique Justice *versus* Tyrannie, ou bien assumant celui-ci dans la relation contradictoire universelle Bien *versus* Mal. Côté négatif, la tradition fournissait deux modèles fortement typés, dont un très long usage attestait la fécondité aussi bien en latin qu'en langue vulgaire : dénonciation du Mal incarné dans deux figures humaines dessinées par contraste avec le Juste et le Mâle, identifiés virtuellement au locuteur tenant ce discours. Le mauvais moine, d'une part ; la femme, d'autre part.

La dénonciation du premier s'intègre le plus souvent, chez les rhétoriqueurs (ainsi, dans les *Epistres* de Bouchet), à l'éloge du bon clerc, qu'elle met en haut relief. Elle peut néanmoins faire l'objet d'un texte autonome, ainsi dans les *Douze Abusions des cloîstres* de Molinet, fondées sur un catalogue figé dont nous possédons plusieurs formules latines : « *Prelatus negligens, discipulus inobediens, juvenis otiosus, senex obstinatus, monachus curialis, monachus causidicus, habitus preciosus, cibus exquisitus, rumor in claustro, lis in capitulo, dissolutio in choro, irreverentia circa altare.* » Entendez négligence dans le commandement mais désobéissance, paresse mais obstination, mondanité mais caractère procédurier, recherche de luxe et gourmandise, chahut au cloître et querelle au chapitre, refus de la prière, blasphème [2]... A cette aimable liste s'ajoutent généralement cupidité et luxure, tous motifs lexicalisés en vocabulaire canonique, relevés de comparaisons et de métaphores empruntées à un arsenal traditionnel relativement pauvre.

La dénonciation de la Femme, très perverse fille de notre mère Ève, pour être plus variée dans ses formes de surface, obéit à des déterminations profondes non moins étroitement traditionnelles [3], et que codi-

1. Dupire, 1936, p. 576-577.
2. *Ibid.*, p. 603 et 1034.
3. Cf. Huizinga, p. 322-323.

fie encore en 1492, après bien d'autres, le curé de Pordenone, Pietro Capretto, dans son *De amore generibus*. Ces déterminations se réfèrent au désir, objectivé en puissance pernicieuse, foncièrement désordonnée, possédée en propre par cette femelle sans autre vertu, et qui par elle peut à tout instant s'asservir, pour sa honte et son péché, le mâle. La même plume en inscrit sur une page la condamnation, et sur celle d'à côté l'éloge de la « fine amour » : l'une peut-être compense l'autre ? Il serait simpliste de réduire cette contradiction apparente à quelque opposition entre la mélancolie légère d'un cœur amoureux et les pulsions les plus charnelles. Assez de poèmes disent, en termes courtois, une joie qui est celle des corps. C'est aux racines mêmes de l'idéologie de la cour que s'opère la dissociation : la « fine amour » sert la gloire; mais il existe une « folle amour » qui la ruine [1]. Les rhétoriqueurs resémantisent ainsi, par branchement sur l'antique discours antiféministe des hommes d'Église, un couple lexical servant chez les trouvères de l'âge précédent à amplifier l'éloge du désir et de son objet : à *fin(e)*, qualifiant l'amour, l'amant, la dame, s'opposent *faus(se)* ou *fol(le)*, qualifiant tout ce qui reste extérieur à cet univers clos.

L'une des formes typiques de la dénonciation consiste en une énumération des maux du mariage, dont une abondante série d'écrits avait à peu près figé les termes depuis deux siècles. Ainsi, telle ballade de Cretin à un protecteur désireux de prendre épouse [2]. Panurge n'est pas loin, dans le discours duquel culmine et éclate celui-ci. Incurable versatilité, infidélités, tromperies dont mieux vaut rire que pleurer, et vénalité toujours :

> Puisqu'ainsi est, ma gente damoiselle,
> Que vous m'avez changé pour Robillard,
> Adieu vous dis : Car je n'ay pas bien l'art
> De vous porter au moustier la chandelle.
> Ailleurs m'en vais faire Dame nouvelle
> En espérant avoir perdris pour lart
>   Puis qu'ainsi est.
>
> Or est ainsi que, durant ma pécune,
> Je fuz retins pour amy précieux.
> Mais, quant j'euz fait, sans dire chose aucune
> Ceste vilaine alla jeter ses yeux
> Sur un vieillard riche, mais chassieux,
> Laid et hideux trop plus que ne propose.

1. Joukovsky, p. 105-106.
2. Chesney, p. 290-291.

> Ce nonobstant, il en jouit sa pose,
> Dont moy, confuz, voyant un tel outrage,
> Dessus ce texte allay bouter en glose :
> Riche amoureux a toujours l'avantage.

Ainsi Marot. Mais ailleurs le même poète, énonçant l'universelle vérité de la perfidie féminine, la camoufle en jugement des Italiennes, dont les dames de Paris déplorent la possible influence sur leurs amants en campagne outre-monts : sur leur santé même, car le « mal d'Italie » (seul « effet de réel » dans cet enchaînement typique) les guette à chaque aventure. Modalité plaisante de la dénonciation : elle appelle le rire, que l'allusion grivoise (dont plusieurs rhétoriqueurs sont coutumiers), au point d'aboutissement du discours, provoquera [1].

Plus qu'avec les ballades et rondeaux de la « fine amour », c'est avec d'autres textes « éthiques » que contrastent ceux-ci : éloges des vertus féminines, distribuées selon quelque hiérarchie savamment dissimulée sous l'apparent miroitement du texte. Ainsi, dans le petit recueil offert en 1506 par Marot à la reine Anne sous le titre de *Vraydisant avocate des Dames* : « Connaissant par vraye expérience et réduisant en l'imaginative de ma mémoire les grandes infuses grâces, vertus et mérites dont de tout temps et de présent la féminine géniture et maternelle secte a été douée, fulcie et décorée et en si haut degré eslevée [...] Dûment averti que, pour cuider atteindre à la défloration de ce très noble et magnifique sexe, aucuns lasches, abastardiz et avortéz courages [...] ont entreprises et, de fait, exécuté par leur superbe conspiration et vicieuse machination, en desployant les dangereuses et très perçants allumelles de leurs serpentines et venimeuses langues, mesdire, vilipender et vitupérer l'honneur des Dames, et translater et réduire de gloire à reproche [...] [J']ay, incapable et non digne de le faire, entrepris de, selon mon gros et rural mestier, forger et marteler sur l'enclume de mon insuffisance les harnois, estocz, lances, escuz servans à la défense, louenge et victoires de [cet] honneur. »

Ainsi, encore, du même Jean Marot, ce *Doctrinal des princesses et nobles dames* [2], vantant tour à tour, en vingt-quatre rondeaux, les quatre qualités de leur dévotion envers Dieu, les huit de leur conduite envers elles-mêmes, les neuf qui définissent leurs rapports avec les autres (et dont deux seules, chasteté et fidélité, concernent l'amour), trois enfin se manifestant à l'égard des circonstances de la vie. Chemin

1. Lenglet, p. 272 et 331, 215-218, 251.
2. *Ibid.*, p. 278-280 et 191-207.

faisant le poète aura intégré à cet ensemble la foi, l'espérance, la charité, et le quatuor des vertus dites cardinales. Que le destinataire et l'objet de ce discours soit « princesse et noble dame » le réfère sans intermédiaire au discours politique, qu'il transpose ainsi au féminin, revenant, par ce long détour et sans le savoir, à ce qui fut la métaphore initiale du discours amoureux.

Le monde inversé

Telles sont les règles apparentes du jeu. Les règles du jeu des apparences : et *apparences* signifie, dans ce contexte, ce à quoi l'on adhère en toute conscience que c'est un jeu, aux régularités respectées, respectables in(dé)finiment; fonctionnellement pleines, requérant l'engagement sans réserve d'une habileté apprise, sanctionnée par la faveur du prince (apparence ultime) et la quiétude de l'accomplissement quotidien — mais vides, c'est-à-dire sans liberté. Ce bout de rôle dans le Jeu de la cour, volontairement assumé, au prix d'une aliénation qui, elle, ne l'est pas totalement, pas jusqu'à l'abnégation finale, à la parfaite radiation de ce qui dans moi en appelle à d'autres fantasmes... Une faille se découpe dans la massivité de l'intention, lézarde la façade monumentale, court en zigzag sous le crépi de la syntaxe, dessine entre les mots, parfois même entre les syllabes écartelées, des figures incongrues auxquelles prêtez naïvement la forme significative qu'il vous plaira : un cheval ? une rose ? qu'importe! non plus un Nom, mais un Non. C'est pourquoi le texte (sinon son énonciateur : qui se vanterait de le connaître dans sa pesanteur d'homme ?), profondément le texte *se sait* jeté comme un filet au-dessus de rien et, à la longue, il l'avoue.

Rien en cela de pathétiquement déchiré, rien qui soit vécu sur le mode tragique : sur le mode plutôt de la cocasserie, d'un humour, rose ou noir, et chez la plupart des rhétoriqueurs si bien intégré au fonctionnement de leur écriture que l'on ne saurait sans abus y déceler fût-ce le premier geste d'une révolte; l'appel pourtant d'autre chose. Le jeu est fête et, comme je le signalais plus haut, la fête constitue une dimension ambiguë de la société du xve siècle : son dynamisme se manifeste simultanément sous deux aspects opposés et complémentaires, selon qu'elle déploie, en un rite de reconnaissance, le spectacle d'un monde imposé mais creux ou, par un retournement grotesque, l'envers de celui-ci. Fête d'exaltation de l'ordre et de sa mythologie *versus* « Carnaval », comme on le nomme (d'après l'une de ses réalisations particulières) à la suite de Bakhtine. L'œuvre des rhétoriqueurs, élément constitutif de la première, ne participe au second que dans une mesure moindre, inégale et quasi clandestine. Elle n'en est pas moins incompréhensible sans lui.

Ensemble de discours, gestes, comportements plus ou moins ritualisés et périodiquement récurrents au cours de l'année, au cours de l'existence, le Carnaval projette, sur ce temps de l'expérience, la réalité d'un temps autre, circulaire, tel que les événements qui s'y (re)produisent seraient inconcevables hors de lui. Il instaure, de manière cyclique, un spectacle aux retours analogues à ceux des astres dont l'émergence nocturne détermine nos destinées en les liant aux puissances occultes et fécondantes de l'univers. Jeu collectif, sans ordonnance, chargé d'emblèmes, de symboles touffus, intraduisibles en langage, et qui exigent d'être vécus par le corps même : suspension merveilleuse et si brève des interdits, du respect, de la piété, de la peur; inversion des hiérarchies, posant dans l'excentrique ses centres multiples et simultanés; déclarant sur un mode neuf tous les rapports, unissant en mésalliance consolatrice les contraires; substituant à la pratique coutumière profanation et sacrilège; exaltant la déchéance et la mort comme signes et gages de renaissance et de jeunesse. Mais la fonction d'un tel jeu reste relative : son dynamisme provient de la seule contradiction qu'il entretient entre le groupe carnavalesque et la société globale, au niveau de l'exercice du pouvoir, de l'ambivalence qu'il introduit dans les termes dé-signant ce dernier; étranger à ce qui serait dénonciation pure et simple, à plus forte raison condamnation, il suggère que le oui et le non s'engendrent l'un l'autre, hors de toute dialectique ou de tout effet de neutralisation, par juxtaposition coexistentielle [1]. D'où la duplication des formes qu'il revêt, imprécation et souhait, homme et femme aux vêtements échangés, la marmite pour casque et pour cuiller à pot la flamberge, comme sur les toiles de Jérôme Bosch; d'où l'universelle purification du rire, éclatant d'une même bouffonnerie devant un sexe érigé ou le visage creux de la Mort : l'un et l'autre, l'un dans l'autre. Plutôt cependant qu'une dérision absolue, qu'un conflit ouvert et une volonté de rejet, la permanence du Carnaval au sein de l'Ordre manifeste une pluralité, un mode dialogique d'être-au-monde; révèle la vacuité de toute plénitude, la fécondité des formes stériles : cela même que, sur son plan propre, manifeste et révèle, sous une forme atténuée, la poétique des rhétoriqueurs.

Dans la société du XVe siècle, le spectacle carnavalesque se perpétue sous deux formes, si étroitement alternées dans la chronologie que l'on

---

1. Bakhtine, 1970 *a*, p. 169-178 et 1970 *b*, p. 187-275; Mesnil, p. 15-17 et 38-40.

a estimé à quatre-vingts ou cent par année le nombre des jours livrés à ses débordements : assez pour constituer, concrètement, une « double vie [1] ». Tantôt, la fête du monde inversé surgit à date fixe : le calendrier l'institutionnalise, tandis que la coutume locale, en réglant, au moins approximativement, les formes extérieures, la spécifie et la marque comme telle. Tantôt, un élément carnavalesque entre, plus spontanément, parmi les constituants d'une fête à finalité différente. C'est ainsi que le Carnaval proprement dit se célèbre au premier printemps, dans l'explosion d'une vie résurgente [2]. D'abord mal fixé dans le temps, étalé sur plusieurs semaines, puis récupéré, en une tentative de domestication, par l'Église, il tendit à se concentrer sur le Mardi gras : s'il ne s'y résorbe pas entièrement, du moins il y culmine. Telle est sans doute la signification première du mot *carnaval*, qu'emprunta Rabelais au dialecte toscan, et qui semble référer négativement au jeûne du Carême, que cette fête précède immédiatement et compense. La tradition pourtant en remonte à de très vieux rites préchrétiens, dont les réminiscences déterminent pour une part son folklore.

Lors même que le contexte ecclésiastique encadre strictement la fête carnavalesque, celle-ci le colore, l'investit, le transnature. C'est à Rome que le Carnaval prend le plus d'ampleur, parmi les courses de buffles, d'ânes, de vieillards, de juifs, les distributions de victuailles, les combats simulés à la Piazza Navona, les mascarades auxquelles se mêle le pape Sixte IV dans la populace du Campo Fiore. En 1491, les cardinaux s'adressent l'un à l'autre des chariots porteurs de travestis burlesques et de chanteurs de vers obscènes... Non moins que l'Église, les princes veillent, dérivent, utilisent... et produisent le même effet. Dans la Florence des Médicis, un cortège de masques figurant tous les « estats » du monde et de l'enfer traîne un char gigantesque où trônent, allégoriquement Jalousie au quadruple visage, les Planètes, les Parques aux pieds desquelles gît enchaînée Espérance, au son de chansonnettes humoristiques ou scandaleuses [3]. Mais princes et prélats aussi vivent dans et de ce monde dont, en en maintenant l'ordonnance fictive, ils ne peuvent pas ne point partager obscurément les contradictions et les désirs : leur propre bouche dit l'envers de leur Loi. Dans les villes libres d'Allemagne, l'oligarchie bourgeoise ne se comporte pas différemment.

A partir des derniers jours de décembre, et durant les semaines précédant le Carnaval, se déroulent d'autres fêtes, fonctionnellement

1. Bakhtine, 1970 *a*, p. 178.
2. Heers, 1971, p. 118-140.
3. Burckhardt, II, p. 113-115.

comparables à lui : au xve siècle, elles s'en distinguent mal, quoique historiquement elles proviennent d'une tradition autre. Le Carnaval, en dépit des interférences ecclésiastiques, reste une festivité propre à la société laïque. Celles-là, désignées collectivement,et sans doute abusivement, par l'appellation de « fête des Fous [1] », apparaissent liées au milieu clérical urbain, impliquent la proximité d'un siège épiscopal et de son chapitre. Attestées dès le xiiie siècle, spécialement en Flandre et en Bourgogne, mais peut-être beaucoup plus anciennes, elles manifestent le désir carnavalesque émanant des couches inférieures du clergé, sur qui pèsent les hiérarchies. On leur a supposé pour prétexte initial une interprétation littérale (rejetant toute relation allégorique) du verset « *Deposuit potentes de sede, et exaltavit humiles* » : renversement des pouvoirs institués, exaltation de la souveraine « humilité » des simples clercs (d'où l'autre appellation de « fête des Diacres »), dans la turbulence du jour des Innocents destituant leur évêque pour élire son antitype burlesque, sinon un pape de fantaisie. Puis, en dépit des condamnations officielles (au concile de Bâle encore, en 1465), extension du grotesque festif, prônes et bénédictions parodiques, procession du faux évêque promené sur un âne, le visage tourné vers la queue comme le cocu des réjouissances campagnardes, obscénités entrelardées dans le texte des psaumes, et l'âne même, coiffé d'une mitre, qu'on pousse à l'autel (d'où l'appellation, encore, de « fête de l'Âne ») et qui brait au milieu des cantiques vociférés par les diacres aux vêtements retournés ou nus sous des peaux de bêtes, sous un revêtement de feuilles et de fleurs... Vers 1400 se répand en ces fêtes l'usage du costume des fous, capuchon à longues oreilles, veste découpée en pointes sous la ceinture, marotte : hérissement de saillants, de verges, de glands, emblèmes sans mystère. La fête des Fous conflue avec le Carnaval, en un vaste cycle de fêtes populaires mêlant dans la même inversion le profane et le sacré (que du reste l'esprit médiéval ne sépare jamais vraiment). L'Église, offensée, réagit, tente (comme à Laon en 1454) d'interdire au moins à ces jeux les bâtiments du culte : qu'à cela ne tienne, on dresse, sur le parvis, dans les rues, à travers la ville entière, des tréteaux où les jouer. Les princes s'en mêlent; la même année 1454, le duc Philippe de Bourgogne accorde sa protection aux fous de Dijon et leur ouvre sa chapelle : origine, peut-être, de la confrérie de Mère Folle; durant tout son règne, on le voit distribuer subsides et gratifications à l'évêque des Innocents, ou de l'Âne, au pape des Fous, à l'abbé des Sots, que ce soit à Amiens, Arras,

---

1. Cox, p. 13-16, 33-38, 61-62 et 178-191; Simon, p. 188-192.

Bruxelles, Lille, Louvain ou Valenciennes [1]. Ailleurs, les bourgeois relèvent la tradition que menace ouvertement l'Église locale : à Tournai, un conflit opposa pendant sept ans (de 1487 à 1494) la commune, qui avait pris en charge la fête des Fous, à l'évêque et à ses prêtres, qui désormais refusaient d'y participer [2].

Mais, en dehors même des célébrations ainsi ritualisées, il est peu de fêtes publiques, voire privées, qui ne comportent comme en contrepoint quelque élément carnavalesque : danses, défilés, mimes exhibés sur des « échafauds » fixes ou roulants; scènes caricaturales où s'affrontent géants et héros mythologiques; masques grotesques aux faciès animaux, aux volumes accusés en protubérances monstrueuses, transformant à la fois l'identité de leur porteur et la relation de son corps à l'univers : ventre triomphant, découvert, comblé, matrice et tombeau, cloaque, mangeur mangé [3]... « Montre » de fauves réels ou fictifs, licornes, dragons de chiffes gardant les portes infernales; « hommes sauvages », barbus, chevelus, appuyés sur leur massue de branche brute, sous la fourrure d'ours ou de loup, et que relaieront bientôt des Indiens amenés d'outre-mer.

Un lien profond attache à ces spectacles celui des processions de flagellants, deux à deux, trois à trois, en cercle de prosternations autour de l'église ou sur un pré, proférant chacun dans sa langue des litanies de pénitence comme un appel à la mort salvatrice tandis que claquent les fouets. La mort triomphe en apparence : la figuration du cadavre envahit l'iconographie. Mais, on l'a montré, cette invasion trahit moins une horreur de ce néant que l'amour d'une autre vie, *hic et nunc*. La Mort érotisée des Danses Macabré embrasse la femme la plus désirable. Comme l'acte sexuel, la mort est transgression : tout geste carnavalesque se situe par rapport à un scénario latent, rarement manifesté comme tel, mais dont la cohérence assure l'efficacité de chacun des symboles [4]. De la procréation à l'anéantissement et, dans l'instant même, à la résurrection en une fertilité sans fin, à quoi s'identifie le groupe festif, retranchant de soi le quotidien qui en le tuant le nie. C'est pourquoi la reine du monde, c'est la Folie, dont le motif, depuis des siècles véhiculé par l'imagination médiévale (et, nous l'avons vu, assumé par le premier « humanisme »), se valorise alors, au prologue même du scénario carnavalesque :

1. Doutrepont, 1970, p. 349-350.
2. Heers, 1971, p. 128.
3. Bakhtine, 1970 *b*, p. 302-432.
4. Ariès, p. 38-39, 46-47.

> Faisant d'une ombre une figure,
> D'un pertuiz une pourtraiture,
> D'un charbon un petit enfant,
> De la flamme un oyseau volant [1].

Folie de l'Amour, selon l'*Abuzé;* et Molinet, évoquant par hypothèse dans la *Ressource* ce que serait l'empire d'un prince irrémédiablement injuste :

> Jamais en mer fleuve n'arrivera,
> Plomb nagera, le feu engèlera,
> Glace ardera...

Par la folie commence et finit la grande inversion. Folie personnalisée à l'aide d'attributs iconiques typés, la nudité d'abord, dépouillement total que, dans la fête, emblématise souvent un vêtement en loques. A la cour du prince même, la Folie est en permanence présente, sous l'aspect des bouffons et bouffonnes. Le duc Philippe possède parmi son personnel deux géants, un fou et une folle, qu'il gratifie libéralement après une fête réussie, de même qu'il honore d'un pourpoint de velours noir le bouffon du comte de Saint-Pol [2]. Il n'est pas jusqu'aux entrevues diplomatiques, comme celle qui conclut la paix de 1492 entre Maximilien et le prince de Clèves, qui ne comptent dans l'assistance un bouffon chargé de la divertir [3].

Cette, comme on l'a nommée, contre-culture — commune, sous des formes très diversifiées, à tout l'Occident — engendre des discours dont certains se manifestent poétiquement, en configurations linguistiques et sémiques relativement stables. Se pose un contre-rituel, qui tend à instaurer, au sein du désordre de l'Ordre, l'ordre du Désordre. Ici encore, le procès qui se déroule depuis le début du XVe siècle passe par la théâtralisation : il hausse le Carnaval au niveau d'une contre-scène, promeut en action concertée la mascarade, en déraison calculée le burlesque. Célébration, non moins que le drame liturgique culminant dans les mystères, et non moins que ceux-ci œuvre collective, engageant la ville entière par délégation d'une confrérie spécialisée.

Le théâtre du Carnaval s'est organisé progressivement, depuis le XIVe siècle, à l'initiative de « sociétés joyeuses » constituées à cette fin.

1. Dubuis, 1973 *b*, p. 67.
2. Doutrepont, 1970, p. 359.
3. Dupire, 1936, p. 1041.

A Lille, Béthune, Tournai, Troyes, l'évêque des Fous préside à la fête et en gère le budget avec l'accord des échevins. A Dijon, Besançon, Évreux, les fous se regroupent en associations. Ailleurs s'instituent la Compagnie des connards, les Enfants sans souci, à Dijon l'Infanterie, qui reçoit ses statuts en 1454. Le Royaume de la Basoche, auquel appartiennent Gringore, Baude, peut-être Villon, et que hantèrent André de La Vigne, plus tard Clément Marot dans sa jeunesse, corporation fondée à Paris en 1303 par un privilège royal qui la pourvoit de droits de justice, réunit à l'origine les clercs de procureurs parisiens; il embrasse, au XVᵉ siècle, l'ensemble du personnel subalterne du palais, du Châtelet, de la Cour des comptes, et s'étend aux parlements provinciaux : Orléans, Poitiers, Angers, Lyon et d'autres. Ses compétences judiciaires débordent en activité ludique, aux aspects variés sur fond d'ironie envers les gens de haute justice [1]. Débats instaurés autour de procès fictifs; « causes grasses » : plaidoiries parodiques (dont les *Arretz d'amours* de Martial d'Auvergne constituent comme la récupération); compositions poétiques : *Testaments*, facéties, et les rébus dont les Picards s'attribuaient l'invention; jeux scéniques. La Sorbonne finit par s'émouvoir, condamne en 1444 la Basoche; en 1476 encore : vainement [2].

La forme théâtrale la plus manifestement issue d'un tel procès tient de la Confrérie des sots son nom de *sotie* (ou *sottie* [3]). Nelson a montré comment, à partir du prétexte qui la motive (tel événement actuel, tel thème comique traditionnel), la sotie se construit à plusieurs niveaux de sens : un seul d'entre eux (sauf exception) offre une continuité apparente qui le constitue en *littera*, dont les autres fournissent par accumulation verbale, par multiplication de calembours, la *sententia* ironique, parfois tendant au non-sens. Jeux de mots et de phrases brisant la linéarité du langage, équivoques dialectales et argotiques tissant au discours une allusion inlassablement répétitive à la folie et, plus encore, à l'homosexualité masculine, indice doublement suggestif de l'« inversion » revendiquée, car d'une part elle nie la distinction des sexes, et de l'autre, s'avilissant elle-même, joue scatologiquement des identités physiologiques qu'elle implique. Ce sont là les traits mêmes que, par ailleurs, décelait P. Guiraud dans les « Ballades en jargon » de Villon [4]...

Reste que, institutionnalisée, même sans règles expresses, la sotie offre au pouvoir une tentation : Louis XII en détourne la verve, quand

1. Guiraud, 1970, p. 91-98; Freeman, p. XXXV-XLI.
2. Heers, 1971, p. 140-143.
3. Porter; Nelson; Aubrailly.
4. Guiraud, 1968.

il le peut, au profit de sa politique, et le discours du monde inversé s'affadit en une moquerie, il est vrai acerbe, des adversaires du prince. En 1512, le roi charge ainsi son poète Gringore (qui tenait le rôle de Mère Sotte dans les jeux de la Basoche) de composer, pour le Mardi gras, une sotie contre le pape Jules II. La représentation a lieu aux Halles : doublement éloignée de ses sources initiales, dans l'intention, et dans ce lieu clos. Peu à peu, la Basoche même se retirera de la rue, s'enfermera dans la grande salle du parlement [1].

C'est aux basochiens que vraisemblablement nous devons, outre le *Testament* de Villon [2], la *Farce de maître Pathelin*, jouée en 1464... et qui fut imprimée par Levet en 1489, illustrée de la même gravure sur bois que la *Ballade de la grosse Margot* dans l'édition de Villon parue la même année sous les mêmes presses [3]. Or, la farce n'est plus qu'une forme altérée, domestiquée, du Carnaval, dont elle canalise en procédés comiques assez bénins la violence latente. Si quelque chose y subsiste de la visée proprement carnavalesque, cet élément ne s'intègre, parfois, au langage farcique que par le biais de jeux de mots suggérant l'équivocité de l'Ordre sans la proclamer ouvertement. En revanche, polymorphe, la farce s'insinue, à l'occasion, dans tous les discours. Elle tient davantage, en cette fin du xve siècle, au xvie, d'un état d'esprit que d'un code : puissance du rire, dégradée en nuances, de la joyeuseté viscérale à la parodie méchante, jusque (pour une sensibilité plus moderne) à la limite du larmoyant.

Quel que soit le point de vue que l'on adopte pour tenter d'éclairer le contexte de ce siècle, on retrouve la farce au carrefour. Mal distincte des « montres » et mimes de toutes ces fêtes, sans limite précise du côté des « moralités » allégoriques ni de la sotie : André de La Vigne rime ensemble, en 1496, à la demande de la municipalité de Seurre, une *Farce du meunier* et la *Moralité de l'aveugle et du boiteux*, entre lesquelles on ne discerne aucune différence générique; à sa sotie de 1512, Gringore joint, pour la même occasion, une moralité et une farce. Cretin écrit en 1506 pour les clercs du Châtelet une farce, aujourd'hui perdue, montée dans la salle du Louvre, et satirisant plusieurs magistrats. Parmentier en aurait composé plusieurs pour ses concitoyens de Dieppe [4]. Parfois réduite à un monologue comique, posant ailleurs une action plus ample, un discours complexe et contrasté, la farce plonge dans une vieille tradition de figuration typique, réduisant à quelque essence abstraite ce qui est concrètement perçu

1. Heers, 1971, p. 144-145.
2. Guiraud, 1970.
3. Lejeune, p. 491.
4. Guy, p. 223; Kerdaniel, p. 90-94; Helmich, p. 315.

dans l'épaisseur de son pittoresque : femmes lubriques et rusées; ou
« Janin », mari trompé et benêt; le pédant écumeur de latin [1]... Des
dynasties de « farceurs » se taillèrent une célébrité dans ces jeux,
comme celle qui se dissimula sous le sobriquet de Maître Mouche,
durant un siècle à partir de 1430; Triboulet, qui tint le rôle de l'avo-
cat dans *Pathelin*, apprit d'un Mouche son métier. Jean du Pont-
Alais, qui fut prince des Sots, et peut-être élève de Gringore, eut des
années de gloire, entre 1510 et 1535, sur les tréteaux de Lorraine,
d'Anjou, de Poitou, d'Auvergne, de Paris, incarcéré plusieurs fois
pour avoir tourné en dérision des princes, finalement acteur dans les
comédies à l'italienne qui rehaussèrent en 1530 l'entrée de la reine
Éléonore [2].

André de La Vigne, Gringore, Cretin, « sots » ou « farceurs » épisodiques, témoignent d'une collusion entre ces institutions d'origine
carnavalesque et la pratique des rhétoriqueurs. Mais la question se
pose en d'autres termes, au niveau profond d'une poétique. L'art
des rhétoriqueurs comporte en effet un facteur diffus, contradictoire
à ses autres facteurs plus manifestes, et que définiraient plusieurs des
traits retenus par Bakhtine lorsqu'il parle de « littérature carnavali-
sée [3] » : tendance surtout à l'affaiblissement des éléments rationnels
et « monistes » du discours, et pluralité intentionnelle des voix qui
s'y font entendre; « dialogisme », qui transgresse une loi tout en en
maintenant les formes, par opposition au « monologisme » d'un discours référant de manière homogène à cette loi. Le terme de « littérature », ici comme ailleurs, fait écran entre le fait et son observateur.
Il s'agit plutôt d'un ensemble de techniques, de formes traditionnelles
de pensée et de dire, réassumées par les rhétoriqueurs, concentrées
et souvent cumulées de façon redondante dans leurs poèmes, sous,
si je puis dire, la poussée carnavalesque propre à leur siècle. En ce
sens, l'écriture de la plupart de ces poètes constitue globalement un
geste carnavalesque : asservi, certes, au Jeu de la cour, mais qui n'en est
pas moins posé comme tel et, dans une grande mesure, déborde celui-ci.

Je subsumerai ces traditions sous le terme rhétorique d' « *ironie* »,
que j'élargis jusqu'à lui faire désigner toute rupture intentionnelle
d'isotopie : « ironiquement », l'être s'échange avec le paraître, en
un réciproque renvoi ambigu [4]. L'être « *par est* » grand, beau, ou

1. Bowen, 1964 et 1974; Knight, 1972.
2. Cohen, 1955; Frappier, 1950.
3. Bakhtine, 1970, p. 151-153.
4. Cf. Arrivé.

ridicule, au sens où *par*, en ancien français, marque dans cette tournure l'intensité; ou bien au sens où, de *venir*, notre langue à la suite du latin fit *parvenir*, de *donner*, *pardonner*, et les autres de même farine. On n'est point toujours ce qu'on paraît; mais on paraît ce qu'on veut être : pôles entre lesquels le courant circule, et pérégrine la diversité nomade des formes. Ironie généralisable aux dimensions d'un discours qui embrasse la création entière, sous l'œil indiscuté, mais extérieur, d'un prince, sinon d'un dieu. Lorsque le rhétoriqueur (suivant une coutume solidement assise) farcit une chanson pieuse des fragments disjoints de couplets galants bien connus par ailleurs ou de calembours sur les saints [1], ces éléments cessent de répéter de façon univoque leur discours originel : en dépit, ou à la faveur, d'une savoureuse équivocité, d'une antiphrase, les voici constitués en artefacts d'un autre discours. La superposition n'est pas bloquée, les composantes du texte décollent, glissent, rien ne comble l'hiatus, que le rire de l'auditeur [2].

L'opération ironique engage des habitudes manœuvrières propres à cette société : son goût du bricolage plutôt que de l'industrie; des réajustements plutôt que de l'invention; des coupures brutales plutôt que des transitions savamment ménagées; du bariolage plus que du fondu et de la nuance; de l'équilibre numéral des parties plus que de la synthèse; du multiple plus que de l'un. Outil forgé, martelé d' « aornures » sans fonction utilitaire; enchâssements cubiques, coniques, pyramidaux, cruciformes du bâtiment, de pied en cap revêtu des peintures vives qui en dissimulent la pierre; meubles marquetés, fourrés de tiroirs minuscules et secrets; vêtement seigneurial multicolore, aux découpures abstraites, aux boursouflures, aux prolongements flottants ou imités d'organes végétaux, animaux, tout décor déniant leur naturalité aux lignes du corps...

Techniquement, je distingue deux modalités de l'ironie : la *parodie*, résultant d'une rupture contextuelle, et le *contraste*, dans la contiguïté des éléments discursifs. La frontière entre l'une et l'autre peut difficilement se tracer en ligne continue : les zones d'interférence ne manquent pas. Parodie et contraste manifestent en effet, avec des moyens différents, une tendance commune, une finalité confuse mais identique : l'instauration de la Folie. Les *Regnars traversans* de Bouchet (1503), les *Folles Entreprises* de Gringore (1505), inspirés par le poème de Brandt, proclament la folie foncière de tous les « estats du monde ». Quel que soit le « thème » (j'entends la proposition génératrice de la

---

1. Guy, p. 95; Wolf, p. 26.
2. Cf. Suchomski, p. 158-173.

syntaxe textuelle), cette folie ultime, littéralement ou figurément, ne porte sens que par rapport à l'univers social, constitué de telle manière que l'inégalité en est la loi reconnue et que l'oppression y procède d'une source personnalisée. Dans notre univers du XXᵉ siècle, où règnent à la fois égalité de principe et oppression anonyme, cette socialisation immédiate de l'écriture ironique ne va pas de soi. Autour de 1500, elle détermine et sémantise toute manifestation textuelle parodique ou contrastive, même quand celle-ci, en apparence, concerne les seuls éléments concrets du discours, sons, distributions lexicales, manipulation rhétorique. Molinet, dans une pièce écrite vers 1479, et intitulée, selon les manuscrits, *Gratias* ou *Graces sans vilenie*, expose optativement le programme de tels jeux :

> Prions Dieu que les Jacobins
> Puissent manger les Augustins,
> Et les Carmes soyent pendus
> Des cordes des Frères Menus.
> Les faux mutins et les pillards
> Soyent seigneurs gentz et gaillards
> Et leurs gens puissent chevaucher
> Recluses que Dieu a tant cher [1]...

La ballade finale de la sotie d'André de La Vigne énonce au refrain, concluant ainsi une quadruple tirade de dénégations :

> Ce n'est pas jeu de se fier au monde...

et *fier*, en argot, veut dire « chier » [2]...

La parodie pose au milieu décentré du monde un « double détrônisant », selon les termes de Batkhtine : affirmation et négation, *tragedia* et *comoedia* ensemble, selon la terminologie médiévale [3]. Miroir fendu, où se brisent les figures ordonnées, renvoyées à d'autres miroirs, concaves, convexes, diversement orientés et où, parmi les formes dé-formées, ne s'est pas encore tout à fait estompée l'image d'une mort qui est vie : la Mort enceinte de certains masques carnavalesques. La parodie, qui fut l'une des constantes de la pratique poétique médiévale [4], n'est point primairement dérision : si elle l'est, c'est de surcroît

1. Dupire, 1936, p. 547.
2. Nelson, p. 295.
3. Bakhtine, 1970 *a*, p. 175; Suchomski, p. 89-100, 152-157.
4. Lehmann; Burckhardt, I, p. 118-128.

et par voie de conséquence. Elle s'est régularisée parfois en un « genre » poétique particulier, comme la *sotte-chanson*, parodie de la chanson courtoise, que les *Arts de seconde rhétorique* signalent à plusieurs reprises [1]... et dont la *Ballade de la grosse Margot* de Villon est l'exemple le plus connu. Le propre de la parodie est d'assumer un rôle, et d'aller jusqu'au bout de ce qu'il requiert ou implique, c'est-à-dire jusqu'à l'absurde. Elle envahit le discours noble et savant, religieux même, « jeux honnestes, brocardz et dictons convenables » à la majesté de la parole de Dieu [2].

Elle investit le texte des rhétoriqueurs, tantôt refoulée et tantôt, spécialement chez Molinet, emportant tout. Le *Sermon de Billouart* transforme l'homélie en description scatologique; le *Débat du vieux gendarme et du vieil amoureux*, la « tenson » courtoise en regrets dialogués de l'impuissance, de l'irrémédiable mollesse d'un membre exténué par l'âge. Dans l'un et l'autre cas, le texte pose une anti-structure : non par déconstruction, mais par contradiction symétrique d'un donné traditionnel trop vigoureux encore pour qu'on puisse n'en pas épouser les formes. Le fonctionnement de la parodie implique qu'il y soit fait référence : plus manifeste et stable la tradition (mieux admises comme une « nature » les figures qui lui sont propres), plus efficace l'effet parodique. D'où, en un temps où se rassemble et se durcit l'appareil judiciaire, les parodies de son discours et de la dialectique qui lui est propre : des basochiens à Rabelais, chez qui tel jugement burlesque de Pantagruel semble calqué sur celui qui conclut un procès dérisoire des Meschinot père et fils [3]. D'où, plus encore, la fréquence, en un temps où l'Église, ébranlée, n'a rien perdu de sa puissance mythique, des jeux tendant à retourner le discours religieux, sans rupture des formes oratoires qui le marquent comme tel. Le *tabernaculum* qu'invoque saint Billouart, c'est le cul; le *fruit* (entendez le sens, selon la métaphore coutumière aux prêcheurs) qu'il engendre, c'est celui d'une défécation. Le figuratif se dégrade en graffiti de latrines; et la rhétorique qui le constitue, c'est de la merde... Ainsi s'intègrent, au système signifiant communautaire, appuyé sur l'*auctoritas* alors conférée par toute ancienneté, des éléments discontinus qui jalonnent, en les manifestant, les limites d'un langage socialement utile. Rien toutefois ne bascule encore : ces limites-là, les rares aventuriers qui les transgressent appartiennent à la race de ces navigateurs qui, ayant à leur insu découvert l'Amérique, cherchaient sur la côte

1. Langlois, p. 38, 101, 175; cf. Zumthor, 1972 *a*, p. 260.
2. Bakhtine, 1970 *b*, p. 107.
3. Martineau-Genieys, 1972 *b*.

du Honduras le site du Paradis d'avant la faute. Ils avaient largué les amarres de leurs caravelles, non celles des discours héréditaires. On connaît le sort (ignorance ou dédain) que firent par la suite aux rhétoriqueurs les bourgeoisies triomphantes, affublées de lettres d'anoblissement *signées* par leurs rois. Ce n'est point un hasard, en revanche, si l'on exhume aujourd'hui les provocations exemplaires et inutiles de grands morts.

La parodie consiste dans la reproduction d'un texte en contexte situationnel contradictoire. Un réseau plus ou moins dense d'équivoques fonctionne comme indice de cette contradiction. Le « contraste », en revanche, opère soit au niveau des unités de contenu, soit des unités expressives typées : de toute manière, l'effet est provoqué par relation (le jeu de miroirs) soit avec l'intertexte (on est alors aux confins de la parodie), soit entre les éléments du texte. Les procédures contrastives sont de tradition ancienne, techniques de composition remontant, en langue française, au XIIIe, sinon au XIIe siècles [1]. Certaines seulement d'entre elles relèvent du dialogisme carnavalesque : je signalerai les autres plus tard. Celles qui m'importent ici produisent un effet de burlesque, dont je distingue deux aspects : le « grotesque », d'une part, et, de l'autre, ce que l'on a désigné comme l' « obscénité » des rhétoriqueurs. Entendons par là une forme de transgression, à laquelle du reste les médiévistes des années 1900, pour qui elle suscitait un scandale, furent autrement sensibles que les gens de cour du XVe siècle, chez lesquels elle ne déclenchait qu'un rire libérateur : perceptible tantôt aux seuls contenus narratifs, touchant aux manifestations réprimées du sexuel, et tantôt au revêtement lexical, par le biais de l'équivoque [2].

L'effet « obscène » intertextuel résulte d'un transfert registral. Le texte assume un ensemble continu de clichés et de plaisanteries salées, recueilli dans le discours vulgaire ou dans les pratiques « théâtrales » du carnaval; mais il les formalise selon les règles versificatoires et rhétoriques de la poésie officielle, dont il viole ainsi la norme thématique : c'est donc son homogénéité même qui constitue le contraste, à l'horizon d'attente de l'auditeur [3]. Contraste d'autant plus net que la forme du poème appartient à un genre plus raffiné, comme le rondeau. Ainsi, chez Molinet, chez Gringore [4], chez Baude :

---

1. Zumthor, 1972 *a*, p. 245-254 et index s.v. *ironie*.
2. Almansi, p. 131-194; cf. Huizinga, p. 322-323.
3. Champion, 1966, p. 379; Dupire, 1932, p. 120-121; Pollina.
4. Dupire, 1936, p. 866; Frautschi, p. 152.

> Cons barbus rebondis et noirs,
> Aux estuves réz et lavéz,
> Faites, si fait vous ne l'avez,
> En temps et en lieu voz devoirs :
> Acquitez vous et mains et soirs
> De faire ce que vous savez,
> Cons barbus.

> N'épargnez chambres ne manoirs
> Cependant que le temps avez :
> Ne vous feignez, mais observez
> Le plaisir de tous vos devoirs,
> Cons barbus [1].

L'anthologie publiée en 1501 sous le titre de *Jardin de plaisance*, et qui recueillit divers poèmes de rhétoriqueurs, est riche de pièces de cette espèce [2]. L'extrême brièveté et la condensation allusive constituent le signal d'une volonté de sophistication formelle. Ainsi dans tel huitain d'octosyllabes fourni comme exemple par un *Art de seconde rhétorique* [3], ou dans ce *Dit* de Baude, commentant un carton qui représente une « bergerie » :

> LA BERGÈRE
> Tire dans ma motte
> Par dessouz ma cotte,
> Si tu veux rien prendre.

> LE BERGER
> Margot, tu es sotte,
> Mon arc broye et frotte
> Mais ne le puis tendre [4].

La métaphore guerrière, lexicalisée dans la phraséologie courante (sexe mâle, flamberge, arc, épieu), en se retournant se motive, et motive le rire moqueur : procédé stylistique, assez fréquent, et qui crée le contraste par superposition au thème traditionnel des regrets de vieillesse. Ainsi, Molinet :

> Adieu Vénus et Mars : de moy est pic.
> Je suis proscrit et jà passé au bac :
> Car quand je veux à baudryer ou à cric
> Tendre l'engin, j'ay mal en l'estomac,

ou Baude encore [5].

1. Schwob, p. 164.
2. Droz-Piaget, n° 315.
3. Schwob, p. 194.
4. Scoumanne, p. 94.
5. Schwob, p. 161 et 163.

A l'effet d'ensemble intertextuel s'ajoute un effet particulier, définissable en termes des combinaisons syllabiques ou lexicales : effet que je distingue du premier, en ce que, le plus souvent, il se produit indépendamment de lui, grâce aux riches ressources homophoniques et homonymiques du français. L'équivoque ramasse et concentre le trait. Parmentier ne craint pas de commencer ainsi sa *Moralité de l'Assomption* :

> Et puis, que veut dire la bande,
> Grand chère, Messieurs, qu'on se bande
> A se montrer sur le bon bout,
> Qu'à joyeuseté chascun tende [1].

L'effet se produit dans n'importe quel énoncé, fût-il, comme ici, d'argument religieux, ou courtois, ou politique : il n'est jolies filles, écrit Molinet dans un poème à Philippe, « qui de bon cœur n'aiment les *rois* ». Or, *roie*, c'est, dans l'usage argotique de l'époque, le cul; et *roit*, c'est « raide »... De tels exemples sont innombrables. Il arrive que les deux discours ainsi conjoints diffèrent par leur seule connotation sociale ou situationnelle : ainsi, Jean Lemaire, dans une complainte amoureuse que recueillera, en 1603 encore, l'anthologie de la *Muse follastre* :

> Desloyal mesdisant, il est bien consonant [2].

Dans une autre complainte, Molinet :

> Ah! la belle pour qui plus de maux je comporte
> Que pour femme aujourd'huy qui sus terre con porte,
> Oyés les grandz regretz que faire me convient
> Pour le mal qui sur moy de vostre seul con vient [3].

et ainsi de suite : le morceau a soixante-seize vers, réitérant trente-huit fois l'équivoque, selon la même procédure : le second vers, « obscène », du distique ne produit aucune ambiguïté, mais reporte rétroactivement celle-ci sur le premier (qui, lexicalement, appartient au registre de la « fine amour ») et rend manifeste le contraste.

La langue n'est pas avare d'autres syllabes, d'autres mots, offrant des possibilités du même ordre : *cu*, *vit*, *point* et le reste. Le *droit*, c'est

1. Ferrand, p. 68.
2. Munn, p. 183-188.
3. Dupire, 1936, p. 729-731.

le phallus. La moitié des jeux de mots portant sur les désignations du corps humain, relevés par Roy dans les recueils de devinettes du XVe siècle, équivoquent sur de telles syllabes. Plusieurs rhétoriqueurs en font largement usage. Ils placent en général à la rime, lieu privilégié, les sons ambigus. Quoique le texte se prête rarement à organiser ceux-ci en syntagmes, il se charge ainsi d'échos dont la répétition finit par constituer, dans la mémoire de l'auditeur, un second plan de signifiance, produisant un sème unique, redondant sans fin. Certains poèmes multiplient les conditionnels, dont les terminaisons -roie, -roit, -roient battent le tambourin de leur joyeuseté dans le sous-œuvre des vers, alors que la surface apparente n'en est, si j'ose dire, pas percée... D'autres textes localisent le jeu de mots dans une toponymie, une onomastique de fantaisie : la ville de Roye, Colin Ploiart (la verge), le cheval Bayart (les organes mâles), les Persans (le phallus) [1]. Ailleurs, au contraire, l'équivoque s'étend sur des fragments d'énoncés, voire des phrases entières, dédoublant le texte en deux niveaux, dont l'un — celui de l' « obscénité » —, pour rester parfois discontinu, n'en a pas moins une certaine cohérence discursive. C'est le procédé même que systématise Villon dans le *Testament :* il suffit de quelques jeux homophoniques, ou d'une polysémie évidente, pour introduire dans l'esprit de l'auditeur une règle de décodage multiple, applicable à des secteurs plus ou moins étendus de l'énoncé [2]. Ainsi, chez Lemaire, dans les derniers vers de l'éloquent « Éloge des Français » formant la première partie de sa *Concorde des deux langages :*

> Refocillez voz membres et voz veines ;
> Impossible est que toujours arc puist tendre,
> Car ses forces en seroient trop vaines.

> Entre deux faut à volupté entendre,
> Et y vaquer à l'exemple de Mars
> Qui s'accointoit de Vénus blanche et tendre,

> Et mettoit jus escuz et braquemarts [3].

A la limite, c'est l' « obscénité » qui prévaut dans la continuité du texte, cependant que s'y entremêlent des éléments d'un autre texte, incomplet mais assurant le contraste global. Ainsi, par le biais de la « morale » terminale, la farce *Dire et faire* que Gringore inséra dans son *Jeu du prince des sots* (1512).

1. Wolf, p. 30.
2. Birge-Vitz, p. 29-33.
3. Frappier, 1947, p. 32-33.

L' « obscénité » est toujours allusive : au moyen de termes évocateurs, le discours renvoie à un contexte situationnel imaginaire ; mais celui-ci n'engendre ni fiction ni description explicites. Il n'en va pas de même du « grotesque ». Celui-ci, plus proche encore, chez les rhétoriqueurs, de ses racines médiévales que des « facéties » à la manière du Pogge, et non encore dignifié de l'autorité d'Horace [1], fonctionne au niveau de la description d'êtres, d'objets, parfois de situations. Caricatural, il transgresse les normes rhétoriques du *decorum*, disjoint les éléments de « types » consacrés ou les gonfle hyperboliquement, et produit par là un effet de monstruosité, soit terrifiant, soit risible, souvent l'un et l'autre ensemble : ainsi, la description de Tyrannie et de son armée dans la *Ressource du petit peuple*. Les traits de grotesque se tissent de façon si dense, sont si étroitement liés à la trame, dans le discours de la plupart des rhétoriqueurs, de Molinet à Cretin, de Gringore à Bouchet et à Lemaire, qu'il faudrait alléguer pour exemples des pages entières de leurs œuvres « morales » ou « politiques », non moins que de leurs poèmes érotiques (à l'exception de ceux de la « fine amour ») : indices d'une négativité qu'en déplaçant son angle de vision le lecteur perçoit comme une positivité inversée, mettant en cause le discours entier qui les intègre. Ainsi des vers, déjà cités, de Jean Marot sur les Italiennes dévoreuses d'hommes ; ainsi, d'une autre manière, chez tous ces poètes, les accumulations dépréciatives dont ils se désignent eux-mêmes dans la dédicace de leurs ouvrages. Un anti-message passe par le message ; une rassurante *littera* produit une *sententia* dédoublée, *plus-minus*, réduite à zéro.

Chez d'autres auteurs du même temps, le grotesque revêt parfois une forme typée : ainsi, les motifs « bacchiques », exaltés dans les « Vaux-de-Vire » d'Olivier Basselin, auteur de date incertaine, que cite une épître de Cretin. Chez Molinet :

> Au roy de la pye
> Doint Dieu la copie
> De bons champions...

ou encore, du même, cette évocation des « compains de la pie » (la boisson) :

---

1. Norton ; cf. Huizinga, p. 315 et 329-330.

Escornifleurs de trippes et d'andouilles,
Joindeurs de culs, ratripeleurs de couilles,
Pervers, parjurs, effondreurs de terrasses,
Joueurs de déz, combatteurs de ducasses,
Vieux gisterneurs, vieux trompeurs, vieux ivrognes,
Vieux bateleurs, vieux gueux à rouges trognes [1].

Les rhétoriqueurs semblent éviter les voies de cette tradition-là :
sans doute leur paraissaient-elles moins propres à provoquer le contraste
interne dont avait besoin, pour se constituer, leur parole. Au
niveau, en effet, de la pratique s'opposent deux variétés de burlesque :
l'une, que le lecteur rationalise sans peine, grâce aux règles idiolec-
tales manifestes du texte, qui lui permettent de repérer les signaux du
jeu et d'y conformer le décodage, établissant qu'il s'agit d'une moquerie,
d'une plaisanterie gratuite ou d'une intention avilissante ; l'autre,
au contraire, qui dissimule les règles, fuit le topique, dénoue de l'intérieur la cohérence des genres catalogués, de sorte que l'interprétation
se réduit à une question sans réponse. Or, ce vers quoi s'orientait la
poétique des rhétoriqueurs, conditionnée de la manière que nous
avons vue, c'était moins la première variété que, fondamentalement,
la seconde. C'est pourquoi ce que j'écris dans ce chapitre ne saurait
être dissocié de ce dont je traiterai plus tard, les jeux de la matière,
lettres, sons, rythmes, qui, échauffant comme un ferment le texte,
constituent le caractère dominant de cette poésie.

L'ironie se produit en deux moments, non chronologiquement (ni
comme on l'a supposé, historiquement) distincts, mais dialectiquement
liés en un procès unique :

— elle vise à extraire l'individuel de son mode immédiat d'existence,
à le projeter hors de ses zones perceptuelles dans celles d'un imaginaire
régi par ses lois propres ;

— simultanément, elle dénonce comme dérisoires ces lois mêmes,
et fait retour à l'individu, mais transformé, dégagé des collages constituant son « réel » social, livré dans sa spontanéité vitale à un monde
de représentations dés-ordonnées assurant sa coextensivité avec l'être [2].

Certes, il est parfois malaisé pour nous d'apprécier ce résultat dans
toutes ses implications. Trop de temps nous sépare de celui des rhétoriqueurs, et rien n'atténue, davantage que l'histoire, les connotations
intertextuelles [3]. Seul nous reste sensible le fonctionnement des facteurs
en jeu : sur un fond commun d'analogies discursives se dégage l'équivo-

1. Jacob, p. VIII-XIV et 3-109 ; Schwob, p. 169; Champion, 1966, p. 383.
2. Cf. Deleuze, 19e série.
3. Riffaterre, 1974, p. 291.

cité des noms, engendrant une instabilité sémantique, source de plaisir mais comme telle intolérable : il *faut* qu'elle se résolve — et ce qui la résout, c'est un acte de lecture attribuant en définitive à l'une des composantes de l'énoncé la prédominance sur l'autre, et décidant d'y trouver le support valable de l'isotopie. Acte hyperbolique, dans la mesure même de sa profonde impertinence : convertissant ce qui, dans le texte se donne pour dissimulation et duplicité, en déclaration persuasive [1]; apportant, à l'interrogation qu'est étymologiquement l'*eironeia*, une réponse que la phrase suivante à son tour requestionne et annule.

1. Jauss, 1975; Deleuze, 34ᵉ série.

Polyphonies

Il convient de revenir, durant quelques pages, sur les considérations précédemment proposées : moins pour en tirer un bilan que pour les réassumer dans une perspective d'ensemble.

La cour, nous le savons, encadre l'œuvre, dans le sens qu'a le mot « cadre » pour un peintre de chevalet. Remplissant à l'égard du texte une triple fonction : en l'isolant, elle ouvre un procès de pur spectacle, dont elle signifie le désir d'être vu, et qu'elle déclare mémorable. Au point de convergence de ces messages s'offre à l'œil un objet fabriqué, composite, résultant de l'application de règles conventionnelles à des éléments, codés ou non, qu'il subsume et « implicite » dans ses formes perceptibles. Mais ces éléments et ces règles portent sens relativement à un contexte dont leurs configurations intègrent, en les ré-ordonnant, les rapports qui le constituent : contexte « construit » dans et par le texte, selon les lignes de vision émanant simultanément du lieu de l'artiste et du lieu du spectateur. Signe, si l'on veut, mais en cela seulement que moyen polyvalent d'échange entre ces facteurs. Le lecteur (l'auditeur) saisit une totalité; mais celle-ci, comme un visage, porte les traces annonciatrices de sa dissolution. Une lecture (une audition) attentive sera cette mort : interrogeant dans l'objet produit sa production même, dans l'être d'écriture sa génération, ce concours de volontés initiales, peut-être l'une de l'autre négatrices, et dont les incompatibilités, provisoirement réduites en un fragile équilibre, définissent une épaisseur, un volume, l'espace dont les dimensions proviennent de ces différences, à la surface gommées. Homogénéisation qui est transformation, décalage, jamais synthèse [1].

En elle-même, l'histoire est continuité. En raison, elle n'est pensable que discontinue. De même le texte, dans l'ordre de cette production. Valeurs d'usage, les éléments qui le com-posent, détournés de leur « sens » propre par les relations mêmes où ils s'engagent, le boule-versent sans le perdre, dérivent vers un autre bord, où s'inversent les

---

1. Cf. Gaillard, *in* Falconer-Mitterand, p. 15-16.

causalités pragmatiques, où le signifié devient le signifiant d'un autre, se dérobe et cascade en une série de substitutions jamais certainement close. Texte : dépositaire d'un discours sur le monde, mais dépositaire infidèle; dissimulateur de ce même discours, mais dissimulateur malhabile, mensonge truqué. D'où la nécessité simultanée d'un décodage, inévitablement réducteur, et du recours à quelque notion réintégrant le continu dans le « modèle » qui en fut extrait; d'une taxinomie (à quoi se ramène en définitive, et malgré qu'on en ait, toute « méthode » critique) et d'une prise en compte de ce que l'on ne saurait regrouper en paradigmes. Codé en effet au niveau de la langue ainsi qu'au niveau du discours, le texte en tant qu'unité singulière ne l'est plus. Matériellement fini, énoncé entre le phonème ou la lettre qui l'inaugurent et celui, celle sur quoi il retombe et sa durée s'abolit; mais suscité par cette forme des formes qu'est l'intertexte, en même temps qu'inséminé par un désir émanant de ce qui fut sujet énonciateur — dispersé par le travail d'écriture, miettes fantasmatiques du texte même, jetées vers le vide d'une attente : au-delà d'une coupure où l'Autre ne perçoit, contradictoirement, au prix d'une remise en cause de lui-même, que cette cohérence trompeuse, ou ces seuls débris.

Repérer un principe d'organisation ? ou peut-être plusieurs principes, dont la possible convergence n'a pas à être présupposée ? Il paraît souhaitable, en dépit de ce que l'on a fait valoir contre les procédures d'inspiration structuraliste, de travailler, dans cette recherche, par niveaux. Non, certes, par application univoque des distinctions introduites dans l'analyse linguistique et dont Benveniste a fourni une définition qui fit longtemps autorité : elles risquent en effet d'imposer une conception limitée de la signification, réductible au fonctionnement des signes posés par le langage. Or, c'est le signe même, on le sait, que met en cause la textualité. Décrire un même texte, simultanément ou successivement, à plusieurs « niveaux » constitue donc une simple opération préliminaire permettant d'éviter des tautologies tout en localisant les redondances productrices d'effet de sens : premier temps de l'analyse, avers d'une lecture. Si l'on comprend de façon dynamique ce délitage du texte, les « niveaux » pourront être conçus à la fois comme scènes de dramatisation, de mise en action d'éléments, comme scènes rhétoriques, de mise en forme discursive, et comme systèmes d'articulation, entre lesquels glisse, joue, prolifère ou régresse le sens [1]. Peut-être ainsi éviterait-on le recours à l'idée exagérément référentialiste de

1. Greimas, 1976, p. 199; cf. Deleuze, 5e série.

code; éviterait-on (dans l'état d'imperfection de notre appareil conceptuel) de ne point écarter la chance de, tout au moins, poser le problème central : quel est le pouvoir qui fonde la relation entre l'imaginaire et la pratique qu'est le texte ? Mais comment déterminer le nombre de ces niveaux ? L'eût-on arbitrairement restreint, que leur hiérarchisation ferait problème, à moins qu'on ne les considère comme des coupes idéales, non projetables en profondeur [1] : ce qui présupposerait qu'ait été fondée une classification des textes à la fois assez large et assez précise pour embrasser toutes les manifestations de la textualité. Nous sommes loin du compte, et l'on peut douter même que l'entreprise présentât quelque intérêt, s'il est vrai que la consistance spécifique d'un texte s'établit à la fois au-delà du linguistique qui le fonde et en deçà de l'univers dont il parle.

L'écriture, lors même qu'elle porte un masque de neutralité, agresse son objet (s'agresse elle-même) : violence sous l'impact de laquelle se produit une déflagration signifiante, suscitant parmi le discours apparent (transparent) un autre discours qui, à la fois, le dénie, mais en l'opacifiant le transmue et, transmué, le confirme. Effet de ruse : tactique, moins de guerre que de chasse, texte-biche à l'hallali des lectures [2]. L'intensité de l'effet varie considérablement, en vertu de paramètres culturels, situationnels, personnels, dont l'énumération n'importe pas comme telle. Du moins toujours s'esquisse une orchestration complexe de voix interférentes, celle d'un sujet dans son historicité (qu'elle soit ou non réprimée), celle du langage, des narrativités actuelles ou latentes, la voix enfin qui les assume et en explicite l'harmonie : celle du lecteur, virtuellement partie à cette polyphonie dès l'instant qu'elle fut entonnée. Mais encore : le texte se fait de blocs rhétoriques dont les uns se constituent, selon (pour reprendre ce vieux vocabulaire) l'*inventio*, de combinaisons grammaticales; d'autres, selon la *compositio*, d'arguments; les autres, enfin, de figures. L'unité matérielle du texte pose celle de cet ensemble : toujours factice, mais d'une facticité non évidente, car les tensions dialectiques entre ces éléments parfois demeurent larvées et ne vont point jusqu'à provoquer l'irrécusable contradiction que seule dépasserait (en suscitant des tensions nouvelles) l'ultime phase de production du texte : celle qui consiste pour nous, en nous déchirant, à le lire. Entre les termes opposés de ces dynamismes divergents, inégalement constitutifs de tout texte, entre finitude et infinie plurivalence, les poèmes des rhétoriqueurs s'énoncent en un lieu moyen, aussi distant de la neutralisation complète

---

1. Segre, p. 4.
2. Cf. Jenny, p. 257-258 et 271-278.

que de l'autodestruction intentionnelle; plus près, à certaines heures, de la première et tantôt assez proche de la seconde.

Je reprends ici l'exemple de la *Ressource du petit peuple*, réintégrant dans cette perspective ce que j'en ai dit plus haut du point de vue du discours politique et quant au fonctionnement de l'allégorèse.

Au premier contact, la *Ressource*, plus que d'autres textes de Molinet, frappe par son apparente hétérogénéité. L'alternance de la prose et du vers ne comporte aucune régularité volumétrique évidente : les fragments alternativement porteurs de ces marques formelles sont de longueur trop inégale pour qu'une règle de proportion s'en dégage clairement. La tonalité des parties diffère de l'une à l'autre, parfois considérablement; au discours apocalyptique des premières pages s'oppose la familiarité des seize vers de l'épilogue. La versification légère et presque badine du « regret » de Justice contraste avec le dolorisme de ce qui y est dit. Les figures de rimes, les équivoques envahissent ici le champ textuel, et ailleurs manquent entièrement. On allongerait sans peine la liste de ces discrépances.

Une description externe du texte permet d'y relever les éléments ou facteurs suivants :

1. Dans les premières lignes et dans les dernières, un discours à la première personne, que le prologue ne rapporte à aucun individu nommément désigné, tandis que l'épilogue renvoie expressément, par une rubrique, à l'auteur. L'ensemble du texte est donc inséré entre deux fragments de structure discursive semblable.

2. Ainsi introduit et conclu, s'étend un récit, à plusieurs reprises interrompu par d'autres discours - *Je*, référés à divers « personnages ».

3. La verbalisation des actants et fonctions du récit comporte une distribution de rôles allégoriques (personnifications et métaphores filées) qui recouvre la trame narrative presque entière.

4. Des effets rythmiques très élaborés sont perceptibles, autant dans la prose que dans les vers.

5. Il en va de même des effets sonores, lesquels, par voie de conséquence, déterminent plus ou moins le caractère de la surface lexicale et y constituent un double réseau de redondances.

6. De nombreux faits de récurrence apparaissent enfin dans la mise en condition syntagmatique de l'énoncé. J'entends ici syntagmatique moins par opposition à paradigmatique que comme désignant la constitution d'une linéarité ordonnée : structures de phrases et figures.

Je considère ces traits comme aptes à définir des niveaux d'organisation. Ils se projettent en effet dans les « moments » constituant la production d'un acte d'élocution :

— un axe désidéral (n⁰ 1) émanant d'un sujet énonciateur *(je)* aussitôt dispersé dans l'énoncé, lieu pourtant de la pulsion qui soutient celui-ci, mais biffé par l'accumulation fantasmatique de la fiction, inidentifiable, puis, tout à la fin, apparemment dévoilé par une ruse graphique, plaquée sur le texte auquel elle reste étrangère, se ramenant à la seule apposition marginale, sur le manuscrit, du mot « l'acteur » avant les derniers vers prononcés;

— un espace intertextuel, traversé par cet axe et dont les dimensions sont données par les référents politiques et moraux du récit (n⁰ 2) et de la glose qu'y intègre la figuration allégorique (n⁰ 3), fragments de discours ambiants, illimités, au sein duquel se noue le texte;

— un support linguistique, lieu concret d'une signifiance, et dont la texture se constitue à partir d'un certain nombre de configurations inventoriables (n⁰ˢ 4, 5 et 6).

Je ne reprendrai pas ici l'examen des numéros 2 et 3, et reviendrai plus tard sur les numéros 4 à 6. Reste le numéro 1, qui les supporte et les englobe et où s'articulent, s'il s'en produit, leurs contradictions.

« [...] je me tiray aux champs et, ainsi que, par admiration, je regardoys les plaisanz flouritures dont les preaux herbus estoient ricement paréz, soudainement s'ouvrit la terre, se vis un très parfond abisme [...] » Le *je* qui furtivement émerge ainsi dès la quatrième ligne du texte s'écarte, à la huitième, de la scène du discours qu'envahit durant trois pages la description du monstre surgi de cet abîme, et des ravages qu'il perpètre.

Quel est ce *je* ? ce « sujet » dont les seuls prédicats désignent un mouvement de retrait *(me tiray)* et de perception passive *(regardoys, vis)* ? Pour un auditeur, un lecteur du XVᵉ siècle, le référent ne pouvait faire grand doute : la phrase renvoie à ce que j'ai nommé le type-cadre de la Rencontre, dont la formule générale se réalise dans les éléments nucléaires suivants : | *un jour de printemps* | *je* | *cheminais* | *parmi la verdure* | *et* | *vis* | que suit la désignation d'un objet animé. Cette formule, constituée, à une époque ancienne, dans la tradition « lyrique », servit de cadre introductif à de nombreux textes narratifs, depuis le *Roman de la Rose* jusqu'au *Voir dit* de Machaut, à l'*Espinette* de Froissart, et à plusieurs ouvrages du siècle suivant. Chez Molinet, le premier élément est rejeté après le troisième; les autres sont en place, dans l'ordre coutumier, aisément reconnaissables. *Je* prononce le texte, mais ne lui est pas extérieur : comment ne renverrait-il pas, linguistiquement, à l'auteur même qui, devant moi, dans l'assemblée, lit son texte ? Mais l'auteur se dénomme acteur. *Je*-personnage; l'un des « héros » de cette « histoire » ? *Je*, c'est le texte même, se posant comme tel, revêtement lexical de ce qui est l'intention du texte, plus que celle d'un humain dont nous n'avons pas à connaître. Vide de sens, coupé de toute *persona* qui, du dehors, s'y investisse, *je* ne remplit aucune fonction qu'intérieure au discours : fonction grammaticale, puisque support des prédicats typiques; fonction narrative, puisque entonnant un récit dont la Rencontre introduit l'agent principal, lequel sera l'objet de *je vis;* fonction dramatique, enfin, puisque engendrant une tension entre *je* et cet Autre [1].

Une ambiguïté voulue empêche toutefois le système de se clore aussi parfaitement que dans d'autres récits introduits par la même formule. Au premier élément, en effet, de la Rencontre, le poète substitue une signature « thématique », jeu de mots fréquent dans son œuvre : « Pour ce que naguère vent faillit aux volants de mon *molinet* » (« Parce que naguère le vent cessa de souffler sur les ailes de mon petit moulin »). Le connaisseur perçoit l'indice : celui-ci pourtant reste allusif, énigmatique, de telle manière intégré au sens superficiel de la phrase que l'effet propre, atténué, exige, pour se produire, quelque effort d'interprétation. Il n'en reste pas moins que l'intention textuelle est ainsi, indirectement, et comme clandestinement, prise en charge par un *moi* qu'implique le nom cryptographié.

Le *je* de la Rencontre ne réapparaît plus, passé cette huitième ligne, dans le texte. En revanche, au *moi* ainsi suggéré correspond la rubrique finale. L'*acteur*, c'est, dans la terminologie du XVe siècle, l' « auteur ». Mais on ne saurait réduire la forme de ce mot à quelque jeu étymologique et orthographique sur le latin *auctor :* il s'agit bien de l'intervention dramatique d'un « personnage » étranger au récit et qui, le dominant de l'extérieur, a pouvoir de le relancer et de le conclure. La même rubrique apparaît quatre fois dans la *Ressource*. Les trois premières occurrences introduisent des passages impersonnels, purement narratifs. Seule la dernière nous réfère explicitement au scripteur :

> Je le laissay devant l'autel
> Et, pour en faire ramembrance,
> Je retournay en mon hostel.

Comprenez le second vers : « Pour en écrire l'histoire. » Récupérée, l'intention du texte est assimilée *in fine* à un dessein d'auteur. Cependant, l'avant-dernier vers dilue celui-ci dans un *nous* indéterminé,

---

1. Zumthor, 1975, p. 184-188.

englobant quelque destinataire universel à qui s'offre (dernier vers) le texte même :

> Prions Dieu que nous puissons voir
> La ressource du petit peuple.

La citation du titre est à double face, car *ressource* signifie à peu près « secours », « rédemption », « salut », et relève ainsi, dans la linéarité de la phrase, d'une double isotopie.

Conclusion postiche : tranchant le fil du récit, l'écriture se déclare pour telle, c'est-à-dire comme « action ». Le *je* qui, au début du texte, « se tira » aux champs maintenant « retourne » à son logis : la boucle semble se boucler, non point toutefois circulaire, mais spiraloïde, hissée à la prière finale, de la façon dont un mistère s'achève sur le *Te Deum*. S'achève en impératif, *prions*, articulé sur un optatif, *que nous puissons voir :* la fine pointe de la spirale, avant le jeu de mots ultime, est un souhait. Un espoir, raccordé au dernier épisode du récit : l'arrivée de Justice à l'abbaye de Bonne Espérance où, conduite à la chapelle par Charité, elle ne peut qu'y prononcer une instante prière, à quoi nulle voix ne répond. Un désir, dont le terme provisoire est ainsi doublement dessiné, sur le plan narratif (dernière étape de la quête) et sur celui de la rhétorique (intervention de l' « acteur »), mais dont l'objet (la « ressource ») demeure projeté au fond d'un avenir incertain, sinon d'un passé perdu, hors du temps : l'image d'un rêve. Vers lui se tendent ces derniers *nous*, soudain surgis du texte finissant : vers la figure archétypique d'un bonheur. Tension du texte entier, suspendu sur sa joie désirée, dont le seul nom qu'on puisse lui donner est Espérance.

Tel est l'axe selon lequel s'ordonne le texte polyphone et métamorphique de la *Ressource*. Lexicalement clos, mais ouvert sur le hors-texte ; où la fonction référentielle du discours demeure toutefois entièrement subordonnée à un dessein non définissable indépendamment des formes textuelles.

Une première lecture enregistre une évidence : la coexistence de deux plans, celui du thème « réel » et celui de son interprétation allégorique. Mais un examen plus attentif révèle, entre l'un et l'autre, un incessant renversement des rapports, tel que la glose de la *littera* devient *littera* à son tour, que glose la référence au « réel ». C'est là le côté proprement ludique du texte. Il en résulte une diversification des rapports où s'estompe la simplicité apparente de ce bi-sémantisme. Jeu, déroulant ses phases en son lieu et son temps réglés, la *Ressource* « joue » ainsi doublement : comme « acteur », mais aussi comme une porte qui ferme mal.

Chacun des niveaux d'articulation organise rhétoriquement les éléments qui le constituent. De niveau à niveau se définissent des corrélations stylistiques [1], dont le faisceau dessine la figure cohésive du texte, mais non du sens. On pourrait à ce propos jouer du mot de *style* qui, d'origine juridique en français, désignait au xve siècle soit les formules de procédure, trace écrite d'une antique autorité coutumière, assurant au texte où elle s'imprime son inaltérabilité, soit le « canon » du temps, l'axe de référence des durées. Tout fait de surface se prête simultanément à plusieurs interprétations. Les structures diverses où il s'insère s'ébauchent, se stabilisent un instant, puis se désarticulent aux yeux du lecteur pour s'effacer dans l'émergence d'autres structures qui, topographiquement, coïncident avec les premières. Laquelle d'entre elles désignera leur provenance commune, déclarera leur finalité ? Plusieurs vraisemblances s'affichent ensemble de façon logiquement absurde. Mais les contraires se conjoignent, par là même qu'ils s'excluent. Leur substrat se situe dans quelque lieu vide ou interchangeable, qui est le « fondement » du texte, ses fondations — sa fondation ; d'où émane la pluralité des dynamismes qui le portent et l'écartèlent.

Pages écrites, posées dans un temps à chaque lecture décalée, au lieu d'ambiguïté où se suturent en se disjoignant les éléments de l'oxymore intertextuel : focalisation à chaque lecture questionnée, dérivée, au point que tend à s'annuler tout effet de *mimesis*. Superposition de voix, incongruences dans la congruence, convergence d'énoncés plutôt convoqués que coordonnés en un acte qui jamais ne se suffit à lui-même, incessante relève qui supprime en maintenant. Non point un langage, mais *du* langage [2].

J'ai, dans un chapitre antérieur, en vue d'une première tentative d'analyse, fait appel aux termes de *mention* et de *diction* pour désigner deux séries, ou ensembles de séries discursives, dont le texte constitue la zone d'intersection. Je reprends ici les notions ainsi proposées. La diction opère, nous l'avons vu, sur la mention un change plus ou moins considérable. Or, ce plus ou moins semble typé selon des règles génériques. Dans certains textes s'inscrivent des mentions fondamentales, si puissantes que la diction entière tend à les constituer en une corporéité qui en retour tend à transformer la diction en indice apparemment unitaire. Ainsi, je l'ai signalé, de la *Ressource du petit peuple*.

1. Cf. Rastier, p. 82.
2. Cf. Barthes, p. 49-51.

Dans d'autres textes, la diction dissocie les termes de la mention, les déplace, pratique des ligatures nouvelles, surprenantes, parfois saugrenues, toujours déformatrices, exténuant ironiquement les signaux qu'elle véhicule. Ainsi de telle complainte, déjà citée, du même poète [1]. Ni l'une ni l'autre de ces tendances n'aboutit jamais à un résultat univoque. Il reste que, sur la gamme largement ouverte de ces possibilités, la complexité des phénomènes intertextuels se mesure à plusieurs paramètres : selon qu'il s'agit de « variation », de « conjonction des discours » ou de « duplication ». J'entends, en recourant à ce classement, moins atténuer les considérations générales qui précèdent que les expliciter à ras de texte. « Variation », « conjonction » et « duplication » désignent en effet à la fois des procédures de formalisation et des modes de signifiance : cette dernière n'est pas épuisée par ce que le discours analytique peut en dire. Quant aux réalisations, je me limite à signaler les plus fréquentes dans la pratique des rhétoriqueurs.

Par variation, j'entends (en un sens beaucoup moins large que celui de la *variatio* rhétorique [2]) une technique consistant à introduire dans le texte soit littéralement des parties d'un texte préexistant, soit allusivement des marques formelles considérées comme propres à un ensemble déterminé d'autres textes : soit (pour reprendre, avec des connotations un peu différentes, une terminologie employée naguère par Kristeva [3]) citation, soit réminiscence.

La citation, coutume médiévale ancienne, en langue vulgaire comme en latin, comporte des manifestations diverses [4]. J'en relève deux types principaux chez les rhétoriqueurs.

Le premier (sur lequel j'insisterai, vu son importance dans nos textes) intègre au poème un fragment textuel du type proverbe ou dicton, emprunté à ce que l'on pourrait nommer le texte sapientiel commun. Si l'on se fonde sur les listes de Morawski, on peut raisonnablement admettre qu'au seuil du XVe siècle une tradition définissable comme populaire (quel que soit le sens précis qu'il convienne de donner à ce mot) mettait à la disposition des locuteurs un trésor de plus de deux mille énoncés de cette espèce, d'emploi répétitif, marqués comme tels, destinés à fonctionner en contexte situationnel ou discursif quelconque : formellement stéréotypés, au contenu dénotatif

1. Dupire, 1936, p. 729-731.
2. Lausberg, § 257.
3. Kristeva, 1969, p. 194.
4. Panzer.

stable, relatif aux conduites humaines, ils se prêtaient à d'infinies variations connotatives selon ces contextes. Je désigne ici ces énoncés comme « proverbes », sans chercher à distinguer parmi eux ce qui peut n'être que citation littéraire non identifiée comme telle et passée dans l'usage : ces problèmes d'identification importent moins en effet que le mode de fonctionnement dans le discours poétique.

Une trentaine de recueils de « proverbes » français furent compilés aux XIIIe et XIVe siècles ; vers 1440, un chanoine de Lisieux en recueille près de huit cents, qu'il pourvoit de gloses juridiques ; à la fin du siècle encore, les *Proverbes en rimes* en explicitent en cent quatre-vingt-deux huitains un nombre égal. De toute manière se dessine un corpus, aux contours certes flottants, mais dont l'existence comme telle ne fait alors de doute pour personne, non plus que le trait qui apparente les « proverbes » aux *exempla*, apologues utilisés (comme les proverbes eux-mêmes) dans la prédication [1]. Au sein, du reste, de ce corpus s'en détache un autre, de second degré, qui, sans perdre le caractère proverbial, assume apparemment une fonction surajoutée de référence littéraire : parmi, en effet, les nombreux proverbes insérés, depuis le XIIe siècle, dans des textes poétiques ou oratoires, on constate des faits significatifs de réitération. Le numéro 463 de Morawski apparaît ainsi dans cinq ouvrages poétiques en un demi-siècle ; le numéro 879, chez Baude et chez Molinet ; le numéro 626, chez Baude, chez Martial d'Auvergne et dans l'*Amant rendu cordelier à l'Observance d'amour* [2]. Des réseaux complexes se tissent ainsi, liant les discours à la fois de texte à texte et au hors-texte de la sagesse commune.

Le proverbe cité constitue, avec le texte qui le cite, une opposition dont le dynamisme comporte deux issues possibles : confirmation ou dérision. La confirmation, à son tour, peut être de deux sortes : ou bien le proverbe confirme le contenu posé par le contexte en y ajoutant un autre contenu donné pour identique en vertu d'un rapport comparatif ou métonymique (confirmation par le même), ou bien il le confirme en le transposant dans un autre registre de représentation, en vertu d'un rapport métaphorique (confirmation par l'analogue). La dérision consiste au contraire à inverser, à l'aide du proverbe, le contenu posé, de sorte qu'un registre second émerge du premier, le disloque, le dégrade, suggère la nécessité d'en déconstruire les rôles narratifs (rapport d'ironie). Ce dernier mode de fonctionnement est systématiquement exploité par les auteurs de soties [3]. Chez les rhétoriqueurs,

1. Zink, p. 271-272 et 346-358.
2. Scoumanne, p. 56 et 73-74 ; Dupire, 1936, p. 1229.
3. Nelson, p. 265-270.

les deux autres semblent prédominer; chez un Villon, les trois se cumulent, parfois au même lieu. Du moins toujours le proverbe marque-t-il, dans le déroulement textuel, un site stratégique : inséré dans la chaîne linéaire, il ne la rompt pas, puisqu'il possède, en commun avec les éléments qui le précèdent et le suivent, une structure de phrase; mais il arrête le discours, le fixe, et, par le jeu de miroir qu'il y instaure, le ramène pour un moment circulairement sur lui-même.

Que cet effet soit recherché comme tel, intégré à la poétique des rhétoriqueurs et objet de règles explicites, je n'en veux pour preuve que l'usage prédominant de ce que j'ai nommé l' « épiphonème proverbial [1] ». Dans son acception rhétorique étroite, l'*epiphonema* est une figure résultant de l'énonciation, en position finale de discours, d'une « sentence », diction impersonnelle revêtue d'autorité argumentative : sa fonction, abondamment commentée par les théoriciens de la tradition scolaire, est de produire une conclusion synthétisante, provoquant chez l'auditeur un mouvement de l'imagination ou du sentiment qui nuance rétrospectivement tout le discours en même temps qu'il est nuancé par lui : *rei narratae vel probatae summa acclamatio*, selon les termes de Quintilien [2]. La substitution du « commun proverbe » à la « sentence » représente un cas particulier de ce procédé général : le proverbe subsume le contenu des vers qui le précèdent, et le confronte à une « vérité », proposition virtuellement universelle, fictivement admise comme non falsifiable.

Or, la technique compositionnelle consistant à terminer par un proverbe soit un texte, soit une unité nettement reconnaissable de celui-ci, strophe ou tirade, fut au XVe siècle l'objet d'une mode, spécialement chez les rhétoriqueurs. Guy assurait [3] avoir repéré plus de cent poèmes présentant cette particularité. Le nombre total des proverbes ainsi mis en œuvre doit se chiffrer par centaines. Deux des *Arts de seconde rhétorique* publiés par Langlois légifèrent expressément à ce propos, encore que, selon la coutume de ces traités, ils ne considèrent qu'une application parmi d'autres et évitent de poser un principe universel. L'*Art* rédigé par Molinet pour Philippe de Croy vers 1480-1490 définit un type de septain par le fait que son dernier vers est un proverbe; l'anonyme *Art de rhétorique vulgaire*, qui en 1525 reprend et complète Molinet, étend la même règle à trois variétés de « taille » : septain, huitain et neuvain [4]. Les formes en question sont structurellement marquées : « carrées », le nombre total de vers, sept, huit ou

---

1. Zumthor, 1976; Cerquiglini, p. 366-369.
2. Lausberg, § 879.
3. Guy, p. 68; cf. Cerquiglini, p. 359.
4. Langlois, p. 218, 272, 274 et 276.

neuf, égalant celui des syllabes dans chaque vers. Ce trait n'est pas indifférent : il accuse, dans l'esprit des « théoriciens », l'intention de poétisation du proverbe.

Le début, cependant, de l'unité textuelle ne constitue pas moins que sa fin un site stratégique; et l'on y rencontre, presque aussi souvent, le proverbe. Ces deux localisations inverses sont fonctionnellement identiques : la globalisation thématique ouvre l'énoncé ou le clôt; dans les deux cas, la relation reste la même, quoiqu'en change la visée : annonce prémonitoire ou conclusion récapitulative. Ces positions peuvent se cumuler; la strophe, commencer et finir par un proverbe : deux fois le même, ou deux différents, de façon à engendrer une circularité du discours en assurant l'homogénéité.

Dupire identifia, dans les poèmes de Molinet, trois cent soixante-treize proverbes différents, en plus de cinq cents occurrences. La presque totalité d'entre eux figurent à des lieux stratégiques. En début de strophe :

> Tout ce qui reluyt n'est pas or.
> Amour qui me prit par le poing
> Me fit aussi bruyant qu'un tor,
> Puis me pourvut mieux que Hector
> De dame où je pris loyal soing.

Ailleurs, à la fin. Ou bien en tête et en queue :

> A cœur vaillant rien impossible.
> Jamais n'auray bu ni mangé
> De quelque substance sensible;
> Se seray par assaut terrible
> De mon tort fait contre vengé.
> Il sera si court assiégé
> Qu'il ne saura où se frotter :
> Besoing fait la vieille trotter [1].

Le proverbe constitue un microdiscours narratif, comportant actants, fonctions et transformations, dé-nommés et dé-temporalisés, offerts à tout investissement de valeur qui n'en modifierait pas la structure profonde. Le proverbe est ainsi, en même temps que sentence, apologue, à cela près que l'apologue proprement dit, entièrement lexicalisé, nommant ses acteurs et temporalisant ses actions, exige une lecture allégorique, dont le proverbe permet de faire l'économie : il s'intègre au discours comme une structure vide, un schème non encore

---

1. Dupire, 1936, p. 578-579.

réalisé, et que manifeste au niveau lexical le texte qu'il précède ou qu'il suit [1]. L' « effet proverbial » réside dans ce passage du virtuel à l'actuel, passage qui *constitue* l'unité poétique, la strophe. Le proverbe apparaît-il au début, le passage opère comme un procès de dispersion ; apparaît-il à la fin, comme un rassemblement.

Divers effets secondaires peuvent se greffer sur celui-ci. Ainsi, dans l'*Abuzé*, le monologue ironique du personnage, opposant sa fierté première de courtisan (décrite, au passé, dans les premiers vers de la strophe) à sa déconfiture ultérieure (au présent, dans les vers suivants, que clôt un proverbe) : six strophes, dont les cinq premières terminées par un micro-récit proverbial déceptif :

> A l'enfourner fait on les pains cornuz ;
> Mal va chien qui son maistre abandonne ;
> Tard vient au lit qu'au point du jour se cousche,
> *etc.*

auquel répond, à la sixième strophe, une *sententia* qui en livre le sens global, surimposé aux significations partielles produites jusqu'alors :

> Plus sont en cour, moins ont de conscience [2].

D'autre part, de strophe en strophe, la forme syntaxique du proverbe final détermine, de manière approximative, celle des vers précédents : mise en relief, à l'initiale de plusieurs d'entre eux, du premier mot du proverbe (*tard*, strophe 3 ; *trop*, 4 ; *mal*, 5) et structuration de la phrase en conséquence. De là un remarquable renforcement de l'effet proverbial.

Dans le *Dyalogue de Vertu militaire et de Jeunesse françoise*, de Jean Lemaire, livret théâtral allégorique, dix-huit des vingt-quatre strophes qu'échangent Vertu et Jeunesse se terminent par un proverbe. Deux autres, stratégiquement situées, celle du milieu (la 12e) et la dernière de celles qui sont pourvues de cet épiphonème (la 22e), s'achèvent sur une accumulation de trois proverbes ; ainsi, fin de la strophe 22 :

> Qui bien cultive bien vendange
> Et qui ne sème ne recueille ;
> Arbre sec n'aura jamais feuille [3].

1. Ollier, p. 340-343.
2. Dubuis, 1973 *b*, p. 58-60.
3. Jodogne, 1972 *a*, p. 387-390.

Le schème narratif est triplé : positif (acte et récompense), négatif (punition de l'acte contraire), négation absolue, excluant toute transformation. On reconnaît là une figure de gradation.

Dans les *Lunettes* de Meschinot, cinquante-sept septains, sur les quatre-vingt-deux que compte le monologue de Justice, s'achèvent par un proverbe; de même, quatorze strophes du *Voyage de Gênes* de Marot[1]. Le premier des discours en vers de la *Ressource*, l'éloquent monologue de Vérité contre les mauvais princes, exploite sur plusieurs plans les possibilités rhétoriques offertes par l'épiphonème proverbial. Le morceau comporte dix-huit strophes de huit vers, que l'argument divise en trois parties à peu près égales : invective (strophes 1 à 6), le peuple victime (strophes 7 à 11), injustice des princes envers l'Église (strophes 12 à 17), conclusion : vœu de rétablissement de la justice (strophe 18). Les strophes 1, 3, 6, 7, 8, 11, 12, 14, 17 et 18 se terminent par un proverbe, ce qui implique une régularité. Chaque partie contient trois proverbes : un à la fin de la première strophe; un, de la dernière; le troisième, médian, détermine, par les espaces qui le séparent des autres, une gradation rythmique (du bref au long). Dans la première partie, une strophe, deux strophes, trois strophes; dans la deuxième, une strophe, une strophe, trois strophes; dans la troisième, mêmes intervalles que dans la première. Conclusion comprise, le poème compte donc dix proverbes, comme un décalogue... Mais, si l'on regroupe les trois proverbes de chaque partie, on obtient trois petits discours thématiquement cohérents :

— première partie : universalité de ce malheur :

> Povres gens sont à tous léz reboutés.
> Contre la mort nul ne se peut défendre.
> Chascun merchier portera son panier.

— deuxième partie : l'injustice de la guerre :

> Quand raison dort, justice est mal gardée.
> Guerre commet pluiseurs faits deshonêtes.
> Il n'est tenchon que de voisins privéz.

— troisième partie : le mal causé par l'argent :

> Au départir faudra compter à l'hoste.
> Qui qui paye, Dieu n'accroît pas tousjours.
> Il n'est si belle ausmone qu'à son prosme.

1. Hue, p. 61-76; Trisolini, p. 18 et 32-33.

Une double fonction est ainsi assumée par le proverbe : un rapport métaphorique généralisant le lie à la strophe qu'il achève; une relation de successivité linéaire et de cohésion isotopique, aux deux autres proverbes de sa série, celui de la conclusion formant antithèse avec ceux de la troisième partie, comme le souligne le parallélisme lexico-syntaxique qui l'associe à l'immédiatement précédent.

Situé à un lieu quelconque dans le corps du texte, le proverbe s'apparente fonctionnellement à la sentence, soit à titre de preuve, soit d'ornement généralisant un argument spécifique [1]. Du moins, les traits que possède éminemment l'épiphonème ne s'effacent-ils jamais tout à fait; et plus le poème est court, moindre la dispersion de ses effets. Situé au troisième vers d'un quatrain, au cinquième ou sixième d'un huitain, le proverbe conserve plus distinctement son principal caractère épiphonémique : il engendre le texte, en ce qu'il en constitue l'emblème à la manière des figurations disséminées engendrant à la fois l'unité et le sens global du célèbre tableau de Breughel.

Le quart environ des *Dictz moraulx* de Baude s'articulent ainsi sur un proverbe. Celui-ci fournit, dans les termes de la « sagesse populaire », la *sententia* dont le reste du texte constitue la lettre. La tapisserie à quoi renvoie cette dernière, comme à son référent hors-texte, remplit la fonction que, dans certains manuscrits de recueils proverbiaux, assume un dessin ou une miniature. Le proverbe énonce, selon un schème typé (trois actants, une action), le *sensus* de ce qu'à son tour elle « représente ». Mais inversement, par le fait même de son usage commun, qui l'intègre au réel social, il a le statut d'une *littera* dont le contexte explicite *sensus*. La complexité de ces rapports est soulignée par divers procédés de dissimulation formelle qui, dans plusieurs des *Dits*, immergent le proverbe au courant du texte, qu'il nuance et transforme en estompant jusqu'à l'effacer le lieu de la transformation. Tantôt (*Dit* 14), le proverbe sert de réplique finale (parfois redoublée, *Dit* 20) à un dialogue; ailleurs, il opère une variation sur un texte biblique proverbial (*Dit* 29 : *roses* se substitue aux perles jetées aux pourceaux); ou bien il traduit en adage latin une locution courante (*Dit* 28), introduit des transformations syntaxiques amplifiant le proverbe d'usage en dialogue personnalisé (*Dit* 45) ou en monologue développant de façon descriptive chaque élément sémique du hors-texte de base (*Dit* 41), ou encore en une série de calembours (*Dit* 46); ailleurs, enfin (*Dit* 22), le proverbe demeure sous-

1. Ollier, p. 345-347.

jacent, impliqué dans les paroles et les actes attribués aux personnages du dessin, mais sans affleurer à la surface du texte.

En s'incorporant à un texte, le proverbe répète analogiquement le procès par lequel, dans les groupes humains archaïques, les aphorismes des ancêtres informent la pensée personnelle, la maintiennent dans une perspective de stabilité, réduisent ou éliminent les divergences. Ainsi, dans la *Ressource*, au premier discours de Conseil : « après rere (= *raser*) n'y a que tondre »; dans telle lettre d'éloge qu'adresse Molinet à Cretin [1]. Assumé par la poésie, dans un milieu social partiellement émancipé des structures paradigmatiques primitives, ce procès se complexifie. Sa visée reste la même en apparence, mais son terme relève plus ou moins de la fiction et se prête aux distorsions de l'ironie. Les moyens discursifs qui le réalisent sont d'ordre figural : leur économie se règle sur des lois électives subtiles, dont le contexte conditionne l'efficacité. C'est pourquoi le proverbe exclut toute redondance dans son ordre propre : en cela encore, l'emploi épiphonémique et son inverse apparaissent privilégiés, donnant à l'effet proverbial une netteté indiscutable. La citation de deux proverbes dans la même unité textuelle commence à brouiller celle-ci, à moins que l'un d'eux ne soit une simple variante de l'autre. En fait, dans les textes de mon corpus, jamais le poète ne dépasse ce nombre, sinon dans les rares cas où l'épiphonème résulte d'un cumul gradué, comme dans l'exemple cité de Jean Lemaire.

Toutefois, là déjà, un autre effet se ménage, et tend à se substituer au premier : le brouillage ne serait-il pas intentionnel ? La perspective stratégique se démultiplie, l'axe de référence se voile ou se fausse quelque peu : le terme de la visée s'ébranle, bouge, c'est moins lui qu'on atteint, qu'une zone confuse où la mémoire le situe mal. Les valeurs investies finiraient par s'exténuer tout à fait si l'accumulation se prolongeait davantage. J'en citerai pour exemples extrêmes, par-delà les rhétoriqueurs, la *Sotie des menus propos*, faite entièrement de proverbes, accumulés en dialogue pressé, décousu, à la limite du non-sens; ou la *Ballade des proverbes* de Villon, dont les trente-six vers sont constitués de trente-six proverbes, tous commençant par le mot *tant* et construits sur un modèle syntaxique uniforme et symétrique (*tant* + verbe + sujet + *que* + sujet + verbe) : remarquable inscription, dans la texture du poème, d'un signifié infiniment redondant, qui est négation pure et simple de toute fiction de vérité [2].

Un autre indice de poétisation du proverbe résulte des altérations

---

1. Chesney, p. 323.
2. Nelson, p. 269; Thuasne, p. 268-270; cf. Cerquiglini, p. 370-372.

mêmes qui parfois l'affectent en fonction de son intégration au système rythmique. J'en ai étudié ailleurs le mécanisme chez Molinet [1]. Cela seul importe ici, que la raison de ces variations est une règle d'équivalence fondamentale : le proverbe équivaut à un vers (exceptionnellement, à deux). Or, le vers est la cellule génératrice du tissu poétique, et cela sur plusieurs plans, en vertu de contraintes qui, certes, de l'un à l'autre de ceux-ci, décroissent, mais qui, néanmoins, se cumulent pour définir une unité fonctionnelle : plan des accents toniques, du nombre syllabique, des effets sonores, de la syntaxe et des figures. C'est sur chacun de ces plans que le proverbe s'intègre au poème et que se produit l' « effet proverbial » : effet plus puissant quand il est final, au sens à la fois où cet adjectif réfère à une cessation, un achèvement et un but... comme si le flot précédent des rythmes, des nombres, des sons, des tours de phrase, des figures trouvait « finalement » son modèle, sa forme indiscutable et abstraite, qu'en retour il charge de ses connotations, dont il manifeste les latences narratives en un récit exemplaire, au-delà duquel s'épuiserait tout discours. Le « fini » (pour employer la terminologie de l'ancienne rhétorique) se trouve assumé par l' « infini »; mais l' « infini » proverbial, contrairement à celui de la *sententia*, est, en même temps qu'intégré au texte, présent en celui-ci comme hors de lui : aussi ce qu'il énonce ne se confond-il pas avec l'universel pur et simple; une aptitude s'y dessine à accueillir la « finitude », à la dégager certes de ses contraintes temporelles les plus oppressantes, mais sans lui ravir entièrement son actualité. D'où un effet rhétorique secondaire, de l'ordre de l'*actio* plus que de la *narratio* : effet apaisant, cathartique, dédramatisant, quel que soit par ailleurs le message, résigné ou ironique, transmis par l'énoncé. Texte et hors-texte, le proverbe implique une institution sociale, laquelle à son tour implique une situation d'énonciation conventionnellement définie : la fonction « pragmatique » du proverbe (au sens sémiotique de ce mot) détermine ainsi celle du texte entier qu'il couronne [2]. Le proverbe fonctionne comme un embrayeur référant expressément le texte à l'intertexte, intégrant de façon manifeste l'un à l'autre.

Le second type de « citation » se rattache à une pratique fréquente chez les poètes de langue latine depuis le haut Moyen Age : celle des *versus cum auctoritate*, consistant à interpoler dans un texte, en l'y

1. Zumthor, 1976, p. 325-326.
2. Hamon, 1975, p. 501.

liant syntaxiquement, le plus souvent au début ou à la fin d'une strophe, un ou plusieurs vers d'un auteur classique. Ce procédé fut adapté, étendu, refonctionnalisé par les poètes de langue française dès environ 1200 : un texte lyrique ou narratif, en vers ou en prose, s'incorpore, à titre d'ornement ou de glose, un fragment, généralement bref, d'une chanson préexistante. L'usage des rhétoriqueurs se rapproche du modèle latin. C'est ainsi que, chez Molinet, Dupire identifia quatre-vingts vers de chansons, connues par d'autres sources (ce qui implique, vu l'imperfection de notre documentation, que le nombre réel dut être plus considérable), empruntés par ce poète pour en faire soit le début, soit la fin d'une strophe, parfois l'un et l'autre : on retrouve donc ici l'épiphonème. Ailleurs, les dix strophes d'un poème se construisent à partir de leurs derniers vers, chacun de ceux-ci reproduisant, dans l'ordre, les dix vers d'un rondeau [1]. L'évocation mémorielle suspend la continuité du texte, à son tour y provoque un hiatus, mesure une distance qui engendre un espace dont elle devient la figure. Parfois, la citation est annoncée : « Un tel dit... », ou autres formules. L'absence d'une telle ligature introduit une ambiguïté : est-ce « comme on dit », « comme je dis » que signifie le poète ? Assume-t-il ou non le fragment cité, l'incorpore-t-il, à quelque second degré, dans son propre dire, ou le dénonce-t-il comme l'indice d'un autre discours que le sien ? Le texte primitif peut être légèrement modifié pour s'adapter au type de vers choisi ou, on peut le supposer, par effet parodique. Dans le *Haut Siège d'Amour* :

> C'est un chef-d'œuvre de beauté,
> Un triomphe de noble arroy.
> Sa prudence et sa leauté
> Valent l'avoir d'un petit roy.
> Ravy suis quand je l'aperchoy :
> Tout œil amoureux qui l'avise
> Rit de joye et chante à part soy :
> *J'ai pris amours à ma devise.*

Quelques vers plus loin, la strophe commence par un tel vers :

> *Je fus servy d'un franc baiser,*
> Le plus gracieux de jamais [2].

---

1. Dupire, 1936, p. 1223-1241 et 797-801.
2. *Ibid.*, p. 572.

Un effet analogue est produit par un procédé qui, d'origine différente, est comparable à celui-ci : le premier et le dernier vers d'une strophe sont identiques, différant par leur seul enchaînement syntaxique avec celui qui, d'une part, suit, de l'autre précède, de sorte que la seconde occurrence se connote, par cette répétition seule, d'une nuance sentencieuse. Le « fatras », nous le verrons, repose sur cette règle de citation interne, mais celle-ci peut s'appliquer à toute espèce de poèmes ; ainsi, à plusieurs reprises, dans les *Fantasies* de Gringore, où le système atteint parfois un certain degré de complexité, inspiré peut-être de la technique du rondeau : deux vers initiaux *(ab)* sont répétés à la fin de la première strophe ; la seconde ne les comporte pas, mais ses troisième et quatrième vers *(cd)* et ses deux derniers *(ef)* sont repris, avec *a* et *b*, dans la troisième, selon l'ordre inverse : *ba* (suivis de deux vers différents), *dc* (plus deux vers différents), *fea*, le dernier *a* bouclant le cercle de ces références intratextuelles, redondantes et fictives [1].

Il est moins aisé de percevoir les « réminiscences ». Sous leur aspect le plus général, elles se ramènent à l'emploi de lieux communs, dans l'acception que la rhétorique donne à ce terme, moyen de l'*amplificatio* (c'est-à-dire l'explication) de la « cause » du discours. La fonction du lieu commun est analogue à celle du proverbe ; mais sa définition est beaucoup plus large et le rapproche des « localisations » des *Arts de mémoire*. De la *materia remota*, plus ou moins informe, à la *littera* du texte qui la formalisera définitivement, l'itinéraire traverse le champ de la *materia propinqua*, déjà pourvue des linéaments de cette forme : les « lieux », comme facteurs d'argumentation, réfèrent à l'une ou l'autre des deux dernières étapes. En d'autres termes, ils constituent un sous-ensemble des « types » de la tradition. La réhabilitation de l'*inventio* au temps du premier humanisme revalorisait la topique, théorie des « lieux » [2], et l'intégrait à la logique discursive. L'effet de cette réorientation se marque, dans les limites de la *materia* qui lui est propre, sur l'« éloquence » de langue française, et principalement chez les rhétoriqueurs : nous en avons vu les conséquences, le caractère général archaïsant de leur thématique.

Mais les « lieux » intéressent également, avec l'*inventio* qui en détermine le champ, la *dispositio* qui les ordonne et l'*elocutio* qui les réalise. A ce dernier niveau, un certain nombre d'entre eux s'identifient comme

1. Frautschi, p. 109-111 et 146-153.
2. Vasoli, p. 33.

« clichés » : coïncidant avec un mot, une phrase, parfois un nom (*Macé* est type de bêtise, etc.), un calembour, un dicton, un fragment poétique banalisé, le cliché a pour propre une usure sémantique qui efface en lui le souvenir de la métaphore vive, de la trouvaille dont on peut présumer qu'il procède. Sa fonction n'est plus que de provoquer une référence globale, instaurant le particulier à la dignité du typique. Et ce typique est un fait de culture, discours hors texte. D'où trois attitudes possibles, également attestées chez les rhétoriqueurs et leurs contemporains : une intégration pure et simple de ce discours dans le texte, par le truchement du cliché comme tel; ou bien, au contraire, une revitalisation ironique de celui-ci, dont les éléments constitutifs, rendus à leur autonomie, sont convoqués pour faire éclater le sens... et le rire. Troisième possibilité : dilater le cliché jusqu'à le rompre, et en détourner la signifiance, du hors-texte vers le langage lui-même et la prolifération de ses capacités de jeu.

C'est dans cette perspective que s'inscrit la parodie, sur laquelle je ne reviendrai pas. Elle constitue, nous l'avons vu, comme procédé d'écriture, l'une des formes de réminiscence les plus caractéristiques de la poétique des rhétoriqueurs. Je m'arrêterai plutôt ici à une autre forme, mineure, mais que sa fréquence interdit de sous-estimer : celle qui résulte de jeux interlinguistiques, confrontant au français le latin. Jeux distribués selon une vaste gamme, apte à embrasser toutes les situations du discours. Citations de vers latins dans un texte de prose française, chez Lemaire, alléguant ainsi tour à tour l'autorité de Boèce et celle de Virgile; chez Bouchet, qui, dans le *Labyrinthe de Fortune*, note en marge de son texte les vers latins que démarque celui-ci :

> Lorsqu'Aurora du ciel eut les estelles
> Quant à nos yeux abscond par façons telles
> Qu'on povoit voir Titan très lumineux
> Chassant de nuyt l'ombre caligineux...

et, en regard : « Jamque rubescebat stellis Aurora fugatis [1]. » Ou, plus systématiquement, poèmes où alternent les deux langues en vertu de règles variables, un vers sur deux ou trois, ou une fois par strophe. Ainsi, dans cinq pièces des *Faictz et Dictz :*

> O quam glorifica luce
> Resplend nostre arche archiducalle!
> Splendor paterne glorie,
> Par sa couronne imperiale

1. *Énéide*, III, 521; Munn, p. 173; Hamon, 1970, p. 248.

> Eslumine cour, chambre, salle :
> Hodie domus domini
> Rechoit pour grâce espéciale
> Donum dei altissimi [1].

Le poète chante « la Nativité Monseigneur le duc Charles ». Le troisième vers, opposé au second, en amplifie le sens référentiel, renvoyant à la gloire de l'archiduc, père du nouveau-né; mais c'est aussi le début d'une hymne d'église. La dernière des neuf strophes du poème accuse cet effet, empruntant ses quatre vers latins au *Veni Creator*. La part latine du texte est parfois réduite à une fraction marquée du vers, hémistiche ou rime, comme dans ce rondeau grivois du *Jardin de plaisance* :

> Ce qu'on fait à catimini
> Touchant multiplicamini
> (Mais qu'il soit bien fait en privé)
> Sera tenu pour excusé
> In conspectu Altissimi...
> Et se vous ingrossamini,
> Soit in nomine Domini :
> Vous aurés à proufit œuvré [2].

Ingrossamini, latin burlesque fabriqué sur le français *engrosser*, bouscule avec ironie le *multiplicamini* biblique. Dans telle oraison de Guillaume Cretin, composée de deux vers latins léonins,

> O Virgo sine ve, domina virtutum,
> Nobis, per hoc Ave, iter para tutum,

que suit un double rondeau français, quelques mots épars empruntés au texte évangélique suffisent à référer à celui-ci le récit allégorique d'un Conseil céleste :

> Respond Marie : Ecce de Dieu l'ancelle,
> Fiat mihi selon ton mot dicté.

Les *Regrez de la mort Philippe* de Molinet opposent en bloc latin et français, marquant métriquement le passage de l'un à l'autre. Vingt huitains de décasyllabes français sont suivis de quarante-sept pentasyllabes latins, rimés avec le plus grand soin aux seconde et

1. Dupire, 1936, p. 359.
2. Schwob, p. 218.

cinquième syllabes : - *a* - - *a* / - *b* - - *b*, et comme plusieurs rimes sont bissyllabiques, ce schème s'y réalise en *ab* - *ab*. Ainsi :

> Vites divites
> Divina vina
> Tronum patronum [1].

Autre technique, dont la tradition, parfois parodique, remonte au XIIIe siècle : les prières « farcies », chaque élément latin (mot ou phrase) de leur texte glosé en français par le reste du vers ou du poème. Le *Pater* et l'*Ave*, prières très populaires, sont en cela privilégiés [2]. L'un et l'autre figurent dans les *Faictz et Dictz*. Chez Cretin, un long panégyrique de la Vierge s'étend sur dix-sept strophes, dont chacune commence par l'un des dix-sept mots de l'*Ave* :

> Ave, Vierge, reyne des cieulx :
> L'ange messager gracieux
> Du haut ciel empiré transmis...   [Strophe I.]

> Maria doit on réclamer,
> Très claire estoille de la mer.   [Strophe II.]

Çà et là, le mot latin initial émerge par équivoque d'un syntagme français :

> *Grace y a* en toi, sainte Dame,   [Strophe III.]

> *Tu y* peux tout, car grand port as
> Vers celuy que neuf moys portas   [Strophe XIII.]

ou d'une syllabe qu'il faut isoler :

> *In*finiz biens voys provenir
> De toy, Vierge.   [Strophe VII.]

A moins qu'un même mot ne soit lisible dans les deux langues :

> *Tu* es la terre non arable.   [Strophe VI.]

Chemin faisant, la strophe VIII reprend le jeu, de coutume ancienne, sur *ave* et son inverse *Eva*, ainsi que le découpage du premier en *A! Ve!* (« ah! malheur! ») :

---

1. Dupire, 1936, p. 415-417 ; Chesney, p. 46-47.
2. Guy, p. 95.

Pris *ave* pour *Eva* sans *ve*
Te demonstre cet avenir.

A deux reprises, Jean Lemaire traite, de manière semblable, une hymne à la Vierge : le *Salve Regina* et l'*Alma Redemptoris Mater*[1]. Le texte latin s'y débite par syllabes, à raison d'une par vers. Le *Salve* canonique compte cent vingt-cinq syllabes; curieusement, Lemaire omet le troisième mot, *mater :* restent cent vingt-trois syllabes, d'où cent vingt-trois vers, en dix strophes de longueur croissante (effet de gradation) : six de onze vers, deux de douze et deux de quatorze, suivies d'un « ainsi soit-il » de cinq vers. Chaque vers dissimule dans son français une syllabe à interpréter en latin; l'emplacement varie, de sorte que le texte-matrice flotte, en banderole, à travers celui qu'il engendre. Enfin, la troisième strophe porte une marque spéciale (en l'honneur de la Trinité ?) : les syllabes révélatrices doivent s'y lire à l'envers. Je cite la fin de la strophe II et le début de III, et imprime en italique les éléments du texte latin :

Je ne quiers pas, par e*spes*se d'envie
Ou par orgueil qui corrompt *nos*tre vie,
Surpasser tous en science abs*tra*ctive
Mais seulement, comme ysope ou *sal*vie,
Vous rendre oudeur en ceste vie acti*ve*.

O noble fleur, que Dieu tant fécun*da*
Que de son germe en yssit l'entele*tte*
Qui vostre clos virgin*al* *ci*rcunda,
Entra, saillit, son siège *am*ple y fonda
Tout sans briser ny *sum*met ny fueillette.

Lisez : « *Spes nostra, salve! Ad te clamamus.* »
A ce bilinguisme, que je désignerai comme « actuel », chaque registre linguistique demeurant (au moins, au terme de la lecture) identifiable comme tel, s'en oppose un autre, « virtuel », auquel j'ai fait allusion plus haut, à propos de l'érudition étalée par les rhétoriqueurs. Boursouflure latinisante (surtout après 1500) du langage de Cretin, de Marot, de Destrées, et que condamne ironiquement Fabri :

Ne putez point tel vocabuliser
Vous diriger en perpulchres termines[2].

---

1. Jodogne, *in* Simone, 1967, p. 204-207; Munn, p. 179-182.
2. Héron, II, p. 116.

Mais (même si d'autre part il multiplie, par opposition, comme un Molinet ou un Marot, les emprunts, mal identifiables du reste pour nous, à la langue familière, populaire, peut-être même argotique...) aucun rhétoriqueur n'échappe à ces prestiges : ceux d'une culture qui s'identifie à leurs yeux avec la noblesse et la gloire. Par le moyen de ces mots rapportés, une relation double s'établit entre leur texte et l'histoire : entre le texte et la pluralité intertextuelle qui le génère, discours de science et d'adoration à la fois, intégré au discours sur le fait.

Conjonctions et duplications

Par « conjonction des discours », je désigne un phénomène complexe, résultant d'une combinaison symbiotique, dans le texte, de deux (ou parfois plusieurs) codes, distincts comme tels mais dont les unités mises en œuvre sont choisies de façon qu'elles puissent être interprétées aussi bien dans l'un que dans l'autre. Sur le plan de la manifestation, il arrive que l'un des codes en question ne soit pas, ou pas entièrement, linguistique : l'opération alors se réalise à partir ou non de sa traduction en langue, ou bien, si les deux codes sont linguistiques, elle comporte un jeu systématique d'équivocité. D'où une triple possibilité de réalisation rhétorique. Je n'insisterai pas ici : un chapitre ultérieur étudiera le fonctionnement de ces éléments.

Par « duplication », j'entends la combinaison disjonctive de deux discours, entre lesquels s'établit, dans le texte, une relation de type « allégorique » impliquant opposition entre lettre et figuration. Chacun de ces deux termes se réalise en une série de formes-sens, les deux séries constituant une surface textuelle unique, productrice d'une double signifiance en abîme. Le fonctionnement de l'opposition n'a pas cependant l'uniformité de l'allégorèse proprement dite. J'en définirai deux modes, analogues mais non identiques, selon que se maintient de façon manifeste la distinction entre *littera* et *sensus litteralis* d'une part, figure et *sententia* de l'autre, ou que la littéralité même du texte en constitue la figuration.

Exemple typique du premier mode : l'emploi de métaphores grammaticales. Là encore, la poésie de langue vulgaire relève, aux xive et xve siècles, d'une tradition qui, en latin, remontait au xiie [1]. Motrice et propédeute des arts du *trivium*, la grammaire bénéficiait d'une autorité éminente : source de tout savoir, elle pouvait en être aussi bien conçue comme le terme synthétisant. Ce n'est point par ironie, mais

---

1. Curtius, p. 512-524; Lehmann, p. 49-56 et 108-109.

en vertu d'une intention critique et philosophique rationnellement fondée, qu'Alain de Lille désignait par les termes de « barbarisme » et de « métaplasme », dans le *Planctus Naturae*, les péchés contre nature; par celui d' « orthographe » le respect de sa loi; par « tmèse » le résultat de la Folie. De tels glissements de registre se rencontreront, au-delà de l'époque médiévale, jusque chez les baroques espagnols, que plus d'une ressemblance, du reste, rapproche des rhétoriqueurs. L'un des devanciers de ceux-ci, Pierre Michault, dans l'allégorique *Doctrinal du temps présent* (1466), donne la parole à douze maîtres — Vantance, Concupiscence, Ambition, et d'autres —, qui à tour de rôle dissertent des déclinaisons, des genres, des formes verbales. Fi du datif : ne donnez rien. Vive l'ablatif : emportez tout. Avec le neutre triomphe l'hypocrite à double face [1]... Ailleurs, la grammaire illustre la joie d'aimer : la beauté de la femme est le livre dont on déchiffre les lettres et les règles.

Certains poètes réfèrent spécialement à la théorie des figures. Mais celle des cas nominaux, qui revendique l'*auctoritas* du Donat ou d'Alexandre de Villedieu, sert le plus souvent de base au système; en partie, je le présume, par suite de l'ambiguïté du mot *cas*, désignant en argot les organes génitaux de l'un ou l'autre sexe, en même temps que, dans l'usage du Palais, une cause judiciaire, d'où une possibilité presque illimitée d'ironie. Rares sont les textes qui ne l'exploitent pas. Des « types » ironiques se constituent : *accusatif* et *datif*, évoquant accusation, chicane, et don intéressé, caractérisent les mœurs viciées de la cour, spécialement celle de Rome, dont c'est un lieu commun de dire qu'elle a perdu le reste de la déclinaison ancienne; *génitif* renvoie à l'acte générateur; *ablatif*, à quelque ablation (castration ou vol); *nominatif*, à la stabilité du nom; *vocatif* à la voix et au langage. Et chacun de ces termes, parfois grevé de connotations juridiques, s'applique indifféremment à une action ou à son agent habituel.

La plupart des rhétoriqueurs se sont exercés à ce jeu, souvent de façon diffuse, les termes grammaticaux surgissant dans leur discours comme des figures épisodiques, sinon des clichés. Un éloge offert par Molinet au jeune roi Louis XII, peu de temps sans doute avant son mariage, sous le titre parodique de *Donet*, fournit l'exemple contraire d'une parfaite continuité métaphorique et d'une constante duplication du sens, le grivois et le juridique ne cessant d'intervenir dans l'enseignement des lois du discours [2] : ainsi, sur les neuf propo-

1. Guy, p. 17-18.
2. Dupire, 1936, p. 681-703 et 1037-1038.

sitions du Premier Donat, qui est la Grammaire élémentaire, pas moins de six cent quarante-huit vers semblablement amphibologiques :

> Il est jeune nominatif,
> Mais qu'il eusist la douce hermine,
> Je crois qu'il sera génitif
> En corpulence féminine;
> Toutefois s'à quelque poupine
> Il se voloit monstrer datif,
> De peur de jalousie fine,
> Garde soy de l'accusatif.

Ce que je gloserai de deux manières : 1. « Il se décline encore au nominatif; mais, s'il était régi par la douce hermine, il se mettrait, selon moi, au génitif, dans la dépendance du corps féminin. Si toutefois, par attribution à quelque fille, il préférait se mettre au datif, qu'il se garde bien de faire l'accord à l'accusatif, de peur d'éveiller la jalousie amoureuse. » — 2. « Il est jeune par son nom (et/ou : par son état royal), mais s'il épousait la douce princesse aux armes d'hermine (Anne de Bretagne), je crois bien qu'il engendrerait une progéniture dans ce corps de femme; et, si malgré tout il lui prenait envie de se montrer généreux envers quelque fille, que, de peur d'éveiller une jalousie amoureuse, il se garde des dénonciations. » Chaque discours comporte ses marques propres. Le texte entier est lisible dans le métalangage des pédagogues traitant de morphologie et de syntaxe latines : un premier effet parodique en résulte. Mais *génitif* appelle *génitoires*, ses variantes ou termes associés en discours érotique : *géniteur*, *géniture*, *génital*, *génitailles; datif* et *accusatif* renvoient au type curial que j'ai signalé.

Autre duplication opérant sur le même mode : l'usage constant (et auquel j'ai fait déjà plusieurs allusions) de désignations empruntées à la mythologie antique [1]. Cette dernière constitue un plan de discours défini comme tel, sous l'appellation de *poétrie*, par divers traités monnayant, à des fins didactiques, au cours du xvᵉ siècle, les connaissances puisées par les doctes chez Ovide, ou dans la *Genealogia deorum* de Boccace. Celle-ci, qui sera traduite en français en 1531, inspire, dès 1400, à Jacques Legrand un chapitre de son *Archiloge Sophie :* « Poétrie est science qui apprend à feindre et à faire fictions fondées en raison et en la semblance des choses desquelles on veut parler [...] Poétrie fut trouvée des sages de Rome, lesquelz ne osoyent clairement ne entendiblement reprendre les mesfaiz et les vices des Romains et pourtant

---

1. Chamard, p. 139; Bergweiler, p. 41-57.

ilz se misdrent à parler feintement et couvertement et trouvèrent plusieurs fictions. Aucuns veulent dire que poétrie est science frivole et sans utilité, car elle apprend à mentir, [...] mais, à mon jugement ceux qui ainsi disent ne savent que c'est que poétrie, car poétrie est fondée en vraye philozophie [1].» La fable mythologique, certes, est mensongère; mais le mensonge qu'elle comporte ne constitue pas un mal comme le serait le mensonge énoncé dans un discours démonstratif; la fable en effet dissimule un sens, dont son apparent mensonge n'est que le masque déclaré : l'idée de cette vérité cachée, à redécouvrir sans cesse, réhabilite la « fiction » comme telle et lie indissolublement poésie et mythologie antique. Telle sera, dans sa *Lignée de Saturne ou Traictié de science poétique*, vers 1516 [2], la doctrine encore de Jean Thénaud, aumônier de François Ier, prédicateur illustre et ambassadeur, doctrine commune à la plupart des poètes de ce temps, et qui tacitement justifie les auteurs d'aide-mémoire fournissant des listes de noms mythiques suivis d'une narration succincte des faits que leur attribue la fable. Ainsi, l'anonyme *Art de seconde rhétorique*, d'environ 1430 [3], énumérant quelque quatre-vingts noms, pêle-mêle, gréco-latins ou bibliques : Adam, Orphée, Pâris, Jason, Sénèque, Jupiter, Narcisse, jusqu'à Marie et la série des métaphores pieuses qui la désignent...

De telles listes sont doublement symptomatiques. D'une part, la connaissance des mythes antiques se situe au seul niveau de l'anecdote; elle comporte lacunes et confusions [4]; d'autre part, aucune frontière nette ne distingue le mythe de l'histoire, profane ou sacrée, ce qui implique une lecture d'ensemble articulée sur les procédés de l'exégèse allégorique plus que sur le déchiffrement des valeurs propres du récit original [5]. La poétrie, selon une expression remontant à Varron, est « théologie figurée ». Mais les dieux dont elle traite ne peuvent sans scandale, en climat chrétien, « figurer » le Créateur. L'interprétation de leur fable marquera donc une tendance à les laïciser : ils personnaliseront, plutôt que des valeurs proprement religieuses, les puissances morales en action dans la société humaine, et cela sur le plan collectif, surtout politique, plutôt qu'individuel [6]. Mais, aussi bien, les anecdotes mythologiques possèdent un charme propre, une luminosité diffuse, un pathétique ou une allégresse auxquels les rhé-

1. Di Stefano, 1971 *b*, spéc. p. 259-260.
2. Holban; Mallary-Masters, spéc. p. 22-23; Jung, 1971 *b*, p. 59-61; Rigolot, 1976 *a*, p. 479-481.
3. Langlois, p. 11-103; spéc. p. 39-48 et 65-72.
4. Huizinga, p. 335.
5. *Ibid.*, p. 341-342; Guy, p. 72; Wolf, p. 63-65.
6. Simone, 1968, p. 189.

toriqueurs, en deçà de toute volonté d'interprétation, sont très sensibles : un goût les porte à exploiter pour lui-même ce pittoresque, et les détourne d'employer de façon uniquement allégorétique les figures qu'il véhicule. C'est ce qu'entend Legrand lorsqu'il distingue « sept manières de poétries, lesquelles sont nommées comédies, tragédies, invections, satires, fables, hystoires et arguments [1] ». Aucun de ces termes n'a le sens qu'on lui aurait donné à l'époque classique : ensemble, ils esquissent une typologie narrative de ce qui apparaît comme la fable d'un âge héroïque, temps immobile et circulaire dont il appartient aux poètes d'aujourd'hui de montrer comment et où s'y projette le nôtre.

D'où la diversité des usages auxquels se prête cette mythologie, à la fois histoire, répertoire de valeurs et rhétorique... comme elle le sera chez Rabelais encore [2]. Je distinguerai entre quatre fonctions qu'en fait elle remplit (parfois concurremment) chez les rhétoriqueurs : fonction d'encadrement, et fonctions dénotative, qualificative ou connotative.

La fonction d'encadrement implique narration : celle-ci s'organise, généralement au début d'un ouvrage de quelque étendue, dont elle fixe ainsi la tonalité générale, référant l'ensemble du texte, par voie de comparaison implicite, au discours prestigieux des anciens auteurs. Il arrive que l'ouvrage entier s'y résolve et ne comporte aucun autre élément que celui-là : la référence s'instaure entre le texte et les circonstances en vue desquelles il est produit. Quant à la narration elle-même, elle peut, à son tour, se manifester sous deux espèces, selon l'enseignement de la rhétorique : *historica* ou *fictilis*.

Narratio historica (puisque résumant quelques récits des *Métamorphoses* d'Ovide) dans cinq des *Dictz Moraulx* de Baude racontant l'aventure de Jupiter et d'Europe (n°1, le plus long texte du recueil), de Léda (n° 2), de Tantale (n° 4), de Phébus (n° 6) et de Cadmus (n° 7) : avec les numéros 3 et 5, sur lesquels je vais revenir, ces *Dits* constituent un ensemble que précède la rubrique « Histoire poétique », groupant sept poèmes, soit un septième du recueil, puisque celui-ci en compte quarante-neuf (si l'on tient pour authentiques les morceaux ajoutés après l'*explicit*). Ces nombres pourraient n'être point fortuits, et souligneraient fortement l'effet recherché de référence héroïque, celle-ci se projetant sur le cycle entier des tapisseries ainsi commentées [3].

---

1. Di Stefano, 1971 *b*, p. 261.
2. Dermerson.
3. Scoumanne, p. 59-65 et 83-91.

Narratio fictilis, dans le *Petit Traictié soubz obscure poétrie* de Molinet, lamentation amoureuse de Phaéton, en prose, mais présentée, par une tirade initiale en vers, comme une allégorie du discours de l'auteur. Très chargé d'allusions mythologiques et, curieusement, entrecoupé de versets de psaumes en latin, ce monologue s'achève par huit vers de l'acteur : tels sont les jeux de nos dames... D'une autre manière, même effet au début du *Voyage de Gênes* de Jean Marot : pour introduire l'histoire de la révolte des Génois et de l'expédition punitive montée par le roi de France, le poète évoque, sur l'Olympe, la lassitude de Mars et de Bellone, excédés d'une trop longue paix et s'exhortant l'un l'autre à de nouvelles entreprises [1]. De même, la partie centrale de la longue complainte composée par Cretin sur la mort de Guillaume de Bissipat transporte le lecteur au sommet du Parnasse, où dieux et héros, assemblés autour de Jupiter, célèbrent les obsèques du défunt, dont les Muses prononcent l'éloge. Ce récit s'enchâsse dans le discours du poète, auquel le lie le type-cadre du songe ; le texte se construit ainsi en gradation pyramidale : constat de la mort et douleur de Cretin, sommeil dû à l'épuisement de ce deuil, songe (scène mythologique fictive), réveil provoqué par le tonnerre final de Jupiter, conclusion lyrique. Tous les fils dont est tissé le poème convergent vers le mythe héroïque [2].

Les trois autres fonctions que peut remplir la mythologie ont en commun de ne pas se manifester en narration explicite. S'il apparaît un élément de récit, celui-ci demeure accessoire, généralement allusif. Le nom seul suffit, le plus souvent, à opérer la référence nécessaire à l' « histoire » mythique, dont la connaissance est supposée connue, bien culturel commun des gens de cour. Cet écrasement des distances relationnelles est particulièrement net dans l'exercice de ce que je nomme la fonction dénotative, que l'on pourrait dire aussi bien emblématique : Mars pour la guerre ; pour l'Amour, Vénus ou Cupidon. La figure se distingue à peine ici de la *personificatio*, à laquelle la lie la pratique de l'allégorèse. Pourtant, un trait l'en sépare : si le nom mythique en effet s'intègre à un discours allégorique, le récit que comporte celui-ci trouve sa cohésion sur un plan autre que mythologique ; il se produit, au niveau du nom, une furtive rupture d'isotopie, aussitôt, il est vrai, compensée, par transfert de *Mars* ou *Vénus* du statut d'emblème à celui d'idée, et leur traduction en *Guerre* et *Amour*. *Amour*

1. Dupire, 1936, p. 704-708 ; Trisolini, p. 84-88.
2. Chesney, p. 78-79.

173

ou *Guerre*, personnifiés et narrativisés dans l'allégorèse, confrontent directement la « lettre » à la « sentence »; *Vénus* ou *Mars* opèrent indirectement, par la médiation de l'idée, en vertu d'une codification posée par la poétrie.

Cette procédure se réalise de diverses manières. Par allusion simple : les premiers vers de la complainte de Cretin sur Bissipat sont tissus d'allusions à Mars et à Vulcain, signifiant les horreurs de la guerre dont fut victime l'illustre défunt [1]. Par allusion complexe : dans sa complainte sur la mort d'Okeghem, le même Cretin donne successivement la parole aux dieux de l'Olympe et aux musiciens célèbres de l'histoire ancienne ou récente, pour déplorer cette triste perte; puis il interpelle les poètes aujourd'hui disparus dont le génie lui serait nécessaire pour atteindre la hauteur de sa tâche. L'objet du discours est situé ainsi au point de convergence de trois ordres de vérité : les puissances de la Nature, l'Art dont Okeghem fut le représentant insigne, et la Parole poétique, dont moi Cretin suis l'indigne dépositaire, triple réel qu'unit et confond la même douleur, à laquelle il fournit son universelle référence [2].

Par allusion narrativement amplifiée et glosée; ainsi, le *Dit* n° 3 de Baude. L'allusion — ironique — renvoie au dessin. De même, le numéro 7, sur les Parques [3]. Plus rarement, une *narratio fictilis* étendue est suivie d'une glose en explicitant la signification. Ainsi, la *Ballade poétique* de Robertet : les sept premières strophes racontent les événements qui, dans l'imagination du poète, précédèrent les noces de Zéphyr et Flora. Une distribution actantielle complète structure le récit : le sujet Flora, en quête de l'objet Zéphyr, se dirige vers un lieu de béatitude, l'Olympe, où l'attendent en festoyant les dieux ; agressée par les opposants infernaux, elle reçoit l'appui des adjuvants héroïques qui forment la cour de Jupiter, d'où son triomphe et son intégration finale au chœur des divinités. Cependant, la huitième et dernière strophe interprète allégoriquement celles qu'ainsi elle conclut :

> Au sens moral de ceste fiction,
> Par Zéphyrus prends l'espoux pardurable
> Qui, désirant nostre salvation,
> Voult espouser la fleurette notable
> Par qui j'entends nostre âme raisonnable.

1. Chesney, p. 73-74.
2. *Ibid.*, p. 67-73.
3. Scoumanne, p. 87 et 89.

174

Mais *fleurette*, en même temps qu'à la forme hypocoristique de *Flora*, renvoie circulairement au refrain, huit fois répété, du poème :

Pour décorer la joyeuse fleurette [1].

La fonction « qualitative » transforme en son substitut hyperbolique le nom littéral que le lecteur a relevé plus haut, ou relèvera plus bas dans le texte, dans le titre peut-être, voire dans le contexte circonstanciel. Tel hobereau bourguignon pourfendeur de Français se nomme Alexandre ou Titan; tel principicule, Salomon ou David. Le langage protocolaire des cours entérine l'usage de telles figures... jusqu'à prénommer, comme dans les maisons d'Este ou de Rohan, des nouveaunés Hercule [2]. Le *Chappelet de dames* de Molinet, vers 1479, énumère et vante les vertus féminines illustrées par une cohorte de dames dont les perfections culminent en la personne de Marie de Bourgogne : le cadre général du récit est allégorique; le discours de louange, historique, cite une quinzaine de princes ou princesses contemporains du poète; mais, de strophes en passages de prose et l'inverse, celui-ci sème les références au temps des héros, plus bibliques du reste que mythologiques, puisqu'il s'agit de faire valoir un modèle de sainteté : Argia, Agrippine, Artenisia, Rebecca, Rachel, Ruth, Rahab, et d'autres, avec le roi Arthur et les princes canonisés, saint Edgar, saint Edwin [3]. Même procédé dans les rondeaux par quoi prend fin la *Vray disant Advocate des dames* de Jean Marot, panégyrique d'Anne de Bretagne [4]. Dans sa vingt-cinquième *Epistre familière*, Bouchet, décrivant en termes idylliques les forêts poitevines, évoque les meutes de chasseurs qui les hantent :

Et si cuidois en ces forestz et boys
Trouver chasseurs par chiens et leur abois
Et mesmement Melager et Dyane,
Hypolitus, Mytridates et Crane,
Endymion, Helymus, Panopès,
Mopsus, Procris, Crocus, Philotétès,
Tous grands veneurs de toutes bestes noires [5].

L'accumulation des noms remplit (ici, à titre secondaire) une autre fonction : celle que je désigne comme « connotative » et qui se mani-

1. Zsuppan, p. 95-101.
2. Joukovsky, p. 137-138; Doutrepont, 1970, p. 143-146; Jung, 1966, p. 159-160.
3. Dupire, 1936, p. 108-126.
4. Lenglet, p. 313.
5. Beard, I, folio 26.

feste au niveau du discours entier, ou de parties étendues de celui-ci. Le Nom propre, dépourvu de sens littéral, forme semi-vide, signifiante par sa seule appartenance au paradigme mythologique, y introduit un sème connotatif diffus : « cela est de l'ordre de la poétrie », « cela s'appuie sur l'autorité des Anciens et les règles nobles de la fiction ». L'effet produit est plus ou moins net selon la densité de ces références. Le rhétoriqueur procède de préférence par longues séries cumulatives, concentrées en des lieux stratégiques de son texte.

Il n'y a pas, me semble-t-il, d'illustration plus claire des trois fonctions ainsi distinguées que l'étude de M. R. Jung sur le nom d'Hercule : à la fois, durant la seconde moitié du xve siècle et tout le xvie, désignatif de personnage romanesque (chez Raoul Le Fèvre, chapelain du duc Philippe le Bon et auteur du *Roman du fort Herculès*, 1464), figure de tapisseries allégoriques, de jeux scéniques, et d'une longue série d'entrées princières entre 1490 et 1660, nom ou surnom de divers potentats, parangon emblématique de François Ier et de plusieurs de ses successeurs [1]... Il reste que, à travers le maniement de ces souvenirs mythologiques, une idéologie nouvelle (dans le contexte diffus de l'universelle remise en question germant au sein de l' « humanisme ») tend à se constituer : emblème de l'Amour (quelle que soit l'énergie que désigne ce mot), Vénus renvoie simultanément à un passé mort, codifié par la poétrie, et à un mode de penser « moderne », qui aspire à articuler en langage une perception laïcisée des puissances vitales. Le terme *Vénus* n'est plus neutre : épisodiquement, ne le voilà-t-il pas qui réfère, de façon timide encore, à quelque aspect mystérieux du destin qui nous détermine ? Il ne semble pas que, chez les rhétoriqueurs, cet effet, virtuellement philosophique et plus ou moins néoplatonicien, prédomine jamais. Cependant, il serait imprudent d'en exclure tout à fait la présence active à l'arrière-plan des discours.

Le second mode de « duplication », selon la terminologie proposée, abolit les marques d'écart entre lettre et sens figural, au point d'effacer toute distinction externe entre elles. La démultiplication sémantique n'en est pas moins produite. La lettre engendre simultanément le *sensus litteralis* et la *sententia* (en quoi le procédé tient au premier mode de duplication), mais (et c'est en quoi il en diffère) la saisie de cette *sententia* s'opère par la médiation soit d'un type-cadre, soit d'une distribution particulière, aisément identifiable par les usagers, des éléments linguistiques et stylistiques.

1. Jung, 1966, p. 16-28, 31-39, 159-163, 203.

La forme favorite, chez les rhétoriqueurs, de distribution ainsi connotative est sans doute la figure que les théoriciens médiévaux désignaient des termes d'*interpretatio* ou, plus précisément, d'*expolitio* [1] : je traduirai « accumulation », entendant une manière d'outrance dans l'addition d'éléments discursifs à fonction identique. Nous venons d'en repérer l'application aux noms mythologiques; je l'ai signalée à propos du discours politique; mais son ère d'extension est beaucoup plus vaste, embrassant tout élément syntagmatique, nominal, verbal ou qualitatif, en n'importe quel contexte. Je cueille des exemples au hasard. Accumulations de noms propres typiques (ici, référant ensemble au discours idyllique) :

> Galathea, la bonne pastourelle,
> Et les bergiers que tenoit entour elle,
> Firent devoir d'acoustrer le bancquet.
> Lors Girardin, Coppin, Thyerri, Pacquet,
> Guyot, Lorin, Verdureau, Ysambert,
> Laubin, Gombault, Guillory, Jehan Trimbert,
> Le franc Gonthier, Gringuenault et Titire
> Chantans Noël vindrent là tous de tire.
> Bricquet, Narquet, Ysoré, Alloris,
> Tout arriva.

Il s'agit d'inviter Charbonnier, correspondant de Cretin, à goûter la douceur de vivre,

> Et plus n'orrons parler que d'amourettes [2].

Accumulations de désignatifs, comme dans la ballade de Robertet « pour une dame appelée la Cerise » :

> Pommes y a de mains arbres yssans,
> Poires aussi, de diverse fainture,
> Prunes et coings en beaulx jardins croissans

et noix, mûres, châtaignes, nèfles, cormes, avelines, mais non moins les fruits plus prestigieux de pays exotiques, limons, oranges, citrons, grenades, dattes même, de quoi emplir dix vers et la corbeille d'une Nature généreuse, étendue « d'icy en Carthage », dont la cerise, produit le plus exquis, figure ainsi la quintessence de l'univers et du savoir. Dans le *Voyage de Gênes*, on a compté huit énumérations de

1. Faral, p. 63; Lausberg, § 751 et 830-842.
2. Chesney, p. 267-268.

bruits divers, sept d'armes, cinq de guerriers, quatre d'étendards [1]...
Accumulations de verbes, comme, dans la *Ressource du petit peuple*,
la strophe :

> Trenchiez, copez, detrenchiez, decoppez,
> Frappez, haspez...

amoncelant une vingtaine de quasi-synonymes. Mais la *Ressource* joue sur la gamme complète de ces possibilités. Dès le prélude s'accumulent des séries de qualificatifs, puis de noms allégoriques, de noms mythologiques, de désignatifs, de verbes, et le cycle recommence, entraîne les structures de phrases mêmes, itératives, répétitives ; le monologue de Vérité reprend ces procédures : accumulations de modèles phrastiques, de circonstanciels, de verbes, de noms, de désignatifs groupés vers à vers en paradigmes sonores par jongleries préfixales...

Ces figures parsèment la suite de l'ouvrage, pour disparaître subitement au moment précis du départ en pèlerinage, c'est-à-dire à l'instant narratif où survient à la fois un changement de lieu et un transfert temporel, de l'atrocité du présent à l'avenir espéré. L'accumulation est ainsi fonctionnalisée à un second degré, dans le plan du texte comme tel, dont elle fournit l'une des marques formelles et signale un plan immanent de référence : la totalité quantitative de l'univers.

Souvent, l'accumulation se combine, dans le discours, avec l'antithèse ; ainsi, dans la treizième *Epistre morale* de Jean Bouchet :

> Qui les effetz veult de mort compasser,
> On trouvera qu'elle conduit et mène
> De grant souffrète à richesse certaine,
> De grans périlz à toute sûreté,
> De tout malheur à grand bienheureté,
> De lieux ombreux à parfaite lumière,
> De la bataille à victoire plénière,
> De grand angoisse à consolation,
> De triste deuil à exultation,
> De maladie à santé copieuse,
> De convoitise à charité joyeuse,
> De courte vie à jamais ne mourir [2].

Nul doute que les innombrables poèmes de rhétoriqueurs marqués par cette figure ne comportent la même fonctionnalisation seconde,

---

1. Zsuppan, p. 90-91 ; Trisolini, p. 33-34.
2. Beard, I, folio 42.

extrinsèque, déterminée par son emplacement dans la chaîne du discours. A la limite, l'accumulation tend à se confondre avec la totalité de celui-ci, dans la « litanie », forme burlesque parodiant le procédé liturgique de ce nom, et dont, chez les rhétoriqueurs, Molinet fournit un exemple isolé *(Letania minor)*, ou que Meschinot ironise en une quadruple ballade invectivant l'amour vénal et louant le véritable :

> Amour tance les cœurs qui sont dormans,
> Amour souffre qu'on lise les romans,
> Amour parfait le vouloir de jeunesse...

et la suite de telle manière que l'ensemble des premiers hémistiches, lus verticalement, constitue les litanies contradictoires d'une passion toute-puissante [1].

Du moins, intrinsèquement, en tant que structure disponible, l'accumulation produit-elle, dans tous les cas, un double effet. Lexicalement, elle valorise à la fois la quantité et le concret, par opposition aux pures qualités abstraites : elle nomme les choses, les appelle à l'existence, *hic et nunc*, les juxtapose, dans leur désarroi, sans les coordonner ; elle engendre par là comme un excès de réalité qui en corrode la vraisemblance : c'est en ce sens que Bakhtine la compte parmi les figures carnavalesques [2]. Syntaxiquement, selon l'élément sur lequel elle porte, et que le lien syntagmatique attache à un autre élément non cumulatif, elle disperse, écartèle, démantibule : un sujet grammatical, qui demeure unique, transite en verbes décuplés, ou l'inverse ; sur un même nom s'abattent vingt qualifications différentes, dont la collection paraît un fruit du hasard. Discours descriptif réduit à des suites d'unités dissociées, l'accumulation exige de l'univers qu'il soit — qu'il soit dit —, mais qu'il soit hors de tout « bon sens ».

---

1. Dupire, 1936, p. 1032 ; Martineau-Genieys, 1972 *a*, p. XXXIX.
2. Huizinga, p. 313-314 ; Guy, p. 86 ; Maurin, p. 484 ; Bakhtine, 1970 *b*, p. 279.

Les formes globales

L'usage de certains « genres littéraires » implique (non moins que les procédés analysés dans le chapitre précédent) le second mode de *duplication :* celui en vertu duquel, écrivais-je, « la littéralité même du texte en constitue la figuration ». Je n'entends point le terme, hautement contestable et contesté, de *genre* dans le sens normatif qui lui est trop souvent encore attribué. Il dénote plutôt, dans mon intention, un mode de programmation, un « système modélisant », au sens où l'entend Lotman, structurant le sens[1] : une forme globale, une *fiction* conventionnelle, existant comme telle hors texte, mais qui, lorsqu'elle se réalise en discours, intègre, à un ensemble socio-culturel doué de signifiance propre, la série d'énoncés constituant le texte. Toutes les formes discursives utilisées par les rhétoriqueurs ne tombent pas sous cette définition; plusieurs, en revanche, très fréquentes dans leur œuvre, l'illustrent assez clairement pour produire l'effet intertextuel en cause.

Toute énumération pèche par défaut ou par excès : le formalisme de la tradition n'est, ici plus qu'ailleurs, pas tel qu'une liste tranchée ne mutile la réalité concrète, ne risque de démanteler telle construction complexe, embrassant plusieurs modèles parfois contradictoires. Des tendances générales demeurent néanmoins perceptibles. C'est donc avec quelque réserve que je nommerai une douzaine de « genres » fonctionnant, dans la majorité des cas, par duplication. Les uns, même s'ils remontent à quelque pratique latine, voire vulgaire, ancienne, ont reçu des premiers « humanistes » une dignité nouvelle et, souvent, des caractères rhétoriques propres. C'est ainsi que les rhétoriqueurs, retrouvant à leur manière, tantôt pompeuse, tantôt badine, un pédantisme en vogue chez les poètes italiens, encadrent le discours poétique de l'une ou l'autre des fictions qui fondent le traité, le « discours », le dialogue, formes rajeunies des *tractatus, quaestio* et *disputatio* scolastiques, ou celles qui constituent l'épître[2]. Une relation globale s'établit

1. Corti, 1976, p. 158-169; Lotman, p. 40-55; Jenny, p. 264.
2. Kristeller, 1974, p. 5-15; Buckhardt, I, p. 172-185.

ainsi entre leur poème (quelle qu'en soit la teneur) et tel type d'énoncé autre, possédant ses lois et sa dénotation didactique. Cette relation parfois s'inverse en parodie; elle ne change pas pour autant de nature. De même, lorsqu'il s'agit de « genres » plus manifestement référés au jeu de la cour : épigramme, épitaphe, pastorale. D'autres « genres », d'origine vulgaire, n'en sont pas moins, ou sont plus encore, codifiés : ainsi, le blason.

C'est à la fois au traité et à l'*oratio* humanistes que renvoie le « doctrinal », exposant à un auditeur individuel ou collectif quelque point de morale : le texte revendique l'autorité de la *doctrina*, science des « doctes », solidement adossée à la Vérité qu'elle explique et confirme, qu'il y soit question de bonnes manières, de vêtement honnête, des avantages du silence ou de la voie de paradis [1]... Le *Séjour d'Honneur* d'Octavien de Saint-Gelays en constitue l'exemple le plus ambitieux, car son objet n'est rien de moins que l'art de vivre. Mais, mis en œuvre dans le cadre du songe, narrativisé par allégorèse, il déborde le doctrinal, qu'il embrasse et énonce en plusieurs de ses parties. D'autres poètes, jouant ouvertement d'une pluralité de registres, condensent en un nombre significatif de courts poèmes à forme fixe la matière de leur sermon; ainsi, le *Chappelet des princes*, présenté par Bouchet en 1517 au jeune François de La Trémoille : cinquante rondeaux et cinq ballades entortillés au tronc d'un discours saturé de souvenirs provenus des *regimina principis* de l'âge précédent non moins que des « civilités puériles et honnêtes »... J'ai cité déjà les vingt-quatre rondeaux du *Doctrinal des princesses* de Jean Marot (1520), évoquant aimablement les deux douzaines de vertus requises de ces hautes dames . l'opuscule, sous le couvert de son titre, se charge de valeurs connotatives et, par là, figurément, de l'éminente dignité que l'idéologie régnante leur attribue.

Les formes scolastiques de la controverse didactique, *disputatio* ou *questiones*, reprises et affinées par les humanistes [2], se fondent dans la tradition des « genres dialogués » de la poésie de langue vulgaire, qu'elles haussent au même niveau de véridicité : le plus souvent, mais non toujours, marqué du titre de « débat », « conflit », « pluriloge », ou autres semblables, ce cadre typique, utilisé par tous les rhétoriqueurs, constitue l'un des traits généraux de leur poétique... encore qu'ils le partagent avec d'autres poètes de cette époque. Le dialogue explicite

---

1. Simone, 1968, p. 179-180.
2. Marin, 1971, p. 60; Corti, 1973, p. 157-163; cf. Dupire, 1932, p. 126-127.

un discours unitaire dont il manifeste la pluralité d'intentions. Il part d'une présupposition latente : ce qui est (im)posé n'est pas dit. Ou bien le discours se construit d'interrogation en réponse : « Veux-tu la gloire ? » signifie « Acquiers-la »; et l'échange de ces propos, plus que la valeur même échangée, occupe l'horizon de ce qui s'énonce; il est ordre ou interdiction; la valeur fonctionne comme référence externe. Tantôt, la question se déploie, argumente, et la réponse n'apporte qu'une brève conclusion, satisfaisante ou déceptive; tantôt, à l'inverse, la question ne fait que provoquer l'énoncé ou la suite d'énoncés formant la réponse. Dans l'un et l'autre cas, l'élément discursivement le plus sommaire tend à l'effacement; l'autre, au monologue. Mais le lecteur à son tour s'interroge : tout monologue n'est-il point un dialogue virtuel ? Ne dissimule-t-il pas nécessairement l'Autre, et son discours tu ? On peut le penser, mais jamais, dans le « débat », le rhétoriqueur ne franchit cette limite extrême d'ambiguïté... que transgressent en revanche les auteurs des textes scéniques que l'on désigne du nom de « monologues dramatiques ». Certes, dans la mesure même de la théâtralité foncière de cette poésie, tout poème énoncé à la première personne pourrait être considéré comme un dialogue sans interlocuteur manifesté : un soliloque, où le même *je* assume le dialogisme de son discours. Mais, dans le « genre » dont je m'occupe ici, l'apprêt matériel du texte comporte, sans exception, un indice dialogique : noms d'interlocuteurs ou, à défaut, retournement périodique des pronoms allocutifs — *je* et *vous* s'intervertissant de phrase en phrase, de vers en vers, de strophe en strophe.

Un autre type de débat, plutôt qu'interrogation explicite et réponse, oppose deux discours d'argument incompatible, qu'une conclusion postiche feint parfois de réconcilier en une proposition pluraliste, à moins que raison ne soit donnée à l'un, et tort à l'autre : juxtaposition disjonctive, que suit ou non une conjonction terminale. Du moins, quel que soit le type réalisé, le « débat » (contrairement au « jeu parti » des trouvères ou à la « dispute » universitaire) n'est dialogue que par fiction : *je* et *vous* renvoient, sur le plan narratif, à des actants divers; mais l'énonciateur se déclare unique sous son protéisme. Le dialogisme du discours émane du rapprochement de parties monologiques et des effets produits par leur alternance. Chacune à leur tour, les voix s'élèvent du même lieu discursif, défini par les paramètres *ego*, *hic*, *nunc* : liées ainsi à une « situation » à laquelle s'intègre ce qu'elles disent, soit directement (si elle en est l'objet référentiel), soit virtuellement (si elle en constitue la circonstance). D'où, de part en part, une pluralité de contextes continus (en principe, un par interlocuteur) et d'incessantes transformations sémantiques dès qu'on passe d'une réplique à la suivante. Dans le dialogue « réel », l'effet tend au pragmatique. Le « débat », dialogue fictif, se réduit à ces jeux de signification, cependant que l'incessante virevolte de *je*, de *tu*, gomme (dans ce discours ainsi fissuré et qu'aucun élément ne totalise) toute présence d'un sujet ultime.

D'un point de vue descriptif, deux principes de classification se conjuguent pour ordonner un corpus numériquement considérable [1] : selon la nature des actants ou celle des fonctions narratives, implicites ou explicites.

Les interlocuteurs du débat peuvent être allégorisés, soit à partir de désignatifs abstraits ou collectifs, soit par personnification de « choses » : ainsi, le *Dyalogue de Vertu militaire et de Jeunesse françoise* de Jean Lemaire, déjà cité, ou, de Molinet, les débats de la *Chair et du Poisson* et d'*Avril et de May*. Ailleurs, des interlocuteurs humains, nommés en vertu de leur appartenance sociale (*dame*, *chevalier*, ou autres), figurent soit chacun une collectivité différente, soit deux parties d'une collectivité déchirée, ou deux opinions également justifiables selon les normes de celle-ci. Exemple, chez Cretin, le *Débat de deux dames sur le passe-temps des chiens et oiseaux* et d'André de La Vigne, l'*Estrif du Pourvu et de l'Électif*. Le nom propre n'apparaît jamais, à moins qu'il ne se prête à une dépersonnalisation généralisante : nom mythologique ou celui de quelque noble défunt, voire d'un roi. Parfois, un interlocuteur humain dialogue avec une figure allégorique : ainsi, en particulier, lorsque, sous le nom d'« acteur », comme dans la *Ressource du petit peuple*, il réintroduit l'auteur au niveau de la manifestation narrative.

Les actants fonctionnent, alternativement, en vertu d'un schème narratif latent, rarement explicité tout à fait : questions, réponses, ou énoncés contrastifs relèvent des *argumenta* exemplaires de la rhétorique, dont l'enchaînement et l'opposition sont à la fois déterminés et délimités par les divers types de discours traditionnels qu'empruntent les interlocuteurs, avec le jeu des constantes et des variables qu'ils comportent : discours « politique », dans le *Débat de l'aigle, du harenc et du lyon* de Molinet; discours « éthique », selon le modèle des « estats du monde » (ainsi, le parodique *Débat du vieux gendarme et du vieil amoureux* du même Molinet), celui des Vices et Vertus (*Débat de Doctrine véritable et Humaine Discipline* de Bouchet), celui de Vraie et Fausse Joie (*Conflict de Bonheur et de Malheur*, du même); discours de « courtoisie », selon le schème des plaisirs de cour, comme dans l'exemple cité de Cretin, où les deux dames disputent des mérites respectifs de la chasse à courre et de la fauconnerie; ou selon les propo-

1. Guy, p. 112-118.

sitions figées de la « fine amour » (ainsi, de Cretin encore, le *Playdoyé de l'amant doloreux*); débats pour ou contre les femmes, le mariage... Encore faut-il pour fonder discursivement le « débat », entre les deux positions figurées, une différence : parfois, c'est le code choisi lui-même qui l'implique (Vices *versus* Vertus); ailleurs, la disparité des éléments se prête à l'amplification paradoxale de l'un ou l'autre d'entre eux (ainsi, de la « fine amour »); mais les propos de l'un des interlocuteurs peuvent aussi bien constituer l'inversion ironique d'un code homogène. Ces différences à leur tour se réalisent de deux manières : ou bien, par simple juxtaposition antithétique et compa-raison, avec revendication double de prééminence; ou bien, une argu-mentation d'apparence logique tend à produire une conclusion défi-nitive, qu'un artifice rhétorique parfois suspend.

Il arrive que le « débat » s'intègre à un ouvrage de longue haleine, dont il constitue un ornement épisodique. Ainsi, dans l'*Abuzé en cour*, dans l'*Apparition du Mareschal Sans Reproche* de Cretin, qui s'achève par un dialogue entre l' « acteur » et feu le maréchal de Chabannes; ainsi, dans la partie centrale de la longue complainte sur Guillaume de Bissipat, du même, ou dans le *Voyage de Venise* de Jean Marot. L'*Instructif de seconde rhétorique* mentionne, d'un même souffle, parmi les figures servant à « excuser plusieurs faictures », l'élision, la syncope, la synonymie, l'équivoque et le dialogue [1]... On ne saurait mieux donner raison à Bakhtine, qui qualifiait de carna-valesques les genres dialogués.

L'effet dialogique est d'autant plus puissant que les répliques s'abrègent davantage. Le xve siècle, et les rhétoriqueurs en particulier, découpèrent ainsi, en suite haletante de questions et de réponses, la forme relativement brève de la ballade, celle même, plus brève encore, du rondeau :

> — Que souffres-tu ? — Meschef. — Quel ? — A outrance.
> — Je n'en croys riens. — Bien y pert. — N'en dys plus!
> — Las! Je feray. — Tu perds temps. — Quelz abus!

Ainsi dans une lamentation de Meschinot sur les malheurs du royaume. Ou bien, dans la première strophe d'un chant royal de Parmentier, où s'interpellent les équipages de deux navires allégoriques; ainsi encore, dans certaines soties, ou, de façon quasi emblématique, dans l'épitaphe que Lemaire rima pour son maître Molinet, et où il le fait dialoguer avec Chastellain :

---

1. Jodogne, 1961, p. 71.

— Est-ce donques celui tant connu Molinet ?
— C'est lui seul qui mouloit doux motz en molin net [1].

Le discours brisé, réduit à une suite d'interrogations suspensives et de réponses laconiques, manifeste le propre de tout « débat », souvent occulté par la seule longueur des phrases : un chassé-croisé de questions et de répliques à tâtons dans l'obscurité d'une absence.

Inversement, élevé aux sublimités du *stylus nobilis*, dans les ouvrages politiques les plus solennels, le « débat » parfois s'amplifie en pluriloge, à peine distinct de ce que serait le livret d'un jeu de scène : quatre, cinq personnages ou plus, généralement allégorisés, énoncent leurs discours contrariés ou complémentaires entre lesquels, puisqu'il faut trancher — et en faveur du maître et de sa vraie gloire —, intervient l' « acteur » pour en tirer la conclusion vraisemblable. Une longue série de textes se construisent ainsi, du *Lyon couronné* de 1467 et d'une douzaine d'ouvrages de Molinet (dont, en partie, la *Ressource*) au *Voyage de Gênes* de Marot, quarante ans plus tard. Huizinga, comparant ces procédures à certaines tendances de la peinture d'alors, décelait dans ce goût du discours direct (à la limite, éliminant tout ce qui n'est pas lui) l'équivalent de la primauté picturale du vif, du brillant, l'effet du sentiment profond que la beauté, plus encore que forme concrète, est d'abord lumière [2]...

En vertu de la dispersion géographique et aussi de la force des liens personnels entre partenaires du Grand Jeu, l'épître est l'une des formes de discours les plus profondément enracinées dans la pratique des rhétoriqueurs [3]. J'ai signalé, dans un précédent chapitre, que de grands seigneurs même s'y exercent, à leur imitation, comme le montre l'exemple du bailli d'Estellan et de ses compagnons. Certes, le « genre » de la missive en vers n'était point tout à fait une nouveauté : Georges Chastellain, après Christine de Pisan, en avait transmis le modèle à Baude, à Molinet (le recueil des *Faictz et Dictz* en contient une dizaine); passé 1495-1500, une mode s'en empara, sans doute encouragée par le succès de l'épistolographie latine, que cultivaient alors, à la cour royale, Fauste Andrelini et, en plusieurs lieux de France et d'Italie, les « humanistes » de cette fin de siècle [4].

1. Martineau-Genieys, 1972 *a*, p. LXI; Ferrand, p. 17; Nelson, p. 279-284; Stecher, IV, p. 318-320.
2. Huizinga, p. 302-303.
3. Guy, p. 105-122; Becker, 1967, p. 558-559; cf. Mandrou, p. 42-44.
4. Tournay-Thoen, p. 69-72; Burckhardt, I, p. 172-174.

La tradition des *Rationes dictandi* avait, dès le XIIe siècle, fixé les règles constitutives de l'épître latine, de manière assez lâche du reste pour permettre d'infinies variations : salutation (pour laquelle on recommande d'équivoquer sur le nom du destinataire); *captatio benevolentiae*, dont il existe plusieurs modes selon que, pour influencer l'esprit de ce dernier, le destinateur adopte son propre point de vue, dissimulé sous des protestations de modestie, ou celui de l'autre, en termes d'éloge, ou bien encore part de l'exposé de circonstances, personnelles (amitié, reconnaissance) ou impersonnelles (importance ou agrément de la matière); la narration des faits; la requête; la conclusion [1]. Les épîtres des rhétoriqueurs suivent, sauf exception, ce modèle. Néanmoins, il ne semble pas que la forme poétique épistolaire ait été tenue avant le XVIe siècle pour vraiment distincte; elle n'est, pour la première fois, signalée comme telle que dans le septième des *Arts* publiés par Langlois, et daté d'environ 1525 [2].

L'argument, imprévisible, n'entre pas dans la définition de l'épître : tous les discours, tous les thèmes y trouvent un cadre également propice. Sous le prétexte d'un échange de messages, les énoncés les plus divers revendiquent — et s'intègrent — valeurs et significations contextuelles propres à la situation épistolière. La variable ici réside dans la référence liant le texte à cette situation : de la représentation d'une pratique vécue à la pure fiction. La nature des correspondants se prête en revanche à un classement typologique. Certaines épîtres remplissent quelque fonction de lettre missive (même si elle n'est que feinte) du seul fait que, signées par le poète, elles s'adressent à un individu réel et contemporain : confrère, ami, protecteur, mécène. Les épîtres échangées entre rhétoriqueurs constituent un groupe d'un intérêt particulier : l'éloge hyperbolique du destinataire, que rehausse l'humilité de l'expéditeur, illustre en apparence une foi assez puérile en la gloire littéraire; mais il signifie (par l'adoption même de ce lieu commun humaniste) une revendication quasi royale à l'égard du langage, que seul l'illustre confrère est censé dominer comme un empire, en concédant en fief quelque parcelle à ses imitateurs. Ainsi, des trois épîtres, l'une en vers, l'autre en prose, la troisième mêlée de l'une et des autres, adressées à Chastellain par Robertet; des deux épîtres échangées par Bouchet et Parmentier; de celle, en prose et vers, de Molinet à Cretin; ou de celles de Cretin, avec Bouchet le plus fertile épistolier de ce temps, à Lemaire, à d'autres.

Épîtres à quelque ami, destinées à circuler dans un cercle qu'unifie

---

1. Murphy, p. 15-19.
2. Langlois, p. 271; Zsuppan, p. 50-51.

la pratique d'un art, d'un sport, de conversations plus ou moins fréquentes. Ainsi, de plusieurs épîtres de Cretin; mais, surtout, de celles que publia tardivement Bouchet sous le titre d'*Epistres familières:* cent vingt-sept épîtres étonnamment (de la part d'un rhétoriqueur) pauvres de recherches formelles, chronologiquement étalées sur près de quarante années et adressées, pour la plupart, à des habitués des réunions amicales qui se tinrent à l'abbaye de Fontaine-le-Comte, auprès d'Antoine Ardillon, ou à celle de Ligugé, chez Geoffroy d'Estissac, le protecteur de Rabelais [1].

Épîtres d'éloge ou de requête à tel grand personnage, dont on attend protection, subside ou simplement reconnaissance : ainsi, plusieurs de Molinet, de Lemaire; deux, de Baude, panégyriques adressés au duc de Bourbon afin d'obtenir de celui-ci qu'il fasse libérer le poète, emprisonné pour avoir monté au Palais, en 1486, une « moralité » injurieuse [2]; une dizaine, de Cretin; cinq de Jean Robertet, en prose ou en vers, à divers officiers de la cour de Bourbon, dont une, burlesque, au bouffon du duc, vantant ses capacités de buveur et demandant son intercession pour l'octroi d'une mule [3]. Plus rarement, épîtres au roi : d'Octavien de Saint-Gelays à Charles VIII, éloge lardé de réflexions sur les vertus princières, et de bout en bout ornée d'équivoques [4]. De Cretin à Louis XII, à François Ier...

Cretin, un autre jour, voulant atteindre le roi, tourne une page de flatterie en forme d'épître adressée au défunt amiral de France : exemple unique. Nombreuses, en revanche, les épîtres fictives, qu'est censé écrire un personnage illustre, moderne ou antique, ou même un être fabuleux. La traduction des *Héroïdes* d'Ovide par Saint-Gelays, en 1497, put contribuer à la faveur dont jouit ce « type-cadre » nouveau. Ainsi, à plusieurs reprises, chez Cretin : épîtres de Marie Stuart à la reine de Navarre; de la chapelle de Vincennes! des dames de Paris à Charles VIII; et la truculente invective de feu Charles le Téméraire à ses sujets qui le perdirent :

> A vous Flamandz, Brabansons, Holandois,
> Fiers Hennuyers, Bourguignons, Zélandois,
> Et faux soudards, mutins, imitateurs
> De foy mentie, et de paix infracteurs :

1. Beard, p. v.
2. Guy, p. 22-23.
3. Zsuppan, p. 110-111.
4. Molinier, p. 289.

Pour salut, honte, horreurs, mendicité,
Méchanceté, tristesse, adversité,
Douleur, tourment, mort, malédiction,
Désespoir, peine et tribulation [1]!

Ainsi, encore, de plusieurs *Epistres familières* de Bouchet, ou de son *Epitre envoyée par feu Henry roi d'Angleterre à Henry son fils;* ou de Marot une épître encore des dames de Paris, mais à François Ier, celle-ci; de Cretin, les épîtres insérées dans sa *Chronique françoise* et mises au compte de personnages historiques. L'exemple extrême de ce type est sans doute fourni par les deux *Epistres de l'amant vert* que Lemaire fait adresser à Marguerite d'Autriche par son perroquet décédé...

Autre variété d'épître fictive, définie par la qualité du destinataire, lequel n'est plus individuel, mais collectif, embrassant une catégorie sociale comme telle : l'épître « Aux filles de Madame » d'André de La Vigne, et la plupart des *Epistres morales* de Bouchet, ou celle de Cretin aux « Filles pénitentes ».

Quelques-unes des macroformes que j'inventorie ainsi proviennent, chez les rhétoriqueurs, de pratiques réinventées, par-delà les siècles médiévaux, à partir de la tradition antique, par les humanistes, surtout italiens. Ainsi l'épigramme, qu'influença, au XVIe siècle, le modèle des *strambotti* d'Aquilano, mais dont le premier exemple en français, dans les dernières années du XVe, est une pièce de Jean Robertet ironisant sur la médiocrité d'un peintre local [2]. Ainsi encore l'épitaphe, dont Thomas Sebilet plus tard associera avec l'épigramme la variété ironique [3] : celle des épitaphes de Robertet pour le bouffon du duc de Bourbon et pour le chien de Louis XII, l'une et l'autre écrites à la première personne, discours posthume de ces défunts dérisoires, éloges de la folie et de la servilité; celle d'André de La Vigne pour le roi de la Basoche. L'épitaphe grave, en revanche, parle au nom du poète de gloire et d'éternité, comme les quatre que laissa Molinet (dont une en latin), celle de Jean Marot pour Claude de France, de Bouchet pour Renée de Bourbon, abbesse de Fontevrault, ou de Cretin pour le poète Jean d'Auton. Lemaire, dans le *Temple d'Honneur et de Vertu*, insère, avant l'épilogue, sept épitaphes différentes de Pierre de Bourbon, prononcées successivement par autant de bergers : ainsi chante Tityrus :

1. Chesney, p. 240.
2. Burkhardt, I, p. 200-201; Zsuppan, p. 52-53.
3. Gaiffe, p. 104.

Cy n'est pas mys souz tombe ténébreuse,
Comme homme atteint de mort noire et ombreuse,
Le noble duc tant clair et renommé;
Mais vit et dure en mémoire éternelle,
En loz hautain, en fame solennelle,
Comme le prince au monde plus aymé [1].

Beaucoup plus typique, en ce que mieux ritualisée : la pastorale. Diverses études lui ont été consacrées, auxquelles je ne puis que renvoyer [2]. Églogue, bucolique, bergerie; d'autres désignations encore renvoient à cette forme, constitutive d'un discours propre et qui, sous des apparences diverses, se répandit vers la fin du xivᵉ siècle d'Italie en France, où la tradition courtoise des pastourelles, « lyriques » ou dramatiques, quoiqu'en voie d'extinction, avait préparé le terrain à cette implantation. Ces deux éléments, médiéval et humaniste, encore mal fondus dans les pastorales du roi René, s'harmonisent en revanche dans celles des rhétoriqueurs [3]; mais ce qui les unit et leur confère leur prestige, c'est le modèle classique des *Églogues* virgiliennes et, dans une plus faible mesure, des *Bucoliques*. Celles-ci ornent, à l'occasion, et amplifient le cadre de celles-là. Quoiqu'en effet la sensibilité des hommes d'alors s'ouvre à la perception des paysages et y saisisse une source confuse d'émotions esthétiques, cette mentalité nouvelle n'affleure guère au niveau des discours : presque dépourvue de descriptions, la pastorale se centre sur un événement, à la manière dont les peintres posent la scène évangélique ou la figuration majestueuse du château princier dans un décor idyllique tout juste esquissé [4].

Un cumul progressif, des déplacements, un glissement général des traits pertinents du « genre » mènent ainsi, en un demi-siècle, des joyeusetés parfois scabreuses des Robin et Marion de pastourelle à la métaphore plaisante (le roi René poétise ses propres amours dans *Regnault et Jeanneton*), à l'allégorie religieuse ou politique (le « type » du prince-berger apparaît dès 1405... dans un sermon de Gerson), à la dramatisation de scènes mythologiques : ces dernières étapes sont atteintes avec les rhétoriqueurs. Cependant, parmi ces figures, un désir semble sourdre et chercher son objet, les transforme en fantasmes qu'inlassablement il va pourchasser ensuite durant un siècle : l'âge d'or; un cercle de bonheur, avant ou après, le jardin clos, image véhiculée depuis des siècles par la topique médiévale, du Verger de

1. Hornik, p. 94.
2. Hulubei; Gerhardt, p. 56-124; Grant; cf. Mann, p. 62; Buckhardt, II, p. 57-61.
3. Jodogne, 1972 *a*, p. 177-178.
4. Burckhardt, II, p. 8-22; Huizinga, p. 305-306.

l'amour, mais aussi de l'âme comblée, de la paix absente : l'utopie d'avant l'*Utopie*, millénarisme diffus rejetant dans un vide ludique, « carnavalesque », la résolution des conflits vécus, lieu hors espace, hors temps, et pourtant lourd de toute la « vérité » du discours qui le pose et le circonscrit [1].

Parue en 1502 à Venise, puis en 1504 à Naples, mais écrite alors que Sannazaro vivait exilé en France, l'*Arcadia* stabilise, pour plusieurs générations, ces tendances. Suite de tableaux champêtres, de monologues, de dialogues où la prose se mêle aux vers, matière à première vue presque inorganisée, mais où (plus que dans l'*Ameto* de Boccace) se dessinent des traits en voie de codification : l'Arcadie n'a plus rien de l'âpre terroir péloponnésien qu'évoquait Polybe ; c'est l'Éden, enchanté de loisirs amoureux, nature transnaturée, artifice sans référence qu'à soi-même, et par seule antithèse à ce qui n'est pas lui ; divinités et pasteurs aux destins entrecroisés, affranchis des pesanteurs corporelles, au long de journées scandées par le son de la flûte et du syrinx : où joie et tristesse ne procèdent que de l'amour [2]. Tel est le plan de « réalité » — contradiction provocante de l'expérience rurale concrète de cette France du XVᵉ siècle [3] —, à quoi renvoie, chez les rhétoriqueurs, l'allégorèse pastorale. Bergers d'avant le Bon Sauvage qu'allait découvrir aux Indes le XVIᵉ siècle : bienheureusement dépourvus de la fictive attache géographique qui, bon gré mal gré, enracinerait celui-ci dans la véridicité de récits aventureux (a beau mentir qui vient de loin) et, à son propos spatialisant ainsi le mythe, troublerait définitivement la limpidité du rapport allégorique.

Pastorale (dans la lignée virgilienne) implique dialogue : l'effet propre au « débat » assume l'effet bucolique et l'accuse. Étrangeté et distance, jeu alternatif où se dissipent les traces d'une origine. Peu sensibles encore dans l'exemple ancien du *Berger sans soulas* de Molinet (1485), figuration des événements qui accompagnèrent l'accession de Maximilien à la régence des Pays-Bas et où, pour que nul n'en ignore, le poète ajoute une glose finale latine, identifiant les *personae dramatis* : Pan, c'est le roi Charles VIII ; la lune, Marie de Bourgogne ; Neptune, Richard III ; et la suite [4]... Pleinement valorisées, en revanche, dans le *Temple d'Honneur et de Vertu* de Lemaire (1503) [5], fourmillant d'échos virgiliens et pétrarquistes, harmonisant en éloge funèbre de Pierre de Bourbon les chants alternés de bergers et de dieux, une déploration,

---

1. Pearsall-Salter, p. 90-115.
2. Corti, 1968.
3. Cf. Kaiser-Guyot.
4. Dupire, 1936, p. 968-970.
5. Hornik, p. 17-35 ; Hulubei, p. 156-162 ; Jodogne, 1972 *a*, p. 170-201.

un songe et la description d'une apothéose inspirée du *Throsne d'Honneur* de Molinet. La première partie répand sur les autres, plus graves, la lumière arcadienne qui les transpose en rappel nostalgique d'un bonheur [1]. Mêmes procédures dans l'*Extrait du registre pastoral* de Cretin (1517), à propos de la naissance du dauphin François (dont Maurice Scève, plus tard, déplorera, dans *Arion*, la mort) : le pasteur Gallus y figure le peuple français; la bergère Galathée, la « chose publique », tandis qu'intervient l' « acteur » pour louer la simplicité des bergers en fête et la pureté unique de cette joie.

Parfois la pastorale, comme le débat, constitue une partie épisodique d'un plus vaste ensemble, dont elle engendre, y creusant une fuyante perspective, la profondeur. Ainsi dans le *Trespas du duc Charles* de Molinet, dans une épître à Charbonnier où Cretin, en 1515, évoque la joie populaire à l'avènement de François Ier; ainsi, encore, dans plusieurs des *Epistres familières* de Bouchet.

L'inventaire n'est pas clos par là. Le même effet de connotation contextuelle est produit par des formes moins étroitement liées à la tradition savante, mais qui souvent ont une longue histoire en vulgaire. Ainsi, la déploration d'un mort illustre ou donné pour tel, dont le modèle archaïque, *planctus* latins et *planhs* de troubadours, s'amplifie et se modernise à l'imitation des élégies et oraisons funèbres pratiquées par les humanistes [2]. Parfois nommée « complainte », ou « regret », la déploration de rhétoriqueur, pièce de circonstance, sinon de commande, vise socialement à provoquer la bienveillance des héritiers ou successeurs du défunt grâce au panégyrique qu'elle présente de celui-ci. Souvent déployé dans le cadre du songe ou de la vision, le discours suit au ciel l'ascension de son objet, place sur les lèvres de Dieu, des saints ou de divinités païennes un éloge référant aux divers éléments du schème de la « gloire », puis s'invertit en exécration de la Mort, pour s'achever, après le réveil du poète, en prière. McClelland, comparant naguère les déplorations de Molinet sur Marguerite de Bourgogne (1482), de Lemaire sur le comte de Ligny (1504) et de Clément Marot sur Florimond Robertet (1527), montrait comment, sous la permanence des types et des lieux communs, la cohérence apparemment maintenue du registre, la plainte peu à peu se dégage de ces prédéterminations, et se relâche la chaîne des formules héritées [3]. En fait, les éléments du « genre » se déboîtent, et se réorganisent plus libre-

---

1. Hornik, p. 56-57.
2. Zsuppan, p. 52; Kristeller, 1974, p. 10.
3. McClelland, p. 314-324.

ment après 1500; les effets ainsi se diversifient, mais les structures profondes demeurent identiques. Forme pure, comme telle vide, la déploration, par allégorèse, peut devenir fiction, comme dans la *Déploration de l'Église militante* de Bouchet (1510), pamphlet contre le pape Jules II; elle peut, par hyperbole, s'appliquer à un objet autre que funèbre, comme dans le *Regret lamentable pour le département d'Estiennette de Paris*, qu'écrivit, en prose et vers, Jean Robertet en 1469 à la suite de l'enlèvement de cette épouse d'un riche bourgeois parisien par le comte Gaston de Foix : « Où est le cœur de mortelle créature qui pourroit porter tel desplaisir ? Où est l'humain entendement qui pourroit comprendre [...] ? [...] O Diane, vengez vous d'Actéon! O Nymphes et Driades, plaignez ce cas fortunal! Et vous, déesses Cartalides[1]... » Curieusement, le texte, à mi-course, se désigne lui-même comme « épistre » (« Je vous escris, épistre douloureuse »), en quoi se manifeste peut-être l'intention ironique de tout le discours. Ailleurs, enfin, la déploration à son tour est intégrée à un ensemble dont elle constitue une partie amplificatrice : ainsi, au centre du *Temple d'Honneur et de Vertu* de Lemaire, celle que prononce, sous le nom d'Aurora, Anne de France sur son époux défunt.

La période de soixante à soixante-dix ans que je considère dans ce livre est ainsi jalonnée d'une longue suite de complaintes funéraires : de Robertet sur Georges Chastellain (1476); de Molinet sur Charles le Téméraire, à deux reprises (1477 et 1485), la seconde fois ensemble avec son père Philippe le Bon; de Saint-Gelays sur Charles d'Angoulême (1496) et sur le roi Charles VIII (1498); de Cretin sur Okeghem (1499); d'André de La Vigne sur le roi de la Basoche (1501); de Cretin encore sur Guillaume de Bissipat (1511); de Jean Marot sur Claude de France (1524); de Bouchet sur le duc de La Trémoille (1524) et sur Renée de Bourbon (1535)...

Trois autres « genres », qu'un petit nombre d'exemples seulement représentent dans mon corpus, néanmoins assez vivants au XVe siècle, sinon encore au XVIe, ne doivent rien à la poésie latine et ne tiennent qu'indirectement aux modèles anciens de la langue vulgaire.

La « pronostication » énonce, dans le cadre invariable fixé par le retour des saisons et la fructification de la terre, prédictions facétieuses et plaisanteries à propos d'événements locaux ou de personnages connus : parodie des livrets de prophéties (de Joachim de Flore, de Merlin, d'autres) alors en circulation à travers l'Occident. Nous en possédons plusieurs dizaines, en diverses langues, et généralement anonymes.

1. Zsuppan, p. 148-151.

Le maître du genre, le Rhénan Jean de Lichtenberger, astrologue de Frédéric III, donne en 1488 une *Pronosticatio* inspirée de Joachim de Flore et prédisant, entre autres bouleversements, l'avènement d'un nouvel Auguste : l'ouvrage n'eut pas moins de vingt-sept éditions jusqu'en 1530, et presque autant durant les vingt années suivantes. En France, Jean Thenaud, à partir de 1514, se lance à son tour sur la piste... Des rhétoriqueurs, seul Molinet en composa : les *Faictz et Dictz* en contiennent quatre [1] en prose, dont l'une parodique. Mais la *Pantagruéline pronostication* de Rabelais, en 1533, se situera encore dans cette tradition.

Le « testament », dont l'origine première remonte à la fin du XIIIe siècle, prend forme au XVe. Un discours de badinage ou d'invective se constitue par référence à des circonstances typiques, que fixe une fiction narrative : un *je*, sujet grammatical (arbitrairement « autobiographisé » par certains lecteurs modernes), invoque une mort prochaine et la nécessité de désigner des légataires. Des formules empruntées à la jurisprudence testamentaire manifestent ce schème au niveau linguistique. On connaît le *Lai* et le *Testament* de Villon. A la même époque que le second, ou peu après (1465 ?), Baude compose un ironique *Testament de la mulle Barbeau*. Une demi-douzaine de textes semblables, la plupart anonymes, paraissent jusque vers 1500. En 1521 encore, Gringore publie, dans le recueil des *Menus propos*, un *Testament de Lucifer!* Dans le *Testament de la guerre* de Molinet, les légataires successifs figurent, comme en une danse Macabré, les divers « estats du monde » :

> Je laisse aux abbaies grandes
> Cloistres rompus, dortoirs gastés,
> Greniers sans blé, troncs sans offrandes,
> Celliers sans vins, fours sans pastés,
> Prélatz honteux, moisnes crottés...
>
> Je laisse à mes houssepailliers
> Platte bourse et vuides bouteilles,
> Aux pages gros poux par milliers,
> Aux gros vaslez faim aux entreilles...
> Je laisse au bourreau, s'il est prest,
> Un cent de cauches bigarrées...
>
> Je laisse aux joieuses fillettes
> Suivant armées, fort enclines
> De humer les œufz des poulettes
> Et de rostir grasses gelines [2]...

---

1. Mandrou, p. 39-40; Holban, p. 195-204; Dupiré, 1936, p. 888-914 et 1044.
2. *Ibid.*, p. 718-720.

Le « blason » enfin, qui de très loin tient au « dit » des XIIIe et XIVe siècles, dont il amplifie l'aspect descriptif, semble bien une création de la seconde moitié du XVe. Sebilet, au milieu du XVIe, en fournira une définition large : « Perpétuelle louange ou continu vitupère de ce qu'on s'est proposé de blasonner. Pour ce, bien serviront à celuy qui le voudra faire tous les lieux de démonstration escrits par les rhéteurs... » Le blason tend ainsi à évoquer, par accumulation minutieuse de traits référés à quelque type « éthique » ou érotique traditionnel, un objet, une personne, un état ou même un seul de leurs aspects ou parties : fiction d'« objectivité » totale, effaçant les traces de toute présence autre que de ce qu'il énonce. Abolition des analogies, des symbolisations, réduction à l'absurbe d'une « réalité » qui se défait sous ce regard myope. Harcèlement de la chose vue, saisie, capture des fragments décomposés dans la masse d'un langage où ils se transmuent en ce que, par-delà leur mode concret d'existence, ils sont dits. Accumulation de qualificatifs, litanie, kyrielle : la définition épuisée [1]. L'un des plus anciens blasonneurs, Pierre d'Anthé ou d'Anthon, vers 1480, rime ainsi un blason du « Vin de France », celui du « Cheval », celui de la « Belle Fille », celui de « l'Argent notre maître »...

Le modèle comporte deux variétés. L'une, d'intention ironique ou polémique, joint aux qualifications descriptives des notations de valeurs. Le poème peut être assez long, et tourne parfois à l'invective, soutenue d'apostrophes ou d'autres figures explicites. Ainsi l'illustre *Blason des fausses amours* de Guillaume Alexis, qui eut jusqu'à trente-quatre éditions à partir de 1486, et engendra toute une littérature, de confirmation ou de protestation contre ce que l'on tint pour une diatribe anticourtoise : Destrées encore, en 1512, dédie à Charles de Croy et à son épouse les cent trente-huit douzains de son *Contre-Blason des fausses amours*... Le *Blason de la guerre*, perdu, d'André de La Vigne, avait sans doute le même caractère. Autre exemple : Gringore, dans le *Blason de pratique*, dessinant les traits monstrueux de la Bête judiciaire ; dans le *Blason des hérétiques* (1524), le *Blason de la guerre* et celui *de la paix*. L'autre variété, généralement beaucoup plus brève, et destinée à prospérer surtout au XVIe siècle, se construit, en médaillon, autour d'une « chose » prélevée dans une série qu'elle emblématise (un meuble, un membre), tandis que s'érotise le texte à fleur d'épiderme. Ainsi, les exemples cités de Pierre d'Anthon ; ainsi, avec plus d'ampleur, le *Blason de Brou* par lequel Antoine de Saix, vers 1530, visualisait la basilique édifiée par Marguerite d'Autriche... et dix-sept autres exemples attestés jusqu'à cette date, en attendant que, cinq ans

---

1. Schmidt, 1953, p. 293-294 ; Gaiffe, p. 169 ; Guy, p. 124-125.

plus tard, le *Blason du beau tétin* de Clément Marot n'inaugure l'ère classique de ce « genre ».

Variation, conjonction, duplication : la diversité des discours harmonisés ou équivoqués dans le texte, celle des systèmes de pensée auxquels ils s'identifient, fonctionne à la manière d'un réseau de fictions organisées, dont chacune serait soutenue et maintenue par un « sociolecte » référable à un rôle particulier : le prince, le chevalier, le prêtre, le savant, le fou, le paillard, tous les rôles du Grand Jeu [1]. Mais, parmi les voix de cette polyphonie (et que la teneur en soit galante, politique ou pieuse), l'auditeur en perçoit une autre qu'il ne saurait reconnaître comme discours social ni assigner à un rôle : une voix dé-régionalisée, qu'il nous reste à écouter dans les derniers chapitres de ce livre : celle du matériau émancipé (autant que faire se peut) des contraintes de la phrase, transposé sur un plan où le signe devient le nom vide de ce signe, et n'en parle que pour en proclamer l'inanité. Le texte, on l'a dit [2], est centreur. Il s'approprie ce qu'il présuppose, possède ce qu'il rejette autant que ce qu'il confirme. Quelque chose pourtant se dérobe à la lecture paragrammatique ouverte sur l'intertexte : un bruitage, troublant plus ou moins (parfois à peine, parfois complètement) les signaux culturels émis dans ce message par le poste qu'on écoute. Les bruits proviennent de la machinerie rhétorique, cumulant ses figures d'*elocutio*, rassemblant, multipliant par instants jusqu'au vertige tous les effets qu'avaient expérimentés, pour leur jouissance, des générations de rimeurs. Excès, accès : effraction des « convenances », porte sur rien.

Ainsi s'ébranlent, deviennent floues, les trois dimensions de l'espace textuel dans lesquelles s'inscrit chaque unité du discours : le sujet, le destinataire et l'intertexte. L'image tridimensionnelle convient-elle encore ? Ne pénètre-t-on point ici, du moins à certaines heures privilégiées, dans un espace à quatre, cinq, *n* dimensions ? La métaphore spatiale se dérobe comme, à point donné, toute métaphore. Ce que médiatisent les oppositions internes, les contradictions, les incohérences, les gratuités verbales et sonores du texte de rhétoriqueur, c'est une opposition primordiale, probablement la seule que ces poètes vécurent : celle du théâtre et de ce qui n'est pas lui, du paraître et de l'être.

Je n'entends certes pas mettre en cause la fonction intertextuelle.

1. Cf. Barthes, p. 46-47.
2. Kristeva, 1969, p. 255.

Mais des facteurs, par ailleurs constitutifs de la typologie des cultures, conditionnent son exercice : en particulier, le degré d'inertie des traditions et selon que majoritairement cette inertie provoque, comme une valeur positive, l'adhésion ou, négative, le rejet. Si même aucune situation n'est jamais pure, ces différences affectent la nature de l' « idéologème » : intégration ou « exil », ce dernier terme se réalisant, négativement en expulsion, positivement en répulsion. Dans une culture globalement classable sous le type intégratif, l'intertextualité fonctionne comme un procès de désambigüation, impliquant la conviction que des vérités spécifiques sont possibles ; dans une culture de type exilique, le fonctionnement s'inverse (procès de « mensonge » : aucune vérité spécifique n'est concevable). Le XVe siècle européen, et nos rhétoriqueurs éminemment, se situent en un moment historique où le premier type commence à basculer vers le second. D'où l'apparente incohérence des comportements et des discours, la prédominance, tour à tour, d'un désir d'intégration et d'une volonté ou d'un constat d'exil. D'où un fonctionnement flottant de l'intertextualité, impliquant la conviction que plusieurs discours, fussent-ils contradictoires, s'appliquent simultanément à une même « vérité »... et pourtant une « pluralité », au sens où l'entend R. Barthes, bien moindre que celle des textes de notre modernité.

La rhétorique seconde

Ces *poètes* ne se désignent eux-mêmes qu'exceptionnellement de ce mot. Plusieurs catalogues ont été dressés, des noms qu'ès qualités (et mutuellement plutôt qu'à titre personnel) ils se donnent [1]. On en compte une douzaine, la plupart groupés en constellations autour d'un sème nucléaire. Ainsi, *facteur, faiseur, faititre* (du latin *factitor*), *ouvrier*, sous lesquels on subodore, dans une perspective aristotélicienne [2], un calque du grec ποιήτης interprété par le verbe ποιεῖν. Même effet avec *acteur*, selon le latin *agere*, et, moins fréquent, *aucteur*, qui subit apparemment l'attraction graphique de celui-ci. Autres séries : *orateur*, privilégié en contexte panégyrique, et qui chez Saint-Gelays rime avec *or acteur (de cet escrit)*, ce qui le rattache aux séries précédentes [3]; *rhétoricien, rhétorique* (au masculin); ou *rimeur, rimant, versifieur;* enfin, isolément, *philosophe.* Tous ces termes renvoient soit, généralement, à un faire, soit, spécifiquement, à la création de formes ou à la possession d'une connaissance orientée vers l'action. *Poète*, attesté en français dès le XIIe siècle, y dénommait les « poètes » de l'Antiquité, relativement à l'autorité dont les revêtait l'École, voire les devins de la fable, et quand Robertet l'emploie pour louer Chastellain, Lemaire pour Meschinot, Molinet, Saint-Gelays, ils le font par figure hyperbolique [4]. Le mot ne se généralisera, en se banalisant, dans l'usage qu'après eux.

Quant à l'art du « faiseur », aucun terme propre ne s'y attache dans la tradition médiévale. La *poesis* qu'en latin définissait Dante vers 1300, l'étymologisant à l'aide d'un pseudo-verbe *poïre*, fabriqué sur ποιεῖν, n'a, elle, aucun nom en français. Au milieu du XIVe siècle se répandent, certes, *poésie* et *poétrie :* ce dernier, emprunté au jargon latin scolaire, s'implante bien, tandis que le premier attend chétivement son heure; du moins, interchangeables (chez Jean Thénaud

---

1. Jodogne, 1971 *a*, p. 151-152.
2. Jung, 1971 *b*, p. 62.
3. Molinier, p. 121.
4. Jung, 1971 *b*, p. 55-56; cf. Frappier, 1947, p. 4.

encore, vers 1515)[1], désignent-ils, par opposition à tout ce qui tient à la production d'un discours, la narration qui le porte et qu'il engendre, spécialement dans ses réalisations réputées les plus nobles : celles qui proviennent d'arguments mythologiques. Ils ont pour synonymes latins *fictio, effictio;* le français, dans l'acception la plus générale, recourt souvent à *fiction*[2]. Rien dans ces termes ne réfère particulièrement au « discours en vers », ni à quelque spécificité linguistique. L'action qui produit tel texte (l'*ars*, au sens médiéval), on n'en sait trop que dire ni, parmi les classifications héritées de la scolastique, que faire : subdivision de la grammaire, de la rhétorique, de la musique même ou de la logique ? On s'en tire en la suggérant plutôt, de façon active, par un verbe : *dictier, versifier*, ou tel autre plus spécial, comme *rondeler* (« faire un rondeau »); côté substantifs, on n'en relève guère que dénotant soit, en lui-même et globalement, l'objet produit, soit selon plusieurs paradigmes ses qualités : *ouvrage, dit, dittier*, voire *science* (entendez : en quoi s'investit la *scientia fictiva vel artificialis* des scolastiques), ou *couleur, aornure; rime*, le plus couramment employé, appartient aux deux séries.

Ces configurations lexicales révèlent une structure conceptuelle entièrement déterminée, dans sa finalité, par une pratique, et théoriquement pauvre; centrée sur l'activité productrice d'un sujet au travail et sur une technicité réglée : ce que Guy, assez dérisoirement, nommait un « anti-lyrisme » et que Simone définit comme une rationalité foncière. On pourrait, à la manière d'une formule abstraite et (vu la différence des temps et des milieux culturels) quasi métaphorique, citer à ce propos la phrase dont, au *De vulgari eloquentia*, Dante glose le mot de *poesis :* « *Fictio rethorica musicaque poïta* »... Phrase qu'à mon tour je gloserai, en m'inspirant de son contexte : « Narration adombrant, par l'obliquité de ses figures, l'immédiateté de ce qui est dit, et dont la production effectue une harmonie[3]. »

La pensée de Dante s'articule sur une tradition remontant à Boèce, sinon Augustin. La *musica* est posée comme un ordre transcendant, dont les signes tirent de son être leur signification. La supériorité intrinsèque de l'objet poétique sur tout autre produit du langage tient à ce qu'il est musicalement lié, inscrit dans un nombre constituant sa forme, laquelle s'intègre en la manifestant dans l'universelle analogie[4].

1. Mallary-Masters, p. 20-21 et 26-28.
2. Schiaffini, p. 38-58; Jung, 1971 *b*, p. 57-60.
3. Guy, p. 80; Simone, 1968, p. 181; Mengaldo, p. 39.
4. Dragonetti, 1961 *a*, p. 51-53 et 1961 *b*, p. 55; Olson, p. 714-715; Ineichen, p. 72; Rigolot, 1976 *a*, p. 475.

La « chanson » inventée par les troubadours limousins constitua durant trois siècles le modèle achevé d'une telle pratique. D'autres modèles, apparemment plus complexes ou moins homogènes, coexistèrent avec elle [1]; ils ne s'en distinguent pas sur un trait essentiel : la « poésie » est chant, musique épanouie dans et par la voix, celle-ci se réalisant grâce au langage. Équivalence fondamentale qui, à défaut d'une définition théorique, circonscrit clairement, depuis le haut Moyen Age, un corpus auquel nous sommes en droit, faute de mieux, d'appliquer le nom moderne de *poésie*, par opposition à une *littérature* fondée sur la lettre, écrite et lue.

Or, un lent processus dissocia peu à peu, entre 1350 et 1450, les termes de l'équivalence [2]. Pour l'auteur du *De vulgari eloquentia*, la poésie est *musica* parce que située, sur sa sphère propre, dans le concert des rythmes cosmiques : au XVᵉ siècle s'est estompée la puissante éthique qu'impliquait cette conception. Vers 1400, dans son *Art de dictier*, Eustache Deschamps passait sur un autre plan : celui des sons comme tels. Il distinguait une musique « artificielle », procédant de l'application pure et simple d'une technique, et correspondant à ce que nous nommons *musique*, d'une musique « naturelle », procédant du langage, qui est métaphore de la science divine : ce que nous nommons *poésie*. Quoique comportant, comme tout art, des règles, la musique naturelle « ne peut être apprise ». Elle est science, mais fondée de telle manière en nature que les préceptes qui la conduisent n'ont ni plus ni moins de fonction que le geste, pour un instrumentiste, d'accorder son violon [3]. Éclatement que l'on ne peut pas ne point replacer dans la perspective de celui qui, alors même, affecte les sciences et diversifie les discours sur le monde, laissant le vaste champ de la « poésie » tiraillé entre une Musique et une Rhétorique en fait divergentes, écrasé entre la polyphonie et l'éloquence, impossible à subsumer en un unique concept, tandis que s'exténue le réseau ancien des analogies [4]. D'où un resserrement , comme pour sauver du moins ce qui continue à exister dans la pratique, des règles de surface, un accroissement apparent de la technicité.

La musique « artificielle », au temps des rhétoriqueurs, prend le « grand départ » (comme l'écrivait J. Chailley) qui la mènera jusqu'à Lulli : Dufray, Okeghem, Josquin des Prés, dans les milieux mêmes où vivent et écrivent nos poètes; Busnois, qui fut l'ami et l'interprète de

---

1. Zumthor, 1972 *a*, chap. v, vi et vii.
2. Poirion, 1965, p. 167; Fox, p. viii.
3. Dragonetti, 1961 *b*, p. 57.
4. Poirion, 1965, p. 313-314.

plusieurs d'entre eux [1]. L'*ars nova* libère les vocalises de la tradition grégorienne, brise les rythmes, joue de la syncope, recrée dans son style et par ses moyens propres des formes nominalement empruntées aux versificateurs : virelai, rondeau, ballade. Mais, s'il se produit une convergence de fait, si le texte écrit est promu aux fonctions de chant, ce n'est plus en vertu de sa production même, mais d'une transformation ultérieure. L'admiration qu'exprime, pour cet art qu'il goûte et comprend, le rhétoriqueur en marque la distance et l'étrangeté. « Musique, écrit Molinet dans ses *Chroniques*, est la résonance des cieux, la voix des anges, la joie de paradis, l'espoir de l'air, l'organe de l'Église, le chant des oyselets, la recréation des cœurs tristes et désolés, la persécution et enchassement des diables [2]. » Qu'est-ce à dire, sinon que les valeurs musicales fonctionnent au niveau présémantique, que le sens n'est jamais qu'un accident qui en dérive ? Peut-être la « poésie » d'un Molinet n'est-elle, en deçà de tous les prétextes, que nostalgie de ce modèle devenu inaccessible : son « paradis ». Tout lien n'est pas oublié entre la totalité de l'univers et les cadences musicales. Une tradition de philosophie médicale situe ce lien dans le battement du pouls, analogon macrocosmique, inscrivant à l'intérieur du corps la mémoire des rythmes primordiaux : idée extraite de Macrobe, Isidore, Boèce encore, systématisée par une série d'ouvrages parus au XVe siècle en Italie [3].

Il serait tentant de supposer (mais rien ne le prouve) que des considérations de ce genre aient pu valider, aux yeux des praticiens, l'appareil de règles rythmiques et versificatoires au moyen duquel s'engendre sur leur bouche la « musique naturelle » : la « rhétorique », c'est-à-dire la versification et ce qu'elle implique, « est une espèce de musique appelée richmique » [*rythmique*], selon Molinet dans son *Art;* « rhétorique et musique sont une même chose », selon Lemaire [4]. En d'autres termes, la parole rythmée est « une musique essentielle, immanente aux signes qui la font apparaître [5] », mais dont les praticiens n'ont point tout à fait effacé le souvenir d'une transcendance perdue. La règle qui la maintient proprement l'engendre. Elle constitue la « raison » du poème, pour reprendre un terme même de Molinet : cette raison capable de récupérer, en les transmuant en *figures*, dira Fabri [6], les pires incongruités du langage.

1. Chailley, p. 285-306.
2. Cité Huizinga, p. 283.
3. Sirais.
4. Langlois, p. 216; Stecher, III, p. 197.
5. Dragonetti, 1961 *b*, p. 63.
6. Langlois, p. 218 ; Héron, p. 112-120.

L'idée d'une *ratio* propre au discours poétique est, elle aussi, ancienne. Mais la même mutation l'affecta au cours du XIVᵉ siècle : elle se contracta pour désigner la *virtus* particulière et quasi autonome du vers, de la strophe, du « genre », conçus comme agencement de sons et de rythmes. C'est à cette mutation que renvoie le mot *moderne* qui, depuis environ 1400, nous l'avons vu, qualifie l'art des « faiseurs [1] ». La « raison » n'en fonde pas moins la forme, qu'aussi bien elle clôt, à la fois nouant entre ses parties un lien d'homologie et en intégrant la signifiance à un système de textes extérieurs à celui-ci, qui les assume. D'où une concentration, qui est l'aspect inverse d'une circularité, en un lieu de focalisation et d'anamorphose comparable à la scène, de toutes parts également visible, dressée au centre d'un théâtre en rond. C'est l'effet ainsi provoqué que je nomme « harmonie », me gardant de la confondre (car elle repose sur des relations de différence) avec l' « unité », mythe conceptuel dont on commence à savoir aujourd'hui qu'il est inapplicable aux œuvres de la civilisation médiévale.

Parler de musique à propos de poésie ne renvoie pas spécialement, dans ce contexte, à la « musicalité » propre de la langue ni à tel arrangement plaisant de mots et de phonèmes [2]. Ce facteur certes est d'autant moins négligeable que les vers étaient toujours lus à voix haute : dernier avatar du chant primitif; et plusieurs rhétoriqueurs (Molinet en particulier) témoignent d'une extrême finesse d'ouïe, d'une rare délicatesse dans le maniement des sons; certaines formes, comme le rondeau, se prêtent aux jeux les plus subtils de la phonie. Mais ces qualités restent d'ordre instrumental; elles épanouissent, au niveau des manifestations de surface, des virtualités en germe dans la « raison » profonde. L' « harmonie » se substitue en quelque manière à l'antique *musica mundana* (« musique du monde ») — avant qu'au XVIᵉ siècle un néo-pythagorisme n'en restaure l'idée; elle en compense les cacophonies réelles. Les vers du poète, participant ainsi à la création qui l'englobe, ouvrent une plénitude, s'inscrivent dans un processus de compréhension savoureuse : ils possèdent, en intention, la complétude exhaustive de l'univers. En apparence, l'objet du poème est particulier, souvent circonstanciel; mais, comme discours, il tend à la perfection dans son ordre propre, intégrité, proportion, lumière : *splendor formae*. Ces qualités résident dans l'objet, le poème les mani-

---

1. Jung, 1971 *b*, p. 56; Langlois, s.v. *facteur* p. 443, *orateur* p. 456, *rethorique* p. 462, *taille* p. 469.
2. Champion, 1966, p. 439; Huizinga, p. 310-312.

feste et, par là, restitue l'objet dans sa fonction macrocosmique. Chastellain déjà affirmait que le rôle du poète est de dégager une beauté et une vertu implicites :

> Mais suis celui qui à tous eux déprive
> Beauté, vertu conjoint emprès leur forme [1].

La technique langagière que fixe la règle n'a rien d'une fin : elle est l'instrument de l'harmonie. Elle fonde une discipline stricte, qui par sa rigueur même impose une intériorisation des valeurs. Elle procède de la vertu active de la parole, émergeant du chaos d'un langage commun : d'où les ratés, les reprises, le perpétuel souci de maîtriser par l'artifice cette invasion des signes dans le symbole, tout en maintenant l'ordre des choses que (re)produit la syntaxe [2]. La langue en effet est évidence, son signifié est réel. Mais le jeu qui malaxe et désarticule les mots, fantasmatise les sons, ne tend-il point, au sein de ce donné incontestable, à faire surgir une réalité autre, venue de par-dessous ? C'est pourquoi il n'y a pas de mensonge poétique : ce que déclare le poème ne s'identifie pas à ce qu'il dit [3]. On relèverait, au cours de tout le xve siècle, des affirmations de ce genre, étayées par l'autorité de Boccace. Pour un Chastellain, l'art appartient à la vertu de « prudence » : il est connaissance, à un niveau tel qu'il implique rectitude de la volonté en même temps que clarté de l'intellect. Pour un Bouchet encore, il est science du Bien. La parole du poète purifie moralement celui-ci, de la façon dont l'alchimie purifie le métal en ses creusets. Comme toute « musique », la poésie est médecine de l'âme [4]. Mais l'opposition n'est plus sentie, qu'opérait Dante entre le *nucleus* éthique et le *cortex* linguistique de la chanson : le langage du vers, convenablement réglé, est lieu d'universelle concordance.

Sous le manteau de l'aristotélisme qu'on professe autour d'eux, et qui réduit en principe la poétique à un faire, les rhétoriqueurs se rangent, à la suite de certains de leurs devanciers, dans la perspective d'un néo-platonisme diffus, pour lequel la source du dire est une « fureur », une *fervor* selon Boccace, productrice d'extraordinaire, de surprise, de vacillation [5]. Pourtant, avant le xvie siècle, la ferveur reste

---

1. Maurin, p. 483; cf. Heninger, rubriques « Poem as literary microcosm », « Metaphor as cosmic correspondence ».
2. Cf. Bursill-Hall, p. 64-65.
3. Mallary-Masters, p. 22.
4. Di Stefano, 1971 *a*, p. 43; Maurin, p. 484; Hamon, 1970, p. 214-216; Olson, p. 714 et 718.
5. Osgood, p. xxxv et 39; Jung, 1971 *b*, p. 53-54; Mallary-Masters, p. 23.

conçue comme propre à l'être musical de la poésie, aucunement comme un excès bouleversant le rationnel : le schéma proposé vers 1370 par Guillaume de Machaut demeure, en gros, valable, dans la pensée des poètes de cour. De Nature (dont le propre est d'engendrer des formes) procèdent Sens (qui est notre « raison »), Rhétorique (la règle) et Musique (manifestation de l'harmonie). Le « sens » du poète constitue un tain sur lequel la règle se dispose comme une plaque de verre. Mais, pour qu'existe ce miroir de Nature, il faut la lumière de l'harmonie [1]. Octavien de Saint-Gelays le proclame expressément au prologue du *Séjour d'Honneur* [2].

L'allusion à la « chose peinte sur la paroi » n'est pas ici figure vaine. Elle nous renvoie, en même temps qu'à l'art pictural, au miroir et à la vue, ce « sens » éminent que j'ai invoqué à propos de l'allégorèse. C'est moins de *mimesis* qu'il s'agit que d'une parenté entre deux arts, vécue au niveau profond des sources de l'harmonie. D'où les représentations plastiques de la Poésie, siégeant désormais aux côtés de la Rhétorique, gravée ou statufiée, d'artistes emblématisants [3]. Certes, l'acuité visuelle des peintres du xvᵉ siècle finissant engendre des styles divers, et le statisme de Van Eyck s'oppose au mouvement des compositions de Roger de La Pasture. Dans le même temps, la peinture allemande, avec Altdorfer et Dürer, s'instaure parmi le tumulte des visions, le chaos, les ruines, les racines folles... Entre l'un ou l'autre de ces artistes et les poètes qui sont leurs contemporains, on énumérerait sans peine les différences dans les arguments prétextuels et les moyens à disposition : peu importe. Restent les volontés communes et l'identité de vision. Au sein de l'harmonie, diffusive d'elle-même à partir d'un centre qui n'est nulle part, développer jusqu'à son terme concevable toute pensée, toute image; écarter les considérations externes qui exigeraient le tri entre un principal et un accessoire : projeter à plat le thème, éclaté en menues formules expressives, souvent empruntées, nous l'avons vu, à la tradition antérieure, mais harmonisées par la perspective et par le rythme de leur disposition, temporelle ici, et là spatiale [4]. Courbes et contrecourbes, accolades de symétries parfois décalées, alternatives s'invoquant l'une l'autre en écho, antithèses emboîtées, suggestions latérales, divergences momentanées, bientôt récupérées entre les contours du cadre qui ceint la miniature, le panneau de bois, le quadrilatère de la page manuscrite, puis imprimée :

1. Jung, 1971 *b*, p. 45-49.
2. *Ibid.*, p. 51.
3. Tervarent, p. 193, 203, 249, 256.
4. *Ibid.*, p. 291-295; cf. Huizinga, p. 324-326.

hortus conclusus. Les centres où fleurit l'art pictural sont ceux mêmes que hantent ou célèbrent les rhétoriqueurs : cours ducales d'Angers, de Tours, d'Orléans, de Bourges, de Moulins; cours royales du pays de Loire; et la Bourgogne splendide, qui mène son propre train, moins innovatrice, plus magnifiquement en parade, déjà glissant le long de son versant germanique [1]. Les seigneurs français qui suivirent Charles VIII en Italie en ramenaient des médaillons destinés à l'ornementation de leurs demeures, collectionnaient tableaux et statues non moins que livres. La poésie qu'ils suscitent ou subventionnent répond, dans une grande mesure, au même besoin qui les poussait en cela. Plusieurs rhétoriqueurs entretiennent des relations amicales avec des peintres, dont ils partageaient la situation sociale. Jean Lemaire goûte leur art en connaisseur et en tire à diverses reprises thèmes ou figures [2].

Analogie de perception, proximité de dessein, tout ce qui rapproche des peintres, graveurs, enlumineurs, tapissiers même, les rhétoriqueurs mérite d'être signalé, pourtant ne relève pas de l'ordre des causes. Il en va différemment de la « musique »... dont on pourrait soutenir que procède aussi, sur son plan propre, la peinture. Semblable en cela au jeu, la « musique naturelle » repose sur une pulsion que Molinet (suivant à son insu les lointains troubadours) assimile au désir : « Pour ce que nouvellement... estes tiré souz l'estandard de Cupido le dieu d'Amour, et que vous [...] tout entrepris d'ardant désir [...] vous estes adressé vers moy », écrit-il au prologue de son *Art de rhétorique*. Et Fabri : « A celle fin que les dévotz facteurs du chant royal du puy de l'Immaculée Conception de la Vierge ayent plus ardant désir de composer. [3] » Phrases qui rappellent étonnamment une expression d'Augustin, souhaitant (*Contra mendaces*, x, 24) à nos regards de contempler les vérités ultimes, afin que celles-ci *desiderentur ardentius*. On pourrait objecter qu'Ardant Désir n'est qu'un type allégorique provenant du *Roman de la Rose* et de poètes qui s'en inspirèrent. Mais cette remarque concernerait la lettre de ce discours, non son ultime signifiance. Ce que suggère ici le poète, c'est par quelle médiation l'art comme tel, instauration de l'*aornure*, trouve sa valeur et sa justification finale. D'où la « joie », la « délectation » que suscite le décor. Quelle que soit la matière, la manière est toujours joyeuse : elle enlève à ce qui est dit tout aspect de contingence, elle le promeut dans l'ordre de ce qui s'offre à une contemplation délectable [4]. Qu'on entende bien qu'il ne s'agit point en cela d'un contenu, de quelque nom qu'on le

1. Duby-Mandrou, p. 236-237; Thibaut, p. 65-69, 73-74, 82-95 et 114.
2. Wolf, p. 39-45; Jodogne 1972 *a*, p. 208-210 et 211-224.
3. Langlois, p. 214; Héron, II, p. 2.
4. Jung, 1971 *b*, p. 46.

désigne, qui se coulerait dans une forme, mais de la forme même, forme-sens inépuisable, dont la face tournée vers le lecteur est celle de ces « heureuses contraintes » dont parle ailleurs Molinet [1].

C'est pourquoi les réglementations les plus étroites qui caractériseront la versification « classique » restent ignorées des rhétoriqueurs, dont les catalogues de « rimes » et de « tailles » aux noms parfois étranges se situent dans une tout autre perspective que celle d'une loi : plutôt dans celle de la subordination de techniques, laborieusement inventoriées, à un dessein général qui est de forcer le langage aux jeux infinis du Nombre. Chez Molinet se lit presque à chaque page dans son *Art*, entre les lignes, sa conviction d'un accord profond, « naturel », entre la forme et le sens qu'elle produit : conviction qui s'exprime, périodiquement, de manière naïve, lorsque y est signalée la finalité thématique des diverses *tailles* énumérées : le douzain se prête aux « histoires et oroisons richement décoréez », le virelai simple aux « chansons rurales », le « respons en taille palernoise » au chant ecclésiastique, la ballade jumelle aux « regrets », le lay simple aux « requestes et loenges », le serventois « à l'onneur de la Vierge Marie et par figure de la Bible »... Une même fonctionnalité expressive lie au « genre », de façon plus ou moins rigoureuse, tel type de vers. La « règle » ne se distingue pas du « thème » [2].

Ce qui régit la poésie des rhétoriqueurs, ce sont ces *convenances* qu'invoquait Dante déjà, pour lequel elles constituaient la seule loi du dire poétique [3] : *con-venances*, accord, rencontre, unanimité, dans la fugacité même de la voix. Le poème n'est jamais que la réalisation provisoire d'une harmonie qui l'englobe en le liant aux autres poèmes, en un mouvement sans fin.

Molinet, au soir de sa vie, loue dans une épître les vertus éclatant chez son confrère Cretin : « En toy florissent par excellence trois redolentes fleurs qui en moy périssent par vieillesse. L'une est Grammaire qui en moy décline, Musique qui diminue et la Rhétorique dont je ne suis rien trop riche. [...] Madame Rhétorique, plus aventureuse que moy, t'envoye de la rime et une couple de canons pour en faire la raison [4]. » Grammaire, c'est le langage en ses normes propres. Rhétorique pourvoit à la forme du poème (la *rime*) en vertu de régularités *(canons)* grâce auxquelles se manifeste la *raison* qu'est l'harmonie

1. Langlois, p. 244.
2. *Ibid.*, p. 231, 233, 239, 241, 245; cf. Fox, 1969, p. 109-114.
3. Dragonetti, 1960, p. 21.
4. Chesney, p. 323.

engendrée par Musique. Ce qui spécifie le poème en sa surface lisible et audible est donc de l'ordre de la rhétorique. Il en va, certes, de même, dans une certaine perspective, de tout discours [1] ; mais celui des rhétoriqueurs particularise sa définition : une détermination vient presque toujours préciser qu'il s'agit ici d'un « *genus rhetoricae scientiae* » : un *art* autonome. « Cy commencent les règles de la seconde rhétorique, c'est assavoir des choses rimées [...] et est dicte seconde rhétorique pour cause que la première est prosayque [2]. » Ailleurs, on rencontre d'autres adjectifs. Mais, qu'il soit parlé de rhétorique *seconde*, ou *vulgaire* (par opposition au latin), ou *vulgaire et maternelle*, ou *laie* (par opposition à celle des savants), voire *métrifiée* (par opposition à la prose), même éclatement sémique qui, par cette pluralité, nous interdit de réduire la notion à celle de notre versification, qu'elle contient, certes, mais déborde, domine et unifie. De telles expressions dénotent une marque distinctive qui, au sein d'un univers discursif régi par l'appareil rhétorique, constituait le poème ; elles connotent une originalité, l'émergence d'un autre chose par-delà quelque rupture qualitative.

Cette connotation, pour n'être pas toujours clairement sentie, n'en est pas moins impliquée dans les faits. Pourtant, la concentration, sur le langage, d'un effort de transformation tel qu'en témoigne, globalement, l'œuvre des rhétoriqueurs se produisait dans un univers intellectuel mal outillé pour le rendre tout à fait efficace. On sait ce qu'en 1976 notre pratique scripturale doit à la science linguistique en formation depuis un demi-siècle. Or, les rhétoriqueurs écrivirent dans un âge prélinguistique. La philosophie du langage qui, chez les scolastiques, tentait périodiquement de se constituer n'allait guère au-delà de l'établissement de taxinomies, ou bien elle s'évadait dans la logique, disputant de signes et de *modus significandi*. C'est principalement sur ces deux points, il est vrai, que nous percevons aujourd'hui l'originalité des rhétoriqueurs : dans la désarticulation qu'ils opèrent des signes, et la diversification des procès de signifiance. Il n'en reste pas moins que grammairiens ni « modistes » ne pouvaient guère, au praticien Molinet, fournir ni point de départ ni secours théorique.

D'où le côté décevant (autant que des études modernes sur « le style des rhétoriqueurs ») des *Arts de seconde rhétorique* qui jalonnent cent cinquante ans de pratique et dont l'origine pourrait être les règlements des puys. On n'en compte pas moins de quatorze, de l'*Art de dictier* de Deschamps, vers 1400, à Sébillet exclusivement, chez lequel, en 1548, apparaît l'expression nouvelle d'*Art poétique*.

---

1. Sperber.
2. Langlois, p. 11.

Langlois jadis en étudia treize, en publia sept, et Zschalig résuma les deux plus récents : celui de Fabri (1515, publié en 1521), curé de Méray, poète et prince du puy de Rouen en 1487, publié par Héron, et celui de Gratien du Pont (1539), qui s'en inspire [1]. Ces *Arts* constituent doublement une tradition : en ce que souvent les uns recopient les autres en tout ou en partie, et par le choix des praticiens invoqués pour autorité, ainsi chez Fabri principalement Meschinot, Molinet, Cretin. Le « petit traité » que compila Molinet, entre 1477 et 1492 pour un mécène de la région de Valenciennes, se signale dans cette série par sa relative clarté ; de plus, les exemples qu'il allègue sont en majorité empruntés à la propre œuvre poétique de l'auteur, au point d'en constituer une sorte d'anthologie : le « théoricien » manifestement refuse de se distinguer du praticien, et l'on peut présumer que la conscience du poète s'investit (quelle que soit l'approximation de sa terminologie) dans le précepte. Utilisé par Fabri, exploité en langue néerlandaise par Casteleyn (1548), l'*Art* de Molinet est sans doute un texte, toutes proportions gardées, majeur. Je lui ai consacré naguère une étude particulière [2].

Peu importe l'imperfection de ces traités dans leur dessein et son exécution. L'*Art* de Molinet, comme les autres, se réduit apparemment à une série de conseils et de définitions assez secs, qu'illustrent de nombreux exemples, glosés çà et là d'une très brève explication justificatrice, mais que ne met en perspective aucun exposé général explicite. Tous ces textes, autant qu'on en peut juger, furent écrits pour des amateurs aristocratiques ; et, plutôt que d'exposer à ceux-ci une théorie générale, les auteurs se contentent d'en monter le cadre externe, en formulant des recettes relatives à cela qui, de l'art, peut être appris, aux « genres » que souhaitent cultiver leurs clients : formes « lyriques » dévotes ou amoureuses [3]. Leur terminologie reste imprécise : qu'on se reporte à l'index de Langlois : le mot *vers* désigne à peu près indifféremment (en vertu d'un usage ancien) la ligne versifiée ou le couplet, la strophe, la tirade ; *taille*, un mètre ou une forme close, comme le « lai » ; mais *taille* a pour synonymes partiels (?) *mode* et *stile* ; une *rimée*, c'est un type de versification ou une pièce de vers. Rien n'est systématisé. Certains termes demeurent pour nous à peine déchiffrables, ainsi *palinode*. Beaucoup de définitions sont incomplètes, d'autres ambiguës, plusieurs font défaut. Si, néanmoins, on considère dans leur ensemble ces flottements, quelque chose comme un

---

1. Langlois ; Zschalig ; Héron.
2. Zumthor, 1974 *a* ; Iansen ; Dupire, 1932, p. 61-70 ; Langlois, p. LVI-LXVIII.
3. Patterson, I, p. 9 ; Jung, 1971 *b*, p. 45.

dessein implicite, ou une conviction indiscutée, se laisse percevoir : le poème, dans sa matérialité sonore, rythmique, parfois même graphique, est conçu comme une totalité insécable, dans laquelle le « théoricien » se refuse à distinguer des parties. Les unités constitutives, qu'il faut bien, didactiquement, énumérer, ne sont décrites que de l'extérieur, en termes arithmétiques (tant de syllabes, tant de lignes, tant de couplets) : on ne leur donne pas un nom qui les identifierait intrinsèquement, de façon univoque, leur conférerait une fictive existence autonome. La plupart des termes clés usités dans cette tradition réfèrent également à la poésie comme pratique, à la typologie des objets produits par elle et, le cas échéant, aux éléments divers de ces objets.

Ce qui, en définitive, compte ainsi le plus dans ces traités, c'est ce qu'on peut lire entre leurs lignes, entendre dans leurs silences. C'est aussi les implications du terme de *rhétorique* que, spécifié ou non, ils arborent. Je n'ai pas à m'étendre à ce propos : la bibliographie surabonde, en partie tombée aujourd'hui dans le domaine public [1]. Je me borne à quelques remarques, plus pertinentes à ma matière.

On admet que, en dépit d'une adaptation latine de 1267, la *Poétique* d'Aristote demeura peu connue des lettrés, et sans influence pratique, jusqu'au commentaire de Robertelli, en 1548. De cette ignorance résulta que la rhétorique, sans perdre (ni au niveau des classifications de base ni à celui de la terminologie) sa technicité propre, eut à remplir dans la tradition savante une double fonction : l'une, relative à la constitution des formes; l'autre, aux structurations profondes. Dans l'enseignement médiéval, cette dualité fait de la rhétorique, fermement assise au centre du *trivium*, le code des règles de fonctionnement des textes : au XVIe siècle, sous l'impact de la redécouverte d'une « poétique », elle aboutit à engendrer une opposition théorique entre forme et fond, opposition qui devait avoir la vie longue, mais qu'ignorent encore (malgré qu'en aient des commentateurs comme Guy) les rhétoriqueurs. Pour eux, si n'existe pas encore vraiment, nous l'avons vu, au sens que nous connaissons, une « institution littéraire », ils participent pleinement (c'est le sens que l'on pourrait donner à leur appellation moderne) à l'institution rhétorique. D'où leur foi en la pérennité d'une rhétorique (comme la nôtre, hier encore, en une pérennité de la « littérature ») sur laquelle se multiplient autour d'eux les ouvrages savants et qui, sous la poussée « humaniste », refoule la logique des scolastiques, exalte les effets de l'imaginaire [2]. Mais

---

1. Cf. Murphy; Zumthor, 1972 *b*.
2. Simone, 1968, p. 175.

l'institution rhétorique ne recouvre ni la notion ni le ressort de notre institution littéraire : elle a pour fin de produire un discours neuf, par là même plus vrai, exigeant d'être « cru sur parole »; elle ne tend pas primairement à faire du beau, dans l'acception conventionnelle attachée à ce mot depuis le milieu du XVIᵉ siècle [1].

Dans les éloges académiques prononcés à l'honneur des arts, souvent la rhétorique reçoit le qualificatif de « divine » : maîtresse en effet du discours, elle se subordonne toute autre discipline, absorbe la dialectique dont le rôle ne se distingue plus qu'à peine du sien, qui est d'engendrer la cohérence de paroles efficaces [2]; d'instaurer, de l'intérieur, un *ordo* substitutif du désordre des apparences. En cette fin du XVᵉ siècle, il faut le répéter, nul ne sait plus exactement où trouver, dans le spectacle du monde, les signes qui référeraient à un ordre universel : alors, par le biais du discours poétique, tout fureur, ferveur, rhétorique, se tente un effort grandiose d'intégration d'un ordre indiscutable à la parole, comme telle, du poète. La technique qui y préside représente la part de l'homme au sein du chaos. D'où l'optimisme de sa pratique, d'où son bonheur, son « astre ». D'où aussi sa gourmandise : rien ne lui échappe de droit. Médiation nécessaire entre l'idée et l'acte, la rhétorique retrouve, au centre de la cité, quelque chose de sa noblesse antique. La rhétorique est une arme : au-delà même des techniques du discours, elle marque son emprise sur la politique, la diplomatie, mais aussi bien sur la peinture [3]. Au reste, le primat qu'elle exerce est interprété avec des nuances non identiques chez les « humanistes », qui la tirent davantage vers l'éthique cicéronienne, et chez nos rhétoriqueurs, pour qui elle conserve un caractère plus formaliste. C'est pourquoi ces derniers seuls ont eu besoin du concept de rhétorique seconde, permettant d'opérer une distinction entre cet art universel et son effectuation dans le discours, à nul autre comparable, qu'ils prononcent.

Cette opposition, il est vrai, tend à s'effacer après 1500. L'œuvre de Jean Lemaire marque le tournant : recul de la rhétorique seconde, dont l'idée directrice, demeurée implicite, s'estompe. Pour un Molinet, cet art produisait par lui-même un effet cathartique (« beau parler apaise grand ire »); pour Lemaire, cet effet provient d'une analogie avec la peinture [4] : résurgence de l'adage *ut pictura poesis*. Les mots ne précèdent plus les choses. Simultanément, malgré les protestations

---

1. Cf. Macherey, p. 69-71.
2. Vasoli, p. 31 et 62-63.
3. Huizinga, p. 308; Vasoli, p. 32; Ouy, 1973, p. 39-41.
4. Jodogne, 1971 *b*, p. 88; McClelland, spéc. p. 321-322; Dupire, 1936, p. 162-180, v. 456.

d'un Gratien du Pont [1], la poésie se pose, contre la rhétorique, comme un art autonome. Bouchet, dans sa treizième *Epistre morale*, embrouillant, peut-être à dessein, les éléments de plusieurs nomenclatures traditionnelles [2], énumère les branches du savoir : grammaire, éloquence, poésie, dialectique, tragédie, comédie, satire, « héroïque », « lirique », musique, arithmétique, géométrie, astrologie, médecine et théologie. De ce méli-mélo sans hiérarchie retenons le triptyque aux volets distincts : éloquence, poésie et dialectique.

Avec toutes les nuances qu'il convient ainsi d'apporter à cette affirmation, le texte de rhétoriqueur est fondamentalement oratoire. Promu par la voix dans l'assemblée, il est acte, travail où s'investit (et se manifeste au niveau rhétorique) par l'intertexte une idéologie qui constitue la forme de ses formes [3]. Réalisé en situation de dialogue virtuel, il s'inscrit dans un espace impliquant la présence physique de l'énonciateur et de l'auditeur, avec les relations complexes qui les unissent et surdéterminent les modalités de sa signifiance, selon l'axe d'une communication qui est aussi celui d'un désir. Mais l'objet de ce désir recule, sur la scène du théâtre princier, fantasmatique. Lieu de cette pulsion, le sujet se déplace dans le discours qu'il énonce; et, par-delà cette rupture que marque le silence spectaculaire où tombe sa voix, son auditeur ne perçoit qu'un Autre méconnaissable, lui-même émietté dans les débris d'un miroir. Qui parle à qui ? Quelle est cette voix ? pour quelles oreilles ? Cette main, pour quels yeux ? La parole poétique, scandée par sa rhétorique seconde, est lieu d'effacement. Reste entre nos mains le texte qu'aujourd'hui nous lisons : carrefour de signifiés divergents, interpénétrés en un ensemble à quoi un à un s'opposent les éléments qu'il intègre, référents internes où se condensent, dans une temporalité propre, des possibilités plurielles de lecture. Possibilités latentes ou déclarées; pluralité virtuelle ou actualisée; lecture pour le moins toujours double, et dont les réalisations, en se superposant, tantôt se décalent et renvoient l'une à l'autre en contrepoint, tantôt se contredisent.

Un facteur propre au xve siècle nous interdit toutefois de trop moderniser un tel caractère, car il joue, sur ce fond troublé, en faveur des régularités de surface : j'entends (par rapport, en particulier, au modèle latin) la relative rudesse de la langue française, l'empirisme de

---

1. Zschalig, p. 59.
2. Cf. Suchomski, p. 234.
3. Struever, p. 121-124.

sa syntaxe, ses flottements lexicaux, l'interpénétration de formes dialectales d'origine diverse, la mouvance de sa morphologie. Facteur positif, en ce qu'il permet, et peut-être exige, l'émergence simultanée de plans d'expression hétérogènes; en ce qu'il situe ce discours avant le divorce d'un parler populaire, vivant, et d'un idiome « littéraire », aseptisé et normalisé; mais facteur restrictif, en ce que, par voie de conséquence, il pose, à défaut d'une grammaire indiscutée, la nécessité d'un autre code, certes approximatif, mais d'autant plus intimement contraignant : la rhétorique seconde. C'est pourquoi, comme l'écrit Fabri, celle-ci est « plus subtile [et] plus artificielle » que la première [1].

Plus subtile, puisqu'elle fonde l'harmonie. Plus artificielle, car elle manifeste le triomphe de l'*elocutio* sur les autres « parties » de la rhétorique, l'*inventio* (qui compose la « fable ») en particulier, poussant ainsi à l'extrême une tendance latente depuis des siècles, je l'ai signalé plus haut [2]. Dans la pratique, on constate une enflure de l'*ornatus*, lieu principal de l'*elocutio*. Pourtant, cette « ornementation » n'est pas conçue comme un plaquage, un revêtement superficiel. On la situe au centre du discours, qui s'articule sur elle, et dont elle constitue le plan de réalisation. D'où l'absence de tout « vraisemblable » autre que concrètement textuel. Cause ou effet, l'hyperbole triomphe : pure fiction, engendrant une temporalité désidérale, autoréférant à des entités formelles, non inscriptibles comme telles dans une durée vécue, étrangères au « bon sens », prêtes à toutes les manipulations ironiques. La poésie des rhétoriqueurs n'est pas sans ressemblance en cela avec celle des Latins du Ier siècle de notre ère, des Allemands du début du XVIIe [3].

Similarité, contiguïté, opposition : tels sont les axes selon lesquels s'organisent les effets du texte, à tous les niveaux. Or, dans la tradition aristotélicienne, relayée par les scolastiques, ne sont-ce point là les moyens de l'*ars memoriae*, les figures nucléaires dessinant un modèle épistémique sous-jacent à toute la poésie médiévale, enfin ouvertement déclaré par la pratique des rhétoriqueurs [4] ? D'où une restriction du concept d'*imitatio :* non plus tout à fait, comme chez les esthéticiens médiévaux puis dans l'optique platonicienne de Pic de La Mirandole, reproduction d'une image idéale entrevue par l'intellect et que l'on se propose de réaliser [5], mais davantage l'engendrement de cet « ordre » auquel j'ai fait allusion, de cette « raison ». Tous les pro-

1. Cité Jourda, p. 65; cf. Corti, 1976, p. 55-56.
2. Simone, 1968, p. 182-183; Zumthor, 1972 *b*, p. 69.
3. Gans, p. 492; Wolf, p. 7 et 69.
4. Cf. Gans, spéc. p. 493-494.
5. Della Terza, p. 124; Kelly, p. 154.

cédés mis en œuvre par le poète convergent dans une *mimesis* qui est conformation à une *Gestalt* inexistante hors du poème [1]. Certes, dès les premières décennies du XVIe siècle, avec la remise en honneur de l'*inventio*, l' « imitation » va reprendre sens obvie et extrinsèque : portant à la fois sur le texte des Anciens et sur la perception du vécu [2]. Mais, dans son ensemble, l'œuvre des rhétoriqueurs reste antérieure à cette mutation. Certes, l'ordre qu'à chaque page elle promeut n'est pas le fruit d'une parfaite liberté du discours : trop de contextes idéologiques, nous l'avons vu, conditionnent ce texte-là ; et la fonction qu'il remplit à la cour ne lui permet qu'exceptionnellement d'en évacuer la référence. D'où une sorte d'inachèvement, et un malentendu qui, parmi les princes, lui vaut une réception chaleureuse : personne autour du rhétoriqueur ne semble percevoir le piège ainsi tendu dans sa rhétorique. Malentendu ou double jeu ? A la société qui les payait, les rhétoriqueurs ont donné ce qu'elle réclamait : des produits rares et riches, des objets fastueux où la qualité prolifère en quantité mesurable... mais qui tend à dépasser toute mesure.

Primat du labeur ardu, patient, du difficile, de l'inattendu. Molinet assure qu'il faut un an pour faire un chant royal. Lemaire se plaint de l'âpreté de son effort. Ce primat, le poète l'impose à son auditeur, son lecteur, comme s'il choisissait, parmi les éléments dont se compose la demande sociale, de satisfaire préférentiellement le besoin latent chez ses contemporains de démystifier le texte par lequel leur communauté feint de se maintenir.

Le texte devient ainsi le lieu de procès significateurs dont ceux qui le consomment n'ont, malgré les apparences, pas le contrôle. Telle est la justification de l'équivoque généralisée, sur laquelle je reviendrai. Encore celle-ci se constitue-t-elle sur un fond de bruits (les « signes » d'une référentialité fragmentée) que le texte transforme en information d'une autre espèce, créant les conditions d'émergence d'un « sens » ; mais celui-ci n'est, pour le lecteur inattentif, rassuré par le réseau des dénotations et connotations qui directement le concernent, qu'incompréhensibilité résiduelle. En réalité, les signes constitués s'écartèlent en signifiance dynamisée, diluée, incessamment remise en procès ; le sens, c'est l'organisation interne du discours [3]. Le signifiant n'y est jamais tout entier présent, *hic et nunc*. Toujours il échappe, se dérobe à quelque autre imprévisible étage de ce monument creusé, à la manière des palais du XVe siècle, d'escaliers secrets, de réduits, d'oubliettes.

1. Wolf, p. 62-63 ; McClelland, p. 325.
2. McClelland, p. 317.
3. Kristeva, 1975, p. 11 ; Gans, p. 492 ; Ricœur, p. 2 et 101-102 ; Meschonnic, 1975, p. 23-34.

Séries fuyantes entre lesquelles les recoupements semblent possibles, au-dessus de la grande zone sous-jacente, silencieuse et noire. La poésie des rhétoriqueurs appartient à une époque balancée entre une épistémè ancienne, dominée par une vision analogique de la nature, et celle qui bientôt triomphera, cristallisée autour d'une volonté de représentation. Cette situation lui confère quelque similitude avec les textes contemporains de la coupure épistémique qui, depuis cinquante ans ou plus, s'approfondit dans notre propre pensée et notre écriture, distinguant de tout ce qui précéda une autre « modernité ». Émergeant d'une histoire polycentrique, d'un temps pluriel, le texte se dit, présence-absence d'un sujet multiplié par ce qu'il énonce.

Le texte de rhétoriqueur est-il donc, comme le suggère Wolf, essentiellement métaphorique [1] ? Je ne le pense pas. Certes, il opère, sous son couvert grammatical (prétextuel, dans tous les sens qu'on voudra prêter à ce mot), une suspension des contraintes du langage commun. Il pose des ressemblances entre éléments voisins, apparemment non équivalents ; inversement, des disjonctions entre éléments répétitifs. Le poète travaille au seul niveau du discours comme tel, dans le mouvement duquel l' « image », quand elle surgit, pratique moins une substitution de termes qu'une tension signifiante. La rhétorique seconde, dans la mesure même où elle favorise, nous l'avons vu, l'allégorèse, exclut le « symbole », dans l'acception assez stricte que je donne à ce mot. Ses procédures, s'il faut les qualifier de façon générale, apparaissent comme métonymiques [2]. Par compréhension (métonymie) ou par extension (synecdoque), elles promeuvent au rang de fonction poétique principale la focalisation par contiguïté. L'abondance verbale ne cesse de déplacer le point de convergence, d'où la complexité du texte et les aléas que comporte sa lecture. L'ordre mystique qui pourrait fonder le réalisme de symboles fait place, démembré, à celui des correspondances profanes : des *emblèmes*, rapportant la signification des noms à des gemmes, des vertus, des vêtements, des personnages historiques ou légendaires.

Allégoriques, mythologiques, ou quelle que soit leur nature, les termes successivement focalisateurs de signification diffèrent à peine des « lieux » de l'*ars memoriae*. Les pages de Huizinga sur l'emblématisme de la pensée du xve siècle n'ont rien perdu de leur pertinence [3]. L'œuvre des rhétoriqueurs en constitue la meilleure illustra-

1. Wolf, p. 68-72 ; cf. Lotman, p. 128-146 et 162-165 ; Ricœur, p. 142-176.
2. Zumthor, 1972 *a*, p. 121-122 ; Henry, p. 17-50.
3. Huizinga, p. 217-223 ; cf. *Heures gothiques*, p. 43-45.

tion, sans cesse référant, je l'ai déjà signalé çà et là, à des systèmes d'emblèmes codifiés : couleurs (voir, de Robertet, l'*Exposition des couleurs*), figures héraldiques (spécialement chez Molinet), animaux, images religieuses traditionnelles, comme le pressoir représentant la Passion chez Molinet [1]... L'emblème est concret : son opération sémantique constitue moins un transfert de désignation que le remplacement du concept par une perception visuelle. Son point de départ reste extra-linguistique, son aboutissement est discursif : référentialité apparente, en cela même que dans le texte la perception est inscrite, traduite, par le moyen du langage, le mot *rouge*, l'expression de *lion rampant;* mais cette traduction est sentie comme une faiblesse, sinon une trahison : le texte aspire à prendre forme visible. Telle est sans doute la raison première des jeux graphiques dont il sera question dans un chapitre ultérieur.

L'emblème à l'état pur exige le dessin, qui du moins (re)produit la perception brute : on le trouve dans les *Dictz moraulx* de Baude; dans tous les textes de la même manière entés sur des tapisseries, des vitraux, des tableaux, des enluminures, et dont les xve et xvie siècles offrent tant d'exemples dans les recueils spécialement intitulés *Emblèmes* [2]. Trois éléments le constituent : le dessin, la lettre et la glose. Par *dessin*, j'entends la « chose » vue, dans son mode d'existence concret (la couleur d'une écharpe, la forme de l'écu) ou dans sa représentation dessinée, peinte, sculptée. La *lettre* (dite « devise »), terme posé en discours, entretient avec le dessin un rapport à double direction : chacun d'eux renvoie à l'autre comme un démonstratif, « c'est cela même ». La *glose* explicite, en le commentant, ce rapport; mais elle peut manquer, dans la mesure même où est mieux codifiée la valeur du dessin. Chez Baude, la tapisserie est le dessin; le proverbe, la lettre; le *dit* fournit la glose.

Dans la poésie, le dessin ordinairement fait défaut. Le système emblématique entier n'en reste pas moins sous-jacent au texte. Ainsi, le « dessin » de la *Ressource du petit peuple* n'est autre que l'ensemble des figures allégoriques; la devise, l'événement dont le récit rapporte les aspects essentiels; l'action comme telle forme la glose. Il n'en va guère autrement des « devises » personnelles dont on aime se parer, *lettre* d'un *dessin* qui est l'être même ainsi désigné. Cretin adopte « Mieux que pis »; Jean Marot, « Ne trop ne peu »; Lemaire, « De peu assez »; un Macé de Villebresme, par anagramme de son nom, « De celer es immuable ». La glose, selon le cas, c'est, en sa qualité

---

1. Zsuppan, p. 138-140; Dupire, 1936, p. 30, 163-167, 172, 228, 851, 928.
2. Scoumanne, p. 19-23.

constatée ou prétendue, l'œuvre même du poète, son caractère, sa destinée ou l'impénétrable discrétion de ses amours. Par artifice, Marot use un jour de sa devise comme de refrain dans un rondeau, dont les couplets, louant la modestie verbale, en donnent une glose explicite, occasionnelle [1].

A la limite, la devise se réduit au nom, *lettre* de la personne même. Les rhétoriqueurs aiment jouer du leur, non moins, à l'occasion, que de celui de leurs princes, introduisant ainsi et élargissant en français un procédé recommandé par certains arts épistolaires latins [2]. Cretin et Molinet, dont les noms se prêtent bien aux doubles sens, multiplient, spécialement en épîtres et dédicaces, ces équivoques : un *cretin*, c'est un panier; un *molin*, un moulin; dans l'un on amasse et distribue ce que l'autre a moulu... « C'est un petit cretin, madame, plein de bons et notables ditz, sentences fructueuses et graves. C'est un cretin, non de jong, d'ousier ou de festu, mais d'argent, plein de motz doréz », écrit le poète en adressant son livre à la reine de Navarre. En panégyrique, la figure revêt une dignité particulière, vu la nature de la glose. Ainsi, chez Lemaire, du nom de Molinet, son maître; dans les *Chroniques* de celui-ci, du nom de Philippe, roi de Castille, savamment étymologisé en « Bouche de Lampe [3] »! On tombe parfois dans le calembour. Cretin encore, citant les poètes qu'il admire : « Se le grain de *millet*, amené par un *chartier* [...] est portable en *laid sac* [*let sac* : anagramme de Castel]... à éclaircir la passe du *molinet* [4]. » Mais le calembour même se récupère dans le système emblématique. De *Molinet*, par *mo(u)lin*, on passe à *meule*, pierre dure contre les phrases friables, rudesse de l'artifice contre la douceur naïve des choses naturelles... à *moudre* : série d'associations qui vont tendre dans le discours un tissu indissociable de son pré-texte. *Molinet*, finalement, peut sauter : « Afin que je ne perde le froment de ma labeur et que la farine qui en sera molue puisse avoir fleur salutaire, j'ay intencion [...] de tourner et convertir souz mes rudes meules [5]... »

Signe opaque, et non arbitraire, le nom « propre » exige une glose qui le motive, défiant la résistance qu'il offre à l'assimilation sémantique : exige l'énonciation d'un caractère que l'on tient pour provenant de lui, grâce au rapport qui le lie au dessin de cet homme-ci. Infraction perpétrée contre la « nature » de ce pseudo-signe, mais

1. Lenglet, p. 196.
2. Guy, p. 77-79; Chamard, p. 140; Rigolot, 1976 *b*.
3. Jodogne, 1972 *a*, p. 286; Zsuppan, p. 90-91; Dupire, 1936, p. 1028-1029.
4. Guy, p. 78.
5. Dupire, 1932, p. 75.

cautionnée par le texte même, organisée par lui, dont elle épaule le sens global, hors de toute visée référentielle [1].

L'emblématisation du nom valorise, si même elle ne l'engendre pas, un procédé de composition consistant à faire commencer ou à marquer d'une quelconque manière les parties de l'œuvre par une des lettres formant ce nom. Procédé noble, propre au style de l'éloge : ainsi, dans le *Throsne d'Honneur* de Molinet, le discours de l'Ange est formé de neuf parties magnifiant neuf vertus du ciel dont les désignations ont pour initiales successives PHILIPPUS : le duc Philippe. Ainsi encore, dans le *Chappelet des dames*, du même poète, le discours d'Expérience construit de la même manière sur le nom de MARIE (de Bourgogne); dans la *Couronne margaritique* de Lemaire, où, nous l'avons vu, comme dans son *Temple d'Honneur*, les noms, ici de Marguerite et là de Pierre, déterminent par la consécution de leurs lettres, promues initiales, le choix des Vertus illustrant ces personnages. Une *Oroison sur Maria*, de Molinet, se compose de cinq huitains pantogrammatiques, tous les mots de chacun d'eux comportant la même initiale, dans l'ordre MARIA :

> Marie, mère merveilleuse,
> Marguerite mundifiée,
> Mère miséricordieuse [...]
>
> Ardant amour, arche aornée,
> Ancelle annuncée, acceptable,
> Arbre apportant aube ajournée.

Bouchet, dans les *Triumphes de la noble et amoureuse dame*, emblématise de façon semblable, selon une tradition ancienne, les noms de ce bas-*monde* en *M*enteur, *O*néreux, *N*oyseux, *D*ommageable, *E*nnuyeux. C'est là une réalisation particulière de la *figura etymologica*, à laquelle recourt de son côté Lemaire pour contraindre à la signifiance les noms de villes mêmes : Valenciennes, c'est Val Insigne; Lyon, Ilion, et Paris, Pâris [2]... La lettre, dispersée en lettres, fonde (puisque rhétoriquement elle lui donne sa forme) la glose, et celle-ci illustre l'inépuisable richesse significative de la relation qui la lie à la personne. Les acrostiches introduisant dans le poème le nom de

---

1. Rigolot, 1974, 1976 *a*, p. 467-469, et 1976 *b*, p. 1-79; Meschonnic, 1975, p. 60-63 et 75-82.
2. Jodogne, 1972 *a*, p. 226; Rigolot, 1976 *a*, p. 475; Dupire, 1936, p. 455; Hamon, 1970, p. 236; Stecher, I, p. 105-106, et IV, p. 320.

l'auteur ou celui du destinataire (procédé fréquent au xve siècle) produisent, plus modestement, un effet analogue de « signature » : le nom acrostiché constitue la devise du « dessin » qu'est le poète ou son client, de sorte que le poème entier, d'une certaine manière, en devient la glose.

Nombres

La « musique naturelle » repose sur « le même », selon Deschamps : *natura eiusdem*, c'est le Nombre, principe métaphysique en action, rassemblant et structurant les unités du réel et du langage. *Numerus* est l'équivalent latin, dans ce vocabulaire, du « grécisme » *rhythmus*. *Numerorum ratione* subsistent l'univers ainsi que la parole poétique en ce que le nombre qui la sous-tend dépasse et organise le sensible : ce à quoi cette parole fait référence, c'est la Mémoire, rythme du monde dans le temps humain [1]. Molinet dit *recorder* (proprement « ressouvenir ») pour *composer* un poème : flux verbal, parfaitement « raisonnable », dominé, tentative organisée d'aller jusqu'au bout des possibilités d'un langage. Tant de raffinements de cet art revendiquent, à leur manière, une liberté qui se veut souveraine, et qui consiste non à briser les formes existantes, mais à en multiplier les réalisations.

Le rythme procède d'un « nombre » réglé de moments focalisateurs. Par là, il suspend la durée en même temps qu'il la marque : tendant à mettre en valeur l'instant poétique, où la langue éprouve l'intuition de son mode d'existence. Cette aspiration fondamentale se heurte à des obstacles, que l'art peut seulement contourner, à des inerties qu'il déjoue à demi. En fait, le discours ne sort pas de la durée : à défaut d'abolir celle-ci, on y multiplie les ruptures. La langue ne cesse, entraînée par son poids propre, de retomber à la superfluité de ce qu'elle déclare apparemment : on s'efforce d'y circonscrire du moins des lieux de concentration discontinus, au sein d'une continuité d'un autre ordre, affranchie de cette servitude. Mais le nombre, s'il se clôt sur sa propre perfection, cache un piège. Aussi, tandis que la plupart des « ornements », marqués par leur récurrence, créent les diverses cadences contrapuntiques du poème, d'autres, isolés, les brisent, et donc les accusent de manière surprenante. De

---

1. Dragonetti, 1961 *b*, p. 59-61 ; cf. Lawler, chap. VI et VII.

tels effets sont d'autant plus forts que la série « ornementaire » récurrente est plus abondante. Concentration au niveau des sons comme tels, à celui des formes lexicales, j'ajouterai des distributions sémiques, à celui des configurations syntaxiques et des figures : les définitions du rythme fournies par les théoriciens du xvᵉ siècle réfèrent alternativement à l'un ou l'autre d'entre eux [1]. Elles mentionnent spécialement, il est vrai, le rythme provenant des syllabes. Je reviendrai sur ce point. La syllabe en effet constitue l'unité de perception la plus manifeste; mais aussi, dans une langue comme le français d'alors, phonétiquement très riche et peu fixé, l'unité privilégiée de libre manipulation. Par comparaison, la syntaxe apparaît très résistante. La déconstruction du langage à laquelle se livrent ainsi, avec « délectation », à leurs heures inspirées, les rhétoriqueurs, touche à la surface phonique, à la sélection des mots, joue de l'amphibologie, mais ne désarticule que très exceptionnellement la membrure de la phrase... de même que, tout en raffinant à l'extrême, elle ne détruit rien du système de versification légué par les siècles médiévaux : sans doute respecte-t-elle, à son insu, en cela les éléments présymboliques de la langue [2]. Souvent, surtout dans les mètres longs, phrase et vers sont liés (conformément à la coutume), un groupe syntaxique complet formant chaque hémistiche. L'enjambement n'est pas inconnu, mais reste relativement rare, sauf chez Marot. Fabri en donne cet

> aultre exemple par excellence :
> Sur les clercs et sur le commun
> L'estat de noblesse excelle en ce
> Qu'elle défend chascun comme un [3].

Ou bien, une série de vers commencent par le même élément, que suit nécessairement, selon la norme grammaticale, une construction identique : ainsi, dans le *Lyon couronné*, tel huitain dont tous les vers ont la forme *Par ton* + substantif // (+ *tu*) (+ pronom personnel) (+ auxiliaire) + infinitif [le // marquant la césure]. Cette structure est mise sémantiquement en valeur par le fait que le cinquième élément, particulier aux vers 1, 2 et 3, y est successivement *pouvoir*, *savoir* et *vouloir*, trois facteurs de modalisation verbale, constituant sur le plan rhétorique une gradation :

1. Langlois, p. x, xii, lxvii-lxviii, 1; Héron, II, p. 2; cf. Deguy.
2. Cf. Kristeva, 1974, p. 210-220.
3. Héron, II, p. 19.

Par ton pourchas tu ne luy as peu nuyre,
Par ton effort ne l'as su dommager,
Par ton enhort tu l'as voulu destruire.

André de La Vigne, dans le *Vergier d'Honneur*, fait débuter trois cent quatre-vingts vers successifs par le pronom sujet *chacun*. Les exemples sont nombreux. La répétition produit un martèlement litanique, une intensité verbale qui, en se prolongeant, confine à l'absurdité : le discours en fusion menace de se désintégrer, et aspire à se recomposer en un état autre. Ainsi, chez Meschinot, à plusieurs reprises; chez Destrées. L'*Abuzé* cumule, en six strophes, six fois le même effet avec des mots différents [1]. Les vers courts, en revanche, n'usent que des constructions les plus légères, multiplient la parataxe et la brachylogie, et offrent rarement de tels parallélismes, auxquels leur brièveté se prête mal.

D'une telle esthétique l'ensemble des procédés de mise en nombre que constitue la versification est un outil essentiel : non par l'effet de quelque « nature des choses » (dont les expériences modernes ont prouvé la vanité), mais sous la gouverne de traditions encore vigoureuses. Jusqu'à une époque récente, les régularités prosodiques semblent avoir été le plus stable des facteurs de la langue poétique : quasi-permanence sur laquelle s'inscrivent au cours du temps les mutations lexicales et grammaticales qu'elle embrasse, récupère et informe. La plupart des mètres anciens dans les langues romanes maintinrent ainsi des modèles de la basse latinité; du haut Moyen Age aux rhétoriqueurs se tisse un réseau complexe de liens. Indéfiniment adaptable, prompt à se réinventer lui-même sans infidélité, distinguant avec souplesse, entre ses composantes, le principal de l'accessoire, un système prosodique traverse les siècles : il faut une catastrophe (dans la langue ou dans la conscience qu'on en a) pour qu'il s'effondre; ou bien est-ce son effondrement qui la provoque ? Au temps des rhétoriqueurs, la question ne se pose pas. Sur ce point encore, la seule transformation qu'ils font subir au système hérité, c'est d'aller jusqu'au bout de ses tendances.

Certes, la prosodie ne suffit pas à définir l'« harmonie » du poème [2]. Mais (dans son ambition de codifier le rythme) elle contient l'énergie qui porte le discours, et assure une cohérence spécifique. Elle mani-

---

1. Urwin, p. 62; Guy, p. 91; Dubuis, 1973 *b*, p. 58-60.
2. Di Girolamo; Meschonnic, 1974.

feste cette « vertu fantastique » dont parlait dès 1380 le traducteur français d'Evrard de Conty : source vive où puisent leur valeur significatrice les configurations de timbres, d'accents, de quantités qui techniquement la constituent [1]. La prosodie est action : d'où son emploi exclusif dans le dialogue théâtral, des origines jusque bien au-delà de nos rhétoriqueurs.

La versification des rhétoriqueurs présente, on l'a souvent remarqué, une curieuse conformité avec les règles énoncées dans le traité des *Leys d'amors*, compilé en 1356 pour le consistoire toulousain du « gai saber », sur la base de l'usage courant parmi les troubadours tardifs. La pratique des puys servit sans doute en cela d'intermédiaire : Fabri se réfère expressément aux *Leys* [2]. Celles-ci marquaient l'aboutissement d'un art qui s'efforçait depuis un siècle de se survivre dans un monde de plus en plus différent de celui qui l'avait engendré : dans une grande mesure, il en allait de même, au XVe siècle, des *Arts de seconde rhétorique*. D'où un caractère systématique, un acharnement définitoire, bien éloigné de la liberté de comportement dont avaient témoigné les poètes du XIIe, du XIIIe encore, dans leurs plus subtiles combinaisons formelles; une terminologie savante, destinée à rendre compte de toutes les formules réalisées : plus de mille, si l'on adopte le point de vue de la rime; plus de quatorze cents si l'on considère le comput des syllabes! Les *Leys* les ramènent à cent quarante-sept espèces groupées en quatre genres. Les *Arts*, de façon plus sommaire, opèrent de la même façon.

Là n'est pas, évidemment, ce qui compte; et il n'y a aucune raison pour refaire aujourd'hui le livre illisible de Châtelain. Les rhétoriqueurs, en effet, se situent moins au terme de cette tradition-là qu'au point où, grâce à eux, elle converge avec celle qui provient de Dante, et que j'ai alléguée au chapitre précédent. Peut-être même conviendrait-il d'en mentionner une troisième, liée du reste à l'une et surtout à l'autre : celle des poètes latins des XIIIe et XIVe siècles. J'y ferai plusieurs références par la suite.

Je distingue deux modes de réalisation de la prosodie : microtextuelle, le vers; macrotextuelle, la strophe, et certaines figures compositionnelles. La rime exige d'être examinée à part [3].

1. Jung, 1971 *b*, p. 47-48; Nyéki, p. 127 et 138.
2. Pasero, p. 157-158; Zschalig, p. 61 et 63.
3. Sur la versification des divers rhétoriqueurs : Wolf, p. 87-88; Elwert, § 114, 125-129, 143-150, 172-173; Châtelain, 1974, p. 262-267; Dupire, 1932, p. 307-350; Hue, p. 105-116.

Le vers, facteur de cristallisation linguistique, fonctionne dans la pratique des rhétoriqueurs à la manière d'un mot, de niveau formellement plus élevé que ceux qui le composent et qu'il intègre. Il possède à ce titre ses propres règles d'intégration, manifestant le dessein rythmique : intégration par le biais d'une distribution fonctionnalisée sur un mode original par chaque discours, et portant à la fois sur les accents, les syllabes et les sonorités [1]; moins règles du reste, au sens strict du mot, que tendances dominantes, très relativement rigoureuses.

Ainsi, le comput des syllabes, contrairement à ce qui se produit dans d'autres langues, suit en principe des modèles invariables : l'alexandrin se définit par ses douze syllabes. Pourtant, cette identité est en partie fictive. Ainsi, une rime féminine donne au vers une syllabe de plus : il est vrai qu'au xve siècle la prononciation, en général, escamote ces finales atones. Mais le -e porte-t-il un accent, il constitue le dernier élément numéral du vers, ce qui inversement raccourcit d'autant celui-ci; ainsi, chez Meschinot :

> Croys tu que Dieu t'ait mis à prince
> Pour plaisir faire à ta personne ?
> Je ne sais si as aprins ce...

Au troisième vers, la mesure s'achève par *ce*, mais la rime réelle bisyllabique (les sons *aprinse*) recule sur les sixième et septième syllabes [2]; le *e*, dit muet, du monosyllabe *ce* compte dans la mesure et concourt à l'effet de rime. D'une manière générale, ce *e*, propre au français, fait difficulté : doit-il être élidé ou non à la césure, qu'on nomme aussi quadrure, et que l'on impose, dans les vers de plus de huit syllabes, comme une pause de la respiration (élément physiologique du rythme) ? Peut-on même, sans l'élider, ne pas le tenir pour syllabique ? Ces trois solutions coexistent dans la tradition. La césure en *e* non élidé ne sera évitée en pratique que vers 1515; seul le traité VII de Langlois, de 1525, l'interdit [3]. « Dictions féminines, ou imparfaites, qui n'ont pas parfaite résonance », déclare Molinet [4] : fait de langue, que seul un sens très sûr des harmonies sonores permet d'exploiter efficacement, en cela même qu'il s'oppose globalement à toutes les sonorités. Mais, en fin de mot, et plus encore en fin de groupe accentuel, devant une autre voyelle vers laquelle

---

1. Cf. Jaffré.
2. Langlois, p. 217 ; Martineau-Genieys, 1972 *a*, p. 52.
3. Dupire, 1932, p. 312-313 ; Suchier, p. 32, 118 ; Héron, II, p. 15.
4. Langlois, p. 216.

aucune consonne intermédiaire ne ménage cette subtile transition, toujours assurée à l'intérieur du vocable ? C'est l'élision ou l'hiatus, que signalent nos « théoriciens » tout en s'abstenant de légiférer à leur propos, et dont la pratique chez les poètes reste hésitante. Fabri estime que l'hiatus peut constituer une figure. Il faut attendre Ronsard, en 1565, pour en rencontrer l'interdiction [1]. Le sous-titre de l'*Art de Gratien du Pont* présente (abusivement) ce texte comme un discours sur la synalèphe : on tourne toujours, en 1539, autour du problème que pose l'utilisation de ce trait [2]. S'il faut en croire la lecture qu'en fait Theureau, Marot ne redoutait pas, dans un poème adressé à la reine Anne, d'écrire *ennuie* pour *ennui* afin de boucler son vers :

> Là ne craint-on les durs chocz de Fortune,
> Conivrements, ennuie ne rancune.

De même, d'autres voyelles : Marot scande l'adverbe *mieux* tantôt mono-, tantôt bisyllabiquement [3].

Si le vers est césuré, il comporte en principe deux accents, terminant chaque hémistiche; s'il ne l'est pas, celui seul qui tombe sur la rime. On a pu néanmoins se demander si, au sein de ce schème, ne se dessinent pas des séries rythmiques librement combinées en groupes ascendants ou descendants. Ainsi, Hue pense déceler chez Meschinot la prédominance de séries binaires, iambiques ou trochaïques, dans l'octosyllabe, et une tendance à accentuer le décasyllabe, non seulement à la césure et à la rime, mais sur la sixième ou septième voyelle [4]. Il est malaisé de trancher : nous connaissons trop mal les modes de déclamation alors en usage. La distribution des accents n'en constitue pas moins l'un des facteurs de l' « harmonie », au sens où j'entends ce terme. Certains de ses effets, en dépit du vieillissement de la langue, restent pour nous évidents : ainsi, les variations de la césure dans le décasyllabe, coupé généralement 4-6, mais parfois 6-4 ou 5-5.

Michel de Boteauville, dans un *Art de métrifier* publié en 1497, proposait d'introduire en français, à l'imitation du latin antique, une versification quantitative, qui eût bouleversé les instruments traditionnels du rythme. On sait qu'il ne fit pas école : les tentatives analogues esquissées à partir de 1530 abandonnèrent l'opposition brèves/longues

---

1. Suchier, p. 107; Héron, II, p. 5-9 et 129.
2. Zschalig, p. 56.
3. Theureau, p. 137; Lenglet, p. 176; Trisolini, p. 52.
4. Hue, p. 110-115.

pour des systèmes reposant sur l'alternance atones/toniques, à la manière des *rythmi* latins du Moyen Age [1].

Les vers les plus souvent employés par les rhétoriqueurs sont, en ordre de fréquence décroissant : l'octosyllabe, le décasyllabe, puis ceux de sept syllabes, de six, de quatre, de trois même (en rondeau) et, dans quelques pièces de pure virtuosité, de deux, voire une : ainsi, ce rondeau proposé par Fabri : « *Je / dis /* que */ je /* le */* vis :*/je/dis* [2]. » L'alexandrin, d'origine ancienne mais tombé en désuétude, réapparaît chez Lemaire, vers 1510, dans la tirade conclusive de la *Concorde des deux langages*. Il ne se répandra guère qu'après 1550. Seuls les vers de neuf et onze syllabes restent inusités : lacune due à l'inertie des traditions, ainsi que l'absence de vers de plus de douze syllabes, que Legrand, dans son *Art*, justifie sommairement « car plus grand nombre osterait au vers sa façon [3] », par quoi il faut entendre sans doute qu'il excéderait ce que l'oreille française peut percevoir comme unité. Compte tenu des césures, l'élément rythmique de base dans cette poésie ne dépasse jamais, en fait, huit syllabes. Le clavier prosodique, néanmoins, est étendu, et les poètes en jouent avec habileté, attribuant à chaque type de vers (comme le prouvent les nombreux poèmes combinant des mètres différents) une fonction « expressive », j'entends harmonique et donc significatrice, particulière.

Le mode macrotextuel de réalisation métrique peut être décrit de trois points de vue, souvent (mais non toujours) combinés dans la pratique : celui de la composition numérique, celui du groupement des vers et celui des « formes fixes ». Ce sont là trois processus de second niveau, permettant l'intégration du vers dans un ensemble.

A la composition numérique j'ai fait allusion déjà dans un chapitre antérieur, signalant les combinaisons récurrentes de sept ou huit éléments (ainsi, dans la *Ballade poétique* de Robertet), de douze et de ses multiples (dans le *Doctrinal des princesses* de Marot). Au *Chappelet des dames* de Molinet, Vertu personnifiée tresse une guirlande de cinq fleurs, cinq lettres, cinq qualités et cinq couleurs : $4 \times 5 = 20$, nombre organisant, en raison d'une harmonie qui lui est propre, les emblèmes et les noms ainsi rapportés aux cinq princesses, objets de ce panégyrique. De telles procédures sont fréquentes : elles régissent aussi bien, en surface, la distribution des éléments lexicaux (tant d'adjectifs, de

---

1. Suchier, p. 38-42.
2. Héron, II, p. 68.
3. Langlois, p. 2.

verbes, de propositions), des groupes syntaxiques, des figures, que, en profondeur, la répartition des ensembles.

Dans le dernier cas, le recours au nombre s'associe généralement à l'allégorèse, dont il diffère à peine en son principe : il introduit dans le discours la marque d'une rationalité rassurante, il extrait de sa temporalité le propos des assertions ; il fonctionne comme un emblème, insère la totalité de ce qui est dit dans une *ars memoriae* de nature « musicale ». C'est là une tradition ancienne. Dans la pratique des poètes de langue romane, les premiers exemples remontent au XIIe, sinon au XIe siècle ; au XIVe, ils se multiplient. Pour les philosophes, il s'enracine dans l'exégèse augustinienne, dans l'arithmétique de Boèce, chez Martianus Capella, Isidore, Raban Maur. Le pythagorisme diffus dans la pensée des XVe et XVIe siècles le réintroduit dans une vision de l'univers, *concordia discors e pluribus unum*, qui tend à restaurer, au moyen de l'analogie, la conception d'un être un [1]. Rien ne prouve que nos rhétoriqueurs se soient hissés jusqu'à cette métaphysique : elle n'en flottait pas moins, diluée, dans le milieu qu'ils fréquentaient. Distribuer, au sein d'un discours évidemment unique, trois lieux, trois temps, trois actions, trois styles, trois types de vers en fondait l'harmonie d'une manière qui ne tenait en rien à l'extra-discursif... sinon par mimesis d'une idée, et cette idée, tout nouveau poème la recréait, elle constituait son propre *bien*. La *Ressource du petit peuple* est formée d'une alternance de trois parties en prose et trois en vers, chacun de ces deux éléments présentant globalement un volume à peu près égal ; la texture des parties de prose, j'y reviendrai, implique plusieurs règles numériques ; et les vers même, indépendamment de leur prosodie, n'y échappent pas : ainsi, les strophes 9-10 du monologue de Vérité forment deux séries, de sept vers pour l'énoncé du sujet de phrase, suivis d'un pour le verbe, puis l'inverse. Le même poète construit un serventois présenté au puy de Valenciennes selon les propriétés du nombre sept : sept cordes de la harpe, sept lettres des mots *cithare* et *armonie*, incluant à égale distance de ses extrémités le cinq des lettres de Marie et des strophes du poème. Une arithmosophie approximative se dessine parmi les implications du discours, privilégiant les combinaisons de deux à cinq, puis sept, neuf et douze, nombres porteurs d'analogies fondamentales, inscrites à la fois dans le corps humain et dans les astres. L'astrologie en effet (qu'en 1498 condamnait un Savonarole dans ses *Disputationes*) valorisait ce mode de composition. Et les références à cette lecture des astres ne sont pas rares chez les rhétoriqueurs, pour lesquels parfois elle justifie l'emploi des noms

---

1. Hellgardt ; Heninger.

mythologiques [1]. Source d'ornements descriptifs autant que figure du réel sublunaire, l'astrologie véhicule, avec l'image du microcosme, la conviction qu'il n'est de science qui ne soit d'abord conscience du corps : et dans le corps se fonde le rythme.

Il est rare qu'un poème déroule, de bout en bout, sans groupement strophique, la série des vers qui le composent. Saint-Gelays traduisit en décasyllabes à rimes plates les *Héroïdes*, et d'autres rhétoriqueurs reprendront ce mètre. Chez Molinet et ailleurs, il arrive que l'octosyllabe soit employé de cette même manière, ou, chez Lemaire, l'alexandrin. Plus souvent, l'absence de formation strophique est compensée par quelque configuration des rimes, liant les vers, grâce à la distribution de ces sonorités, en schème moins linéaire : tirades monorimes, écrasant toute sensation de progressivité sonore ; ou croisement *abab* (voire *ababbaba*, ou combinaisons plus complexes) en chaîne indéfinie [2]. Ces formes, de proportions numériquement irréductibles à un principe interne d'organisation, apparaissent plutôt, de façon épisodique, au sein d'ouvrages assez longs où, alternant avec les parties strophiques, elles signalent quelque digression descriptive ou un récit. Ainsi, dans le *Voyage de Gênes* de Marot ; dans la *Concorde* de Lemaire [3]. Elles restent relativement exceptionnelles.

Normalement, le vers s'intègre à une strophe. De nombreux relevés ont été faits des types, très variés, de strophes utilisés par les rhétoriqueurs. Ils se ramènent à une règle numérique simple : si l'on excepte le quatrain, de tradition très ancienne, et ses multiples (de huit à trente-deux vers), le nombre de vers constituant la forme strophique est égal à l'un des sept nombres premiers supérieurs à 1 (3, 5, 7, 11, 13, 17, 19) ou aux multiples des cinq plus faibles de ceux-ci (de 3 à 12, de 5 à 20, jusqu'au treizain, qui peut être porté à trente-neuf vers) [4]. D'où vingt-quatre types, réalisables selon un mode hétérométrique ou isométrique. Dans l'isométrie, les poètes manifestent une préférence pour les formes « carrées », où le nombre des syllabes du vers choisi égale celui des vers de la strophe (ainsi, les huitains d'octosyllabes par quoi se termine la *Ressource*). Dans l'hétérométrie, qui théoriquement porterait à l'infini le nombre des réalisations possibles, se marquent des tendances restrictives : si la strophe se construit sur deux longueurs de vers, l'un des mètres, fonctionnant comme « thème », sur lequel se brodent les motifs sonores du second, est de préférence le

1. Ferrand, p. 21 ; Zsuppan, p. 92-94 ; Chesney, p. 143 ; Rigolot, 1976 *a*, p. 276-278.
2. Châtelain, 1974, p. 241-242 ; Dupire, 1932, p. 335.
3. Trisolini, p. 93-95 ; Frappier, 1947, p. 39-42.
4. Châtelain, 1974, p. 86-166.

décasyllabe, l'octosyllabe ou le septenaire; la durée de l'autre sera rarement inférieure à la moitié du vers-thème : combinaisons telles que 10-8 ou 10-7, 8-7 ou 8-6, 7-4 ou 7-5. Si la strophe utilise trois sortes de vers, le modèle est plus souple : 8-4-3, 7-4-3 et 7-5-3 prédominent [1].

Ces tendances n'ont rien d'absolument contraignant : la *Vie de sainte Wenefrede* de Destrées, mosaïque de strophes diverses, comporte des groupements de cinq octosyllabes, puis huit vers de trois, puis quatre vers de sept syllabes (str. xiv), ou une alternance irrégulière de 10-3-6 (str. xxvii) [2]. Sur ce point comme sur les autres se manifeste un caractère foncier de la poétique des rhétoriqueurs, alliant au goût de la règle le besoin d'une marge de liberté préservée par l'imprécision de cette règle. A l'arrière-plan de tous ces computs se discerne paradoxalement le désir d'une simplicité : non d'un simplisme brutal, mais d'une netteté des rapports, d'une évidence des proportions, indifférente s'il le faut à ce que semble exiger la clarté de l'information.

Molinet utilise douze espèces de strophes isométriques : de 4, 5, 6, 7, 8, 10, 11, 12, 14, 15, 16 et 30 vers. Le sizain, le septain, le huitain et le dizain peuvent constituer des formes carrées; les quinzain, seizain et trentain sont toujours en décasyllabes; dans les autres, le vers a parfois cinq, six, sept ou huit syllabes. Le nombre de rimes différentes varie de deux à cinq par strophe, en ordre divers de succession, d'où une grande variété. L'œuvre en revanche n'offre d'exemple que quatre espèces de strophes hétérométriques : le dizain, à combinaison 10-8 ou 7-3, sur deux ou trois rimes; le douzain, 10-8, 10-6 ou 7-3, sur deux à six rimes; le seizain, 10-6-4-2 ou 7-3, sur deux ou trois rimes; le vingtain enfin, 8-4, sur deux rimes. Les rimes sont toujours groupées en séries plates ou croisées de deux, trois ou six timbres identiques [3]. La confrontation de ces chiffres révèle quelque dessein harmonique général, intégré à l'idée que se fait Molinet de sa propre pratique : une sorte de nombre d'or dont les relations s'organisent en un jeu sur 2, 3, 5 et 7. On pourrait passer ainsi la troupe en revue. Bouchet, qui éprouve une prédilection pour le décasyllabe, se sert néanmoins, à l'occasion, de toutes les combinaisons admises, de trois à douze syllabes; et sa palette strophique va du huitain au groupe de dix-huit vers. Celle de Destrées le marginal, du cinquain au groupe de quarante-trois vers! et ses combinaisons syllabiques, de quatre à dix. Meschinot créa le douzain de décasyllabes sur deux rimes, et un vingtain formé de

1. Châtelain, p. 240.
2. Petersen, p. 69 et 73.
3. Dupire, 1932, p. 336-345.

douze heptasyllabes suivis de huit trisyllabes; Cretin, le treizain d'octosyllabes [1]. Lemaire, décrivant dans la *Concorde* le temple de Vénus, introduit en français (il s'en vante) la *terza rima* italienne, illustrée par *la Divine Comédie :* 10 *a* 10 *b* 10 *a* / 10 *b* 10 *c* 10 *b*, etc., forme à laquelle Bouchet donnera sa forme définitive, y imposant l'alternance des rimes masculines et féminines.

Si le poème ou l'une de ses parties est formé d'une succession de strophes de même type, la liaison entre elles, assurée par cette identité métrique, provient d'une récurrence. Parfois, l'identité des rimes y ajoute une marque vocalique de reconnaissance. Ou bien, selon un procédé d'enchaînement déjà ancien, le dernier mot d'une strophe est repris en tête de la suivante (ainsi, pendant des pages, dans la *Ressource de la Chrestienté* d'André de La Vigne) [2], ou encore, c'est un vers entier qui se répète, comme au second monologue de Justice dans la *Ressource du petit peuple :* rappel à la fois sonore et sémique, le propos de la strophe I posant le thème de la suivante, et ainsi de suite.

Dans la plupart des ouvrages d'une certaine étendue, les poètes, en revanche, opèrent une liaison contrastive, accusant les ruptures entre « tailles » successives. D'où une extrême diversité, polyphonique au niveau de l'ensemble, et parfois au sein des sous-ensembles constituant le discours, effet récurrent de halètement euphorique. L'ample *Apparition du Mareschal Sans Reproche* de Cretin, qui ne compte guère moins de douze cents vers, commence par une longue description en décasyllabes à rimes plates; suivent un discours du maréchal, cinq douzains de décasyllabes rimés *aabaabbbabba;* un de l'auteur, quatorze vers *aabb* du même mètre et trois huitains *abaabbcc;* plus loin, des imprécations contre Milan, dix douzains complexes, formés de huit quadrisyllabes et de quatre octosyllabes... mêmes transformations, sans cesse rebondissantes, jusqu'à la fin. Dans le *Voyage de Gênes*, Marot n'utilise pas moins de six espèces de strophes, toutes, il est vrai, en décasyllabes. Son *Epistre des dames de Paris* plus simplement répète douze fois un couple strophique fait d'un huitain de décasyllabes suivi d'un douzain de quadrisyllabes : structure déterminée par le chiffre 4 et ses multiples. Ici encore, Destrées pousse à l'extrême : sa *Vie de sainte Marguerite* compte quarante-trois strophes, toutes différentes : vingt, entièrement en décasyllabes; six, partiellement; les autres en vers mêlés, de trois à huit syllabes; le tout, coupé de passages en prose, et les décasyllabes même présentent les trois types de césure possible...

---

1. Hamon, 1970, p. 218-225; Petersen, p. 31-39; Chamard, p. 214-221.
2. Guy, p. 91.

La diversité est, chez Destrées, éparpillement : il est difficile de percevoir la fonctionnalité de ces brisures rythmiques, si ce n'est le dessein de retenir l'attention du lecteur. Ailleurs, il en va tout autrement. Le triomphe du Roi, dans le *Voyage de Venise* de Marot, alternant huit fois les douzains de décasyllabes et les vingtains de pentasyllabes, produit un effet de mouvement tour à tour grave et léger, procession puis fourmillement de liesse [1]. Mais ces impressions superficielles ont en elles-mêmes peu de valeur. Sans que rien en cela soit vraiment codifié, les diverses formes métriques, nous l'avons vu au chapitre précédent, sont considérées par les poètes comme plus aptes à communiquer tel contenu, et moins tel autre. Les douzains de décasyllabes conviennent au noble et à l'orné, etc. [2]. Qu'est-ce à dire, sinon que le rythme, à son niveau, porte sens ?

Telle est la raison probable de la grande faveur dont jouirent, jusqu'au-delà de 1500, les formes dites « fixes », ou mieux « rondes » (en ce qu'elles comportent un élément récurrent qui les clôt rythmiquement sur elles-mêmes). Formes d'écriture où la brièveté et les retours d'accents et de rimes posent une contrainte excluant tout énoncé exhaustif : fixes, mais non rigides, ces formes découpent le discours poétique en unités métriques qui ne coïncident pas nécessairement avec les unités linguistiques. Définies par des règles déterminant le nombre et la disposition des vers et des strophes, elles sont souvent liées à certaines classes de contenus dont elles constituent le signe global [3]. Ces effets sont plus ou moins accusés : davantage dans les plus courtes que dans les (relativement) longues. Deux types s'y distinguent, correspondant à cette première opposition, chacun d'eux comportant une famille de modèles apparentés : le *rondeau*, d'une part; la *ballade*, de l'autre.

Le rondeau (qui sert principalement à l'exposé de motifs « courtois » ou érotiques) repose sur un schème de base *ABaAabAB*, où les majuscules désignent le refrain, dont les alternances contrastent, en les unissant (grâce à la rime), avec le couplet, comme avec la voix d'un soliste la reprise du chœur. Ce schéma peut être amplifié et compliqué de deux manières : par accroissement du nombre des vers, ou par réduplication de la structure. Le couplet embrasse jusqu'à huit vers (le plus fréquemment, trois et quatre); mais la longueur des vers reste soumise au choix du poète : de une à huit ou dix syllabes. Le refrain

1. Chesney, p. 143-180; Lenglet, p. 214-221 et 172-180; Petersen, p. 42-62.
2. Langlois, p. 259, 278; cf. Trisolini, p. 48.
3. Cf. Géninasca, p. 46-47.

est parfois écourté à la reprise. Le rondeau « layé », combine des vers de divers mètres. Les rondeaux de Molinet comptent un total de douze, quatorze ou vingt vers de cinq, huit ou dix syllabes. Chez Cretin, le modèle tend à se normaliser, le couplet devenant régulièrement un cinquain, et le refrain n'étant que partiellement répété [1]. La principale variété à réduplication est le rondeau « jumeau » : double rondeau dont la seconde partie, formée de vers de longueur double, a sur un vers le même refrain que la première donne sur deux :

> *Je l'ay empris,*
> *Bien en advienne.*
> Pour avoir pris
> *Je l'ay empris.*
> Où qu'il soit pris
> Ne dont il vienne,
> *Je l'ay empris,*
> *Bien en advienne.*
>
> Afin qu'à haut bruit je parvienne
> Par prouesse qui m'a sourpris,
> *Je l'ay empris, bien en advienne :*
> Pour avoir pris *je l'ai empris* [2].

Sous tous ses aspects, la forme rondeau paraît, plus que d'autres, apte à épanouir les tendances poétiques profondes de la seconde rhétorique : amenant par un mouvement syntaxique naturel deux fois de suite la phrase à déboucher sur le refrain, elle encercle le couplet en une dissymétrie parfaitement harmonisée, tandis que l'ensemble se construit de façon spiraloïde. Le refrain pose, métriquement et sémantiquement, le thème que glose en l'amplifiant le premier couplet, et que retourne ou, de quelque manière, atténue ou inverse le second. Le deuxième retour du refrain forme le centre du bref énoncé, à partir duquel signifient ce qui le précède et ce qui le suit. Dans une certaine mesure, on comparerait cette densité du rondeau à celle du futur sonnet... et l'on pourrait se demander pourquoi, en un temps où commençaient à se répandre en France les modes italiennes, celui-ci ne fut pas adopté [3]. La raison en est, me semble-t-il, que l'intensité du sonnet est primairement de l'ordre du contenu; celle du rondeau, de l'ordre de l'organisation discursive. Des rhétoriqueurs, de Marot encore, aux poètes de la Pléiade s'opéra à cet égard dans la langue poétique une

1. Poirion, 1965, p. 317 et 333-342; Châtelain, 1974, p. 212-221; Dupire, 1932, p. 349; Langlois, p. 227-229.
2. Langlois, p. 228-229.
3. Fox, p. 128-131.

transformation profonde, dont l'apparition tardive du sonnet est l'indice.

Le *virelai*, quelle que soit son origine, diffère peu du rondeau. Il comporte une opposition simple refrain-couplet, qui peut être répétée deux ou trois fois : sur le schème de base *AB abba AB (abba AB)* se construisent toutes espèces de dérivations et amplifications : le refrain compte jusqu'à huit vers; le mètre ou la rime peuvent changer d'un élément à l'autre. L'une de ces variantes porte le nom de *bergerette* [1].

Le *fatras*, qui ne doit rien historiquement au rondeau, appartient, quant à l'effet qu'il produit, au même genre de forme fixe. Consacré exclusivement aux « matières joyeuses », il comporte deux sous-espèces : le fatras « possible », de thème parfois obscène, et l' « impossible », poème de non-sens, dont la tradition remonte au XIVe siècle et dont j'ai traité dans un livre précédent [2]. Le discours fatrasique part d'un distique-thème, développé en onze heptasyllabes de telle manière que la phrase-glose part du premier de ces deux vers et aboutit au second. Ainsi chez Molinet qui, par ailleurs, utilise le fatras comme ornement épisodique dans le *Throsne d'Honneur* [3]. Le fatras est parfois doublé. L'extrême rareté des fatras « impossibles » révèle un trait de la poétique des rhétoriqueurs sur lequel je reviendrai.

On ne peut de la ballade séparer le *chant royal*. Tous deux issus de la « chanson » de trouvère, ils ne se distinguent guère que par leur longueur (la première a trois strophes; le second, cinq) et l'usage qu'on en fait. Le chant royal, propre à la pratique des puys, comporte une gravité particulière, l'argument est surtout religieux et le discours chargé de figures : Cretin, pour souligner ce caractère, fait précéder plusieurs de ses chants royaux d'un quatrain en indiquant le sens général et l'utilité [4]. Cette « taille » comporte diverses variétés, moins fréquentes : le *serventois*, d'argument marial et dépourvu de refrain; l'*amoureuse*, courtoise (ou, parfois, parodique); l'*arbalétrière*, d'argument plus léger. La ballade, d'emploi courant, se prête mieux, à l'occasion, aux jeux de l'ironie, mais elle conserve en général quelque solennité : son prétexte est politique, didactique, « moral », ou bien elle parle le langage de la *fine amour*.

Comme le chant royal, la ballade ajoute (sauf exception) aux strophes un « envoi » égal à la moitié de l'une d'entre elles; le mètre, les rimes et leur distribution sont identiques dans toutes les strophes;

1. Langlois, p. 231-232.
2. Zumthor, 1975, p. 76-77.
3. Dupire, 1936, p. 49 et 879.
4. Ainsi, Chesney, p. 29.

chacune de celles-ci et l'envoi se terminent par un vers-refrain syntaxiquement intégré à la phrase qui le précède. Mais, tandis que le chant royal n'utilise guère que le décasyllabe, la ballade (tout en préférant ce vers ou l'octosyllabe) se versifie parfois en mètres plus courts (7 syllabes et même au-dessous), voire en vers mêlés, 10-4, 7-3 ou autres combinaisons. La dimension des strophes, dans les deux « tailles », varie de six à seize vers; mais une forte tendance se marque, à donner aux strophes la forme carrée. Des variétés de la ballade, je citerai la « jumelle » (six strophes, dont le premier vers est identique au dernier de la précédente), et la « ballade à rondeau enté », dont la première strophe est faite d'un rondeau à refrain de deux vers, dont le second sert de refrain à l'ensemble [1].

Si le mouvement du rondeau peut être comparé, comme je l'ai fait, à une spirale, celui de la ballade et du chant royal est plus proche de la circularité. Celle-ci toutefois s'entrouvre, du fait de l'ampleur du discours : trente-cinq vers pour une ballade carrée en décasyllabes, cinquante-cinq pour un chant royal de même modèle. D'où l'introduction d'une narrativité, au moins latente, qui vient emplir cette durée, marquer une progression, dessiner un après qui s'édifie sur un avant à tout instant dépassé; une disposition axiale de ce qui est dit, et une précipitation vers une fin non dite, à laquelle se substitue le dernier vers-refrain comme un trompe-l'œil. Mais, trompe-l'œil ou pas, le système se referme, et par là freine les transformations d'un discours aspirant à l' « imitation » du réel : c'est pourquoi sans doute, comme le rondeau, la ballade tombe progressivement en désuétude au XVIe siècle. Marot pratique encore ces « tailles », les utilise même, à titre d'ornements épisodiques, dans ses compositions longues comme le *Voyage de Gênes* et celui de *Venise*. Mais l'œuvre de Cretin (qui, participant aux fêtes du puy de Rouen, maintient le chant royal) ne compte, dans l'édition Chesney, que onze rondeaux et trois ballades. Les *Fantasies* de Gringore sont fourrées d'un petit nombre de ces formes fixes, mais la majorité des parties en vers de cet ouvrage présente de libres ensembles de strophes, d'une grande diversité. Clément Marot, bientôt après, mettra un terme à cette tradition : toutes ses ballades, ses chants royaux et ses rondeaux sont antérieurs à 1532.

---

1. Poirion, 1965, p. 363-390; Châtelain, 1974, p. 179-190; Dupire, 1932, p. 345-348.

Avec rime et raison

La régularité avec laquelle s'y disposent les rimes a pu jouer, auprès des premiers rhétoriqueurs, en faveur des formes fixes. La rime en effet n'est pas pour eux une structure phonique surajoutée. Elle est le produit de la « raison » du poème. Le mot même de *rime*, jusque tard dans le XVIe siècle, ne désigna pas, comme pour nous, la seule homophonie finale, mais conserva quelques traits sémiques de son étymon grec ῥυθμὸς : je l'ai montré ailleurs [1]. La *rime* (on écrit aussi *risme*, *rithme*), c'est à la fois le poème, le vers et la figure d'*homoioteleuton* qui clôt celui-ci : plans de réalité impliqués, imbriqués dans un modèle spécifique de cadence, déterminant à la fois l'intensité et la quantité du dire. Il n'y a certes pas contradiction à employer le mot dans son sens moderne, restrictif, mais à condition, s'agissant de poètes du XVe siècle, de ne pas évacuer ces implications [2]. « Rime » est un terme relationnel, référant à deux entités au moins, appartenant au même paradigme phonique, récurrentes en discours dans des positions syntagmatiquement équivalentes, et fonctionnant comme les marques d'une valeur identique [3] : la tradition médiévale ne l'ignorait pas. C'est pourquoi elle lia dans la pratique ces récurrences homophoniques à des figures que le classicisme devait proscrire, mais qui surabondent, nous le verrons, chez les rhétoriqueurs : l'*adnominatio*, qui répète un même radical pourvu de terminaisons différentes ; la *figura etymologica*, qui rapproche des mots de même famille ; la paronomase, qui conjoint des paronymes et suscite le calembour. La « rime » concerne l'acte entier de langage poétique qui, entre autres effets, la produit. Choisir des rimes dans la même catégorie lexicale est une pratique extrême, mais révélatrice : elle met en valeur le fait qu'au sein du vers la relation du signifiant au signifié passe par la médiation du mètre. D'où la tendance à laisser envahir le poème par la rime : multiplication des

1. Zumthor, 1975, p. 125-143.
2. V., sous cette réserve, Dupire, 1932, p. 325-333 ; Wolf, p. 85-87 ; Elwert, § 128-129, 143, 149-150 ; Hue, p. 94-104.
3. Cf. Shapiro, 1974, p. 506.

échos, des assonances internes, remontée de l'homophonie finale dans le sens de droite à gauche, une syllabe, puis deux, trois, à la limite le vers entier... au point que la « rime » tend à s'abolir comme telle. Il serait à peine paradoxal d'affirmer que la rime est, dans la production du poème de rhétoriqueur, première. D'où la liste de quelque trois mille cinq cents mots-rimes que fournit le traité II de Langlois : même nombre dans le traité VII, près de six mille dans le n° III, un millier au n° IV [1].

L'importance attachée par ces poètes à la sélection et à la distribution de leurs rimes frappa les commentateurs au point que, trop souvent, ils réduisirent à ces opérations le propre de cet art. La ferveur poétique ne s'en concentre pas moins, en eux, sur le fait sonore, berceau des significations. Toute la poésie du XVe siècle français (à l'exception de celle de Charles d'Orléans) témoigne d'une tendance semblable : les rhétoriqueurs, une fois encore, allèrent jusqu'au bout. Un Meschinot pousse le soin jusqu'à modifier la graphie de certains mots afin d'assurer à l'œil un égal plaisir qu'à l'oreille, de reconnaissance du même [2].

Je n'ai pas à faire ici le catalogue des nombreuses figures de rimes mentionnées et (je retiens plutôt ce trait pour pertinent) mal distinguées par les « théoriciens » du XVe siècle. Il importe néanmoins d'examiner le fonctionnement du « système »... si ce terme a ici un sens ! Parmi les éléments que léguait la tradition, les rhétoriqueurs abandonnent, et les *Arts* condamnent l'assonance proprement dite (identité de la voyelle mais non de la consonne qui suit) et la rime « rurale » (pauvre) : autrement dit, ils ne s'en tiennent pas à la seule homophonie vocalique, mais travaillent à partir de la syllabe entière, dont ils ne dissocient pas les éléments. Ils évitent d'autre part la monorimie, sauf comme ornement épisodique, par là fortement valorisé, dans telle tirade d'un poème long, où elle produit un effet de suspension du mouvement rythmique; restreignent de même à certains énoncés narratifs ou didactiques l'usage de la rime plate. Le principe qui préside à la distribution des homophonies repose sur la combinaison de groupes ternaires ou quaternaires à répétition, alternance ou croisement : *ababab*, *ababcc*, *aabb aabb*, *abba*, etc.; les possibilités sont innombrables [3].

1. Langlois, p. 11-103, 104-198, 199-213 et 324-426.
2. Martineau-Genieys, 1972 *a*, p. CXXVI-CXXVII.
3. Châtelain, 1974, p. 244-248 et 268.

Quant à l'emplacement de la rime, la tradition romane le fixait sous l'accent final du vers. Mais les rhétoriqueurs, dans les vers longs, placent souvent, comme on le faisait dans les vers latins « léonins », à la césure une rime « intérieure », que divers rapports d'alternance peuvent lier à l'autre : l'ensemble est dit « batelé », d'un terme suggérant l'effet de rythme ainsi recherché :

> Nostre âge est bref ainsi comme les f*leurs*
> Dont les cou*leurs* reluisent peu d'es*pace*.
> Le temps est court et tout remply de p*leurs*
> Et de dou*leurs*, qui tout voit et com*passe* [1].

Plus rarement, ainsi chez Saint-Gelays, les deux séries rimiques ne se correspondent pas, ce qui produit un effet d'écartèlement du discours [2].

De toute manière, la rime est « riche » par définition : on dit, alors, « consonante ». Mais une tendance générale porte à lui faire embrasser, surtout dans les poèmes strophiques, plus d'une syllabe : effet mieux perceptible à notre oreille si le mot-rime a une terminaison « masculine », le *e* des féminines comptant souvent en cela pour une syllabe. Les rimes bi- et trisyllabiques, de tradition ancienne en latin, étaient encore courantes vers 1500 dans la poésie hymnique. Les rhétoriqueurs s'efforcent de les généraliser en français :

> Male *cité*
> que cé*cité*
> a do*minée,*
> Néces*sité,*
> m'a ex*cité...*
> ... Exa*minée*
> Et ru*minée*
> Nostre présente adver*sité* [3].

Mieux encore :

> Prens bon espoir, car le sort de *Fortune*
> Tourne souvent les uns en bien *fort une,*
> Autres a mal, honte et *vitupère ;*
> Mais par raison jamais ne *vis tu père*
> Aucunement défaillir *à ses filz :*
> Dame Cloto tient encore *assez filz* [4].

1. Jodogne, *in* Simone, 1967, p. 196.
2. Elwert, p. 109.
3. Chesney, p. 158.
4. *Ibid.*, p. 258.

Sous des appellations diverses, « couronnée », « à double queue », la syllabe-rime se redouble, en finale, et parfois aussi à la césure. Ainsi, Cretin :

> Le trop durer en feste *et veille esveille*
> Chagrin, qui rend tous mes *espritz espris* [1].

De même durant les 126 vers du poème. Ou bien :

> Par dis*cors cors* jà pris en re*cordz corps*,
> creux gar*niz nidz* où as mes a*mys mys*,
> en con*sors sortz* tant que en res*sors sors*
> hors jo*liz litz* non sentant de*litz lis*.

Deux huitains adressés à Molinet par Cretin riment sur ce modèle :

> Moli*net n'est* sans bruyt ne sans *nom, non;*
> Il a *son son*, et comme tu *vois, voix,*
> Son doux *plaid plaist* mieux que ne fait *ton ton* [2].

La « couronne » peut être triplée :

> Quant du gay bruyt d'Amour sou*vent vent vente,*
> Et l'amant, qui son cueur sa*vant vend, vante*
> S'amour, lors font telz cas, ve*nuz nuz, nue*
> Trouble, donc en plaisir Vé*nus n'euz nue* [3].

Un tel travail sur le son exige le recours à toutes les possibilités qu'offre la langue naturelle. D'où les nombreuses rimes fondées sur des prononciations populaires ou dialectales, qui permettent de faire répondre -er- à -ar-, *bouche* à *reproche*, *épouse* à *arrose*, de jouer sur les deux réalisations de la graphie *oi (wa* et *è :* Cretin, à l'occasion, compte pour *Blè* le nom de la ville de *Blois)*, d'amuïr ou de conserver le *r* final *(amer/aimer)*. Simultanément, on recherche le rare, car le son n'est pas le seul facteur de la rime, mais aussi sa difficulté. Meschinot, dans la partie initiale des *Lunettes des princes*, rime ainsi plusieurs de ses quatre-vingt-six douzains en -ouche, -erme, -oc, -aume, -ierre, -erche, -aque, -oque, -ivre, -euvre, -ède, d'autres encore [4].

Divers procédés d'enchaînement des rimes engendrent de vers à vers un effet d'harmonie cumulative, soit en vertu de la nature du mot-rime, soit de la situation. Rimes « du même au même », entre deux mots de même forme et de même sens. Rime « grammaticale »,

1. Chesney, p. 270.
2. Langlois, p. 319; Chesney, p. 324.
3. *Ibid.*, p. 320.
4. Martineau-Genieys, 1972 *a*, p. 1-31.

joignant des termes à radical identique et affixation différente ainsi, dans le *Lyon couronné* :

> Tous ses moyens sont félons et *pervers*,
> Ses manières, despites et *perverses*,
> Ses doulx attrayts dangereux et *divers*,
> ... Pleins jusqu'à l'œil d'acointances *diverses*.

De même, chez Parmentier, sur les vingt et un vers d'un rondeau [1]. Rime « étymologique », opposant le simple au dérivé. Molinet :

> Madame, vous plairoit il *point*
> Me prester vostre con*point*,
> Si vous voulez que je con*point*
> Vostre cuyr qui si fort vous *point ?*
> Je mettray bas robe et pour*point*
> Pour atteindre jusqu'à la *point*,
> Madame [2].

Exceptionnellement, les rimes du poème constituent une série apophonique, l'élément vocalique variant seul, devant une consonne immuable. Ainsi, telle ballade de Lemaire, dont tous les vers se terminent en *-me*, le groupe étant précédé alternativement des cinq voyelles *a, e, i, o, u*, dans l'ordre *i, u, i, u, o, o, a, a, e, a, e* [3]. Le traité II de Langlois cite une ballade tirée d'une sotie dont les rimes, construites sur le thème consonantique *n-tte*, sont vocalisées alternativement en *a* et *e* (*-natte*, 1er et 3e vers; *-nette*, 2e et 4e), *o* et *u* (*-note*, 7e, 8e et 10e; *-nutte*, 9e et 11e), tandis que les cinquième et sixième vers, au centre de la pièce, riment, en *-nitte*, du son le plus aigu [4].

Le procédé le plus fréquent d'enchaînement consiste à reproduire, au début d'un vers, la syllabe-rime qui termine le précédent. Ce procédé comporte des variantes plus ou moins complexes. Ainsi, Meschinot :

> Par ceste mort je sens guerre *mortelle*,
> *Mort telle* fut desonques très re*belle;*
> *Belle* n'est pas, gente ne a*venante;*
> *Venante* à coup et voulentiers se *cèle.*
> *Celle* fait tant que tout haut bien chan*celle* :
> *Ancelle* est donc dommageuse et mes*chante.*
> *Chante* qui veut [5].

1. Urwin, p. 60; Ferrand, p. 15.
2. Schwob, p. 165.
3. Jodogne, 1972 *a*, p. 390-391.
4. Langlois, p. 65.
5. Martineau-Genieys, 1972 *a*, p. 10.

Pour l'essentiel, la technique de la rime n'a de nouveau, vers 1480, que l'application avec laquelle un Molinet en exploite la tradition et sait combiner les effets en éblouissantes séries, comme durant les huit strophes imprécatoires du *Hault Siège d'amours* :

> Mort, se tu as *darde*, *darde*
> Ar*c* tur*qu*ois, bom*barde barde*,
> Ou *qu*elque *tai*l*larde*, *larde*
> Et es*carde*
> Mon *c*œur *d*e *t*a *d*ure *perche*,
> Or*d*e, *d*esplaisant lais*arde*,
> Viens av*ant*, *musant*, *musarde*,
> *Pappe*l*otant pappelarde*,
> Je n'es*garde*
> Fors *qu*e *t*on *d*ard me *t*rans*perche* [1],

où s'ajoute, aux rimes de types divers, l'allitération *d, t, qu*, et le double écho *mort-fors* et *darde-dard* qui embrasse le tout. De tels cumuls sont très fréquents. Ainsi Lemaire, au *Temple d'Honneur* :

> Arbres feuill*uz*, revest*uz* de *verdure*,
> Quant l'y*ver dure* on *vous* voit déso*léz*,
> Mais maintenant aucun de *vous* n'en*dure*
> Nulle lai*dure*, ains *vous* donne Na*ture*
> Riche pein*ture* et flou*rons* à *tous léz* [2].

La *Ressource du petit peuple* offre des exemples d'à peu près toutes les variétés de rimes : batelées, enchaînées, redoublées, grammaticales, et d'autres, ainsi que des modes de liaison. Elle les renforce de figures, chiasmes à la fois phoniques et sémantiques, comme

> Dieu, *roy* et *comte* et *vi*caire et *viconte*,
> *Comte*sse et *comte* et *roy* et ro*ÿ*notte...

ou de distributions sémiques qui en valorisent thématiquement le choix : ainsi, dans le premier monologue de Justice, où les imparfaits des strophes 3 et 6 se répondent en contexte euphorique (le passé heureux), tandis que 4 et 5 utilisent successivement pour mots-rimes des noms d'états abstraits dysphoriques en -*eur* puis des factitifs au présent qui abolissent ceux-ci... mais en 7 et 8 le présent devient dysphorique à son tour.

1. Dupire, 1936, p. 576-577.
2. Hornink, p. 52.

Meschinot, André de La Vigne, puis, quand la vieille veine menace de se tarir, Cretin et Bouchet (alors que Marot tend à simplifier les techniques) procèdent par variation sur ce fond, et peu à peu le réinventent dans les combinaisons les plus surprenantes [1]. C'est alors, peu avant 1500, qu'apparaît la contrainte nouvelle qui exige de faire alterner rimes masculines et féminines : les premiers à s'y plier furent Saint-Gelays, dans ses traductions d'Ovide, et Bouchet, sacrifiant ainsi la possibilité harmonique qui pouvait résulter de l'homotonie.

Ce ne sont là qu'accidents mineurs, laissant intact ce qui définit le dessein latent : volonté de fonctionnalisation des rimes, à la fois par adaptation au dessin du discours, et par unification au sein du poème. Mots apparentés, timbres de même registre : dans beaucoup de pièces, on constate une convergence des effets rimiques, ou bien, non moins significative, une opposition faite de contrastes accusés jusqu'à l'évidence, dominance de l'aigu, ou du grave, ou alternance de l'un à l'autre d'une manière sémantiquement confirmée par l'ensemble du discours. La distribution des rimes dans une ballade, un rondeau, a-t-elle un sens comme telle ? Je le pense. Mais il faudrait explorer attentivement ce domaine. Certaines observations tendraient à confirmer cette idée. C'est ainsi que les *Lunettes des princes* ne présentent que trois douzains à rime « enchaînée », le vingt-septième, le cinquante-cinquième et le quatre-vingt-sixième. Or, ils sont consacrés aux paroles prononcées par Mort, Fortune et Raison, figures allégoriques fondamentales dans cet ouvrage; et l'intervalle entre eux est deux fois de vingt-sept douzains, nombre qui ne peut être aléatoire [2]... C'est pourquoi souvent les types de rimes adoptés, comme ceux de vers, varient au cours de poèmes de quelque étendue.

Lorsque Guy déclare que les rhétoriqueurs ont sacrifié, à la rime, la raison [3], on ne saurait lui donner tort, vu le sens qu'il attribue à ce dernier mot. La rime procède, nous l'avons vu, d'une raison autre, et située ailleurs que dans l'intellect. La rime est rythme, et ses effets ne se distinguent pas de ceux que produit en toute occasion cette pulsion du sang humain. La rime signifie globalement la prééminence des mots sur les choses; et si nos vieux rhétoriqueurs ont tenté une aventure, c'est de donner à la rime la liberté qui lui revient.

Rien ne distingue la versification dans les poèmes destinés à l'audition privée et dans les textes destinés à la représentation dramatique :

1. Dupire, 1932, p. 333.
2. Martineau-Genieys, 1972, p. CXXVI.
3. Guy, p. 84.

mistères et soties en particulier, auxquels, nous le savons, certains rhétoriqueurs travaillèrent. Rien d'étonnant en cela.

Mais, d'une autre manière et de façon plus générale, le dessein qui prévaut dans cette versification (sinon ses règles mêmes) s'étend à la pratique de la prose. La frontière entre prose et vers manque de netteté. L'une est moins expressément liée que les seconds, en vertu de contraintes moins explicites. Les *Arts* répètent à l'envi que la première relève de la rhétorique, par opposition aux deuxièmes, ressortissant à la « rhétorique seconde ». Reste un terme commun, non négligeable. En fait, au moyen des figures de sons, de mots, de grammaire cataloguées par les rhétoriciens, c'est aussi à l'engendrement d'une « harmonie » que tend, la plupart du temps, la prose de nos auteurs : harmonie plus difficile encore à établir que celle des vers, par là même qu'elle ne peut se fonder sur autant de techniques éprouvées, mais dont la recherche procède d'une démarche identique. Autour des rhétoriqueurs se débat alors chez les humanistes « cicéroniens » la question de la légitimité d'une prose d'art : le discours prosaïque peut-il avoir pour fin de produire la « délectation » ? L'idée ne triomphera tout à fait qu'un siècle plus tard : les rhétoriqueurs, dès Chastellain et Molinet, n'ont pas attendu pour l'adopter.

Longues phrases s'efforçant (par juxtaposition plutôt que subordination) de répéter le mouvement de la période latine, jusqu'à en copier des tours syntaxiques comme les constructions infinitives et participiales, l'ordre même des mots (que soulignent les latinismes lexicaux) : unanimité sur ce point, de Robertet à Bouchet, le plus pompeux manieur d'accumulations et d'antithèses, en passant par Molinet, Gringore et Lemaire; mais en même temps une grande souplesse dans les jeux alternés du didactique ou du descriptif, plus oratoires, et du narratif, souvent familier, sinon popularisant [1]. Prédilection, parmi les figures, pour les diverses formes d'accumulation, d'énumération, d'antithèse, de symétries sémantique, lexicale ou propositionnelle. On a remarqué, dans la prose de Meschinot, la prédominance de rythmes binaire et ternaire; dans celle de Lemaire, au niveau des groupes de phrases, des cadences analogues à celles que crée une suite de strophes isorythmiques [2]...

Les trois parties prosées de la *Ressource du petit peuple* comportent, dans leur disposition générale comme dans leur texture, un réseau de structures numérales superposées, à base de 2, 3, 5, 7 et leurs multiples, dont la plupart s'opposent aux rythmes toujours pairs des

1. Zsuppan, p. 65-66; Dupire, 1932, p. 301-304; Frautschi, p. 19-20; Jodogne, 1972 *a*, p. 318-319 et 329; Hamon, 1970, p. 183.
2. Dupire, 1932, p. 291-295; Hue, p. 84-90; Jodogne 1972 *a*, p. 195 et 440.

combinaisons strophiques. La première prose se divise en sept phrases, dont les dimensions respectives (en nombre de syllabes) sont de trois ordres de grandeur variant du simple au triple (une fois, au sextuple), selon le schème proportionnel approximatif 6-3-1-3-1-3-3. Dans la seconde, la tendance est moins nette : du moins le discours de Vérité présente-t-il la série proportionnelle : 1-1-1-3-1-1-1-1-2. La troisième compte trente-trois phrases, dont sept pour le second discours de Conseil. Au niveau microtextuel, la première, faite d'une suite d'énumérations descriptives, les ordonne assez rigoureusement : la présentation initiale du monstre se constitue de groupes lexicaux cumulatifs de respectivement quatre, deux fois sept et six fois cinq syllabes; le reste, jusqu'à la rencontre de la dame, accroché à un *elle avoit*, fait suivre ce verbe de dix traits, dont chacun mesure alternativement quatre et six syllabes (de manière à reproduire le rythme de cinq décasyllabes); puis, après *estoit*, donne encore, concernant la monture, cinq traits dont les deux derniers additionnent vingt-et-un puis sept termes sémantiquement apparentés; la désignation des soldats de Tirannie comporte douze noms (comme la liste des Apôtres!), plus un treizième, Néron, amené par un décasyllabe « blanc » : « avec Néron qui portoit l'estandart ». Un peu plus loin, l'énumération de leurs méfaits, à partir de *criminel foudre*, suite d'autres vers « blancs » : un décasyllabe, deux octosyllabes, trois décasyllabes; celle des « mignons » est formée encore une fois de douze termes...

Le texte est émaillé d'échos syllabiques placés aux terminaisons de mots et qui parfois, récurrents à intervalles réguliers, constituent des rimes proprement dites : *-ans/ -ans, -ine/ -ine, -us/ -us, -ons/ -ons*, et d'autres, je relève deux douzaines de timbres différents, certains répétés plusieurs fois. La phrase commençant par *L'enfant moult haut crioit* constitue six alexandrins à rime plate.

L'enchaînement des noms d'armes, de *chargée* à *office*, cumule plusieurs procédés semblables : d'abord, trois groupes de sept syllabes chacun, jusqu'à *planchons;* puis quatre autres noms en *p-* dont le dernier, *ponchon* (« pieu », arme à une pointe) amène *forche* (à deux pointes) et sa variante en *ou;* surgit *arc*, entraînant deux termes assonnants, mais *hart* par association sémique amène *licol*, d'où les trois derniers mots, en *c-;* et l'expression qui clôt l'énumération forme deux octosyllabes « blancs ».

Ainsi, convergents, vers et prose aspirent à s'unir. En fait, ils s'unissent en un type de composition dont ne parlent pas les *Arts*, mais que Guy, pour une fois bien inspiré, qualifie d' « *opus magnum* » des rhétoriqueurs [1] : ce que j'appellerai le « prosimètre », ouvrage d'une certaine étendue où alternent, selon une harmonie qui lui est propre, comme dans l'illustre *Consolatio* de Boèce et d'autres œuvres latines du Moyen Age, passages en prose et passages versifiés. Souvent combiné avec le pluriloge, le prosimètre des rhétoriqueurs est original en langue vulgaire : il ne ressemble qu'en apparence à des textes plus anciens comme la *Vita nova* de Dante (où la prose glose les poèmes) et le *Voir dit* de Guillaume de Machaut (où épîtres et passages narratifs relaient et relient les morceaux d'un exposé lyrique). Les prosimètres les plus « délectables » encore pour un lecteur de notre temps portent les marques évidentes (parfois, dans une dédicace; ailleurs, dans le prétexte choisi) de l'ambition de leurs auteurs. Ceux-ci ont entendu, conjoignant ainsi, en même temps qu'ils les disjoignent par l'alternance, les deux rhétoriques, atteindre à la totalité des effets potentiels du langage. On en dirait ce que Bakhtine écrit de la satire ménippée, type du discours dialogique [2]. Forme solennelle, réalisée par l'allégorèse et réservée aux arguments politiques et moraux, le prosimètre, de Chastellain à Lemaire, durant un demi-siècle, porte masque princier, au centre de la scène curiale. Son unité d'intention, sans cesse décalée par le retour, tantôt du vers, tantôt de la prose, provient d'un dynamisme qui fond en chatoiements fugitifs les rythmes contrastés, diffère la jouissance que promet l'existence concrète du texte, jusqu'au silence qui en marque la fin.

Le renvoi, parfois explicite, au modèle boécien (les *Lunettes des princes* sont composées selon le plan de la *Consolatio*), promeut à la noblesse de la sagesse inspirée, dont il emprunte ainsi le type parfait de discours, l'argument proposé : le texte *joue le rôle* du philosophe et du sage unanimement vénéré, tenu pour saint et martyr, et dont il a revêtu comme un vêtement le mode de dire. Peut-être joua sur ce point l'idée, formée au début du XIIIe siècle, selon laquelle existe une équivalence entre l'appareil métrique du discours et sa vérifiabilité : la prose dit le vrai; le vers pose une fiction [3]. Mais le vers isolément ne définit rien; il le fait par sa liaison avec d'autres vers, et la diction versifiée ne signifie qu'au niveau de la globalité : fiction close dans les « formes fixes », aux limites prédéterminées; ouverte dans les tirades isométriques ou dans les strophes de nombre libre. Or, le prosimètre de rhétoriqueur ne connaît, sauf exception, qu'une sorte de vers, la

1. Guy, p. 102.
2. Bakhtine, 1970 *a*, p. 159-165.
3. Zumthor, 1972 *a*, p. 98.

seconde. Vérité et fiction ouverte se soutiennent l'une l'autre, renvoient l'une à l'autre, s'assument réciproquement et produisent de concert une signification contrastée et plurielle.

La distribution de la prose et des vers n'est jamais aléatoire : aucune fonctionnalité générale ne paraît certes la dicter ; de chaque texte, en revanche, se dégage une fonction particulière qui, non seulement la justifie, mais souvent la rend nécessaire. Les *Lunettes des princes*, construites en trois volets, concentrent la prose au centre, y donnant, en style noble et très orné, la prière de l'auteur qui élève jusqu'à des considérations théologiques le thème éthique de l'ouvrage, puis le récit d'un songe en glosant l'allégorie. La première prose de la *Ressource du petit peuple* définit descriptivement les termes de l'allégorèse ; les deux autres rapportent des dialogues (le premier, sans réponse) dont l' « acteur » décrit le cadre, tandis que les passages en vers sont monologiques, prononcés successivement, dans un ordre hiérarchique, par Vérité puis Justice. Conseil, allégorisant le personnage politique qu'est le ministre du prince, parle en prose et en dialogue. Dans la *Couronne margaritique* de Lemaire, les parties de prose offrent un discours à la troisième personne ; les vers, à la première.

Il serait aisé de se livrer à la même analyse sur la quinzaine d'autres prosimètres que je relève dans mon corpus. Je distinguerai néanmoins parmi eux les prosimètres « intégrés », où la fonction de l'alternance, comme dans ces trois-là, résulte d'une nécessité interne, et les prosimètres « occasionnels », où elle a un caractère plus extrinsèque. Les intégrés : quatre autres de Molinet, deux autres de Lemaire, la *Ressource de la Chrestienté* d'André de La Vigne, l'*Exclamation et regret lamentable* de Robertet, le *Voyage de Gênes* de Marot, ainsi que l'*Abuzé en cour* et le *Lyon couronné,* ouvrages dont le plus récent date de 1507. Les occasionnels sont postérieurs : les six proses qui parsèment la *Sainte Marguerite* de Destrées et celles de sa *Sainte Catherine* ne font qu'annoncer les particularités formelles des vers qui suivent ; Gringore, dans les *Fantasies*, donne en prose les *exempla* et leur glose morale ; Marot insère dans le long *Voyage de Venise* (cent trente-quatre pages de l'édition Lenglet) quatre courtes harangues en prose, supposément rapportées. Le hasard n'en est pas moins exclu.

Les jongleurs de syllabes

La versification, ensemble de pratiques discursives, n'est que l'indice actualisé de l' « harmonie ». Il arrive qu'elle se cumule avec d'autres marques, celles-ci potentielles en ce qu'elles restent de nature purement phonique, voire graphique : perceptibles grâce à l'effet de durée de la déclamation, ou bien en vertu de leur disposition visuelle, elles projettent le temps dans l'espace d'une lecture, et créent dans le poème une tension menaçant d'en faire éclater l'organisation... au sein des limites, jamais franchies, que lui impose un langage en lui-même incontesté.

Je nomme ces marques « jongleries », par référence à une de mes publications antérieures [1], mais aussi pour souligner la joie, tour à tour agressive et cocasse, dont elles sont porteuses et fondatrices. Comme en bien d'autres matières, les rhétoriqueurs poussent ici jusqu'à ses conséquences virtuellement extrêmes une tradition qui leur est antérieure : cette pratique de toute une poésie médiévale impliquant, surtout depuis le XIIIe siècle, l'idée d'une imperméabilité du texte poétique, moins objet, transparent ou poreux, aux contours nettement définis, que mode d'existence spécifique de la langue. Le texte par là se concentre un peu plus encore sur lui-même. Au-delà des règles du vers et de la rime, il franchit l'étape qui mène à la prédominance absolue de l'artifice : j'entends par là une simplicité du verbe, triomphant des natures, instaurant une clarté d'au-delà des grammaires, une plénitude du dire, émanant des profondeurs du langage rendu à sa seule productivité; une multiplication des artefacts résultant du fonctionnement du texte en même temps qu'ils le finalisent à travers d'incessantes anamorphoses [2].

En dehors de poèmes d'intention ironique ou parodique, ces jongleries constituent, du point de vue rhétorique, des « incongruités ». Fabri en dresse un inventaire, du reste incomplet : une vingtaine d'es-

1. Zumthor, 1975, p. 36-54.
2. Cf. Lecerf.

pèces regroupées en deux genres, conventionnellement désignés comme barbarisme et solécisme [1]. Peu importe, sinon que toute incongruité, je l'ai signalé plus haut, peut être fonctionnalisée. Fabri n'indique pas comment. A nous de voir. Les rubriques par lesquelles Destrées annonce les jongleries émaillant ses récits hagiographiques, les intègrent au dessein principal du poème : « Ovation et très agréable loange à la susdicte Vierge et martire, contenant vingtechincq motz commenchant chascun mot par les XXV lettres de l'abécé... », « Chy appert en quadruple nombre le nom de ladite vierge, tant par teste, croisure que par fin [2] ». Voici révélés quelques-uns des multiples rapports imbriqués dans ceux qui proviennent de l'évidence référentielle et de la soumission à une règle. Le lecteur, alerté, désormais épie à travers le discours d'autres signaux peut-être, aussi nombreux et complexes que ceux qu'émet autour de lui l'univers : la jonglerie relève, elle aussi, de la *musica*, s'inscrit dans sa polyphonie.

Plusieurs des jongleries pratiquées par nos rhétoriqueurs, et quelques autres, se rencontrent chez des poètes latins de la même époque, plus ou moins frottés d' « humanisme » : allitérations, pantogrammes, chronogrammes, distiques « concordants » (où des syllabes ou groupes de syllabes sont communs aux deux vers), acrostiches, anagrammes, nom ou vers entier surimposé au texte et à lire diagonalement, séries de vers dont chacun forme une phrase interrogative à laquelle donnent réponse ses deux ou trois dernières syllabes si on les répète [3]... On s'est demandé si se trahissait ainsi en latin une influence des rhétoriqueurs. Pensons plutôt à une convergence, au sein du biculturalisme médiéval, non moins, à la fois cause et effet, qu'à un goût du public lettré, autour des tréteaux de ce Jeu. Curtius, dans un livre qui eut son temps de célébrité, invoquait à ce propos un usage « maniériste » de la rhétorique traditionnelle [4]. Ce jugement exige quelque nuance. Réduite, nous l'avons vu, à l'*elocutio*, la rhétorique dissimule l'écriture-lecture d'un texte jouisseur sous le voile de convenances éthiques qui s'efforcent d'en récupérer dans un ordre le plaisir. Or, les jongleries, par l'excès même qu'elles introduisent dans la manipulation des figures, contribuent à crever ce voile. La réduction qu'opère Dupire, des jongleries de Molinet à des *colores* cataloguées, n'est qu'un faux-fuyant taxinomique, empêchant de percevoir le dynamisme de cette

1. Cf. Lausberg, § 348 et 1058; Héron, II, p. 112-133.
2. Petersen, p. 59 et 136.
3. Gessler, p. 144-149; Murarasu; Thibaut, p. 125-126; Simone, 1967, p. 220.
4. Curtius, p. 275-293.

pratique [1]. Carillons de syllabes, phrases construites à partir d'une tonalité ou d'un timbre élu, échos et rappels : la pratique jongleresque n'a rien de systématique; avec une apparemment totale liberté, le poète en tire les outils successifs d'un arsenal de trucs de métier très négligemment inventoriés par les *Arts*.

Sinon dans une minorité de poèmes brefs, les jongleries coïncident rarement avec l'étendue entière du texte; elles n'y tissent pas un réseau homogène. Elles ont tendance à se condenser en certains lieux du discours, dont le choix, indépendant (en général et autant qu'il semble) de l'argumentation, paraît dicté plutôt par un souci purement rythmique : récurrence à intervalles à peu près égaux; début et fin, ou au contraire emplacement intermédiaire; monologues seuls, ou dialogues; bien des combinaisons se réalisent ainsi, hors de toute loi générale. Il en va de même des jeux de rime les plus complexes. Dans la *Ressource du petit peuple*, ces lieux de condensation coïncident avec les premières paroles prononcées par l'Acteur et par ses trois « personnages » Vérité, Conseil et Justice, alternativement en prose et en vers. Dans la houle puissante de l'œuvre éclate ainsi çà et là une crête d'écume où craque la surface continue des vagues, une violence qui, pendant quelques instants de cette rumeur régulière, la trouble de son bruitage profond, la dénie : pointe extrême de la forme rendue à sa nudité dans les gémissements et les cris de sa frénésie.

C'est à dessein que j'emploie ici des métaphores auditives. La grande majorité des jongleries procède (comme la rime, que souvent elles embrassent) d'une valorisation de la matière sonore du langage. Nécessairement (sauf rares exceptions), elles se réalisent au moyen de configurations de mots : et ceux-ci portent, qu'on le veuille ou non, quelque sens. On n'élude pas cette sémantisation de surface. Du moins s'opère-t-elle à la manière d'une question énigmatique : soit que l'énoncé contienne littéralement les éléments de la réponse (ainsi, l'anagramme), soit que, déceptif, il pose l'auditeur en situation d'ignorance insurmontable, exigeant qu'on lui fournisse une clé [2]. Reste que, dans le principe de leur fonctionnement (le choix de l'unité linguistique mise en *jeu*), la plupart des jongleries reposent, comme la versification, sur le maniement de la syllabe, plus que du mot : il semble que par là s'applique un effort pour briser les motivations lexicales. Extraite du mot, certes, mais isolée par la jonglerie, la syllabe récuse le « contenu » conventionnel du signe.

On pourrait, de ce point de vue, distinguer deux fois deux types de

1. Dupire, 1932, p. 297-304.
2. Roy, p. 15-19.

procédures, selon que la syllabe est traitée comme simple conglomérat de phonèmes, ou comme élément du mot, intentionnellement détaché de l'ensemble; et selon que l'effet produit tend à affecter un segment de discours inférieur à la dimension du vers (de la phrase), ou au contraire un ou plusieurs vers (phrases), à la limite le texte entier. Mais de toute manière il s'agit moins pour le rhétoriqueur de constituer ainsi une structure que de provoquer, à partir d'une intention formalisante globale, des effets chatoyants et comme aléatoires. Souvent, ces effets paraissent, sans doute à tort (c'est ici la question énigmatique), procéder de simples juxtapositions cumulatives, par métonymie sonore ou très approximativement phonosémantique. La syllabe marquée introduit dans le texte un temps fort, créateur d'un rythme particulier. Ce rythme se situe à un niveau spécifique, distinct des autres niveaux du langage (y compris le niveau phonématique comme tel), mais non intégrable à l'un quelconque de ceux-ci : il constitue comme un plan d'existence du poème, qui coexiste sans s'y confondre avec tout autre plan imaginable. Le discours du poème est ainsi, fondamentalement, double.

Certaines jongleries concernent, il est vrai, des mots comme tels. Mais, sauf exception, il s'agit de monosyllabes. Ailleurs, ce sont des termes choisis en tant que concaténations de syllabes, manipulées à ce titre : ainsi, dans le calembour et plusieurs autres types d'équivoque, dont je traiterai au chapitre suivant. Ces faits n'infirment guère le principe que, par commodité, je pose pour général. Il n'en va pas tout à fait de même des quelques jongleries portant sur des phonèmes isolés (ainsi, l'allitération) : on serait tenté d'y voir (si elles n'étaient simplement explicables par l'existence de traditions propres) un effet de pulvérisation de l'unité syllabique.

Restent, peu fréquents en dehors de la pratique des puys, mais d'un grand intérêt, les jeux de lettres. Sans remonter jusqu'aux *carmina figurata* carolingiens (dont la poésie des rhétoriqueurs n'offre aucun exemple), on alléguerait ici la coutume médiévale des enlumineurs de lettrines, dont les initiales historiées encadrent et soutiennent le texte issu d'elles, des inscriptions intégrées aux images sculptées ou peintes [1], non moins qu'un mimographisme bien attesté chez les grammairiens dès le début du XVIᵉ siècle et fondé sur l'idée néo-platonicienne que la lettre, par son graphisme, constitue « un hiéroglyphe détenteur de sens [2] ». Rien n'indique que les rhétoriqueurs aient perçu, encore moins exploité, la symbolique qu'implique, chez certains contempo-

---

1. Zumthor, 1975, p. 13-35; Shapiro, 1973, p. 9-17; Wallis, p. 3-4.
2. Rigolot, 1976 *a*, p. 672; Genette, p. 72-73; cf. Coquet, p. 131-145.

rains de Rabelais, tout arrangement de lettres. Des jeux de cette sorte ont parfois pour eux valeur emblématique déclarée (ainsi, l'acrostiche); le plus souvent, ils ne font, en leur simplesse, qu'en appeler à ce qui serait une parfaite intransitivité du texte. La lettre, comme la syllabe, entre les mains du jongleur, sur-détermine ce qu'il effectue : globalement, de façon non conceptualisable, dans l'ordre de la sensation.

A ces classifications-là j'en préférerai ici une autre, articulée sur mes précédents chapitres. Les jongleries, en effet, tantôt opèrent ce que j'ai nommé une « conjonction des discours », tantôt bouleversent l'ordre des durées, tantôt enfin déterminent pour une part l'organisation générale du texte.

Première possibilité de « conjonction » : entre le texte dans son ensemble et un petit nombre d'unités empruntées à un autre code préexistant, pris lui-même comme un texte virtuel ou comme sa paraphrase, s'établit un lien métonymique — ou plus précisément un rapport que je nommerai « thématique », entendant, ici comme ailleurs, *thème*, par opposition à *rhème*, dans son acception médiévale de « proposition primordiale que va développer l'argumentation ». Ainsi des compositions abécédaires, dont les parties sont distribuées et sémantiquement unifiées par l'ordre de leurs lettres initiales. Celles-ci constituent, dans leur succession de A à Z, l'énoncé de l'alphabet : or, l'alphabet est le texte fondamental, signifiant (de façon multiple, assumée par divers codes plus ou moins harmonisés) l'imposition d'un ordre au chaos, d'une forme aux substances.

Destrées en fournit l'exemple parfait dans un huitain de sa *Sainte Marguerite* : tous les mots y sont alphabétiquement marqués; *i* et *j*, *u* et *v*, selon la coutume graphique, ne se distinguent pas, et la série se termine par les abréviations & *(et)* ∋ (le préfixe *con-*); le X porte la valeur du *chi* grec, en vertu d'un emblématisme codifié : il reproduit à la fois la forme d'une croix et l'initiale de Χριστὸς :

> Admirable Beaulté Célique,
> Divine, Et Ferveur Glorïeuse,
> Honneste, Juste, Katholique,
> Luciférant, Miraculeuse,
> Nette, Odorable, Précïeuse,
> Quérant Refuge Suportable,
> Tousjours Vierge Xristicoleuse,
> Ymne Zélable & ∋ fortable [1].

1. Petersen, p. 59.

A l'extrême opposé de l'abécédaire, le « pantogramme » (pratiqué en latin depuis le IXe siècle) suscite, par réduction quasi absurde à l'unité, la référence alphabétique : sous le nom de « rime senée » (que pratiquera encore Clément Marot), il consiste à enchaîner dans un vers, une suite de vers, à la limite dans le poème entier, des mots commençant tous par la même lettre : ainsi, dans la *Ressource du petit peuple* au long des strophes 9 et 10 du monologue de Vérité, dont les vers « senés » mettent ainsi successivement en relief les lettres *ch-, m-, v-, h-, b-, f-, c-, g-, r-, p-, a-, b-* et de nouveau *v-*; à la fin du même discours, deux vers de la strophe 18 pantogrammatisent en *p-* et *b-*. J'ai signalé ailleurs l'*Oroison sur Maria* du même poète, dont les cinq strophes constituent autant de pantogrammes, respectivement en *m-, a-, r-, i-, e-*; et cité le passage final, chez Lemaire, de la louange des Français, dans le *Temple d'Honneur*, pantogramme en *f-*. Bouchet, dans l'*Amoureux transy*, insère douze vers du même type :

> Fausse Fortune, fragile, fantastique,
> Folle, fumeuse, folliant, follatique,
> Favorisant follastres follement,
> Furieuse femme furibondique [1].

Ailleurs, l'effet n'est qu'ébauché : dans une strophe des *Chansons de Namur*, Lemaire, à la suite d'un premier vers pantogrammatique, en esquisse plusieurs autres : successivement deux mots en *v-* sur cinq, trois en *f-* sur quatre, trois en *m-* sur six, deux en *ch-* sur cinq [2]... On touche ici à l'allitération, dont la différence avec le pantogramme tient à sa moindre concentration et à la localisation plus libre des lettres récurrentes. En fait, cette figure (de tradition quasi universelle) apparaît souvent comme un effet secondaire de la rime riche (à plus forte raison polysyllabique) et des répétitions lexicales; en revanche, elle influe en prose comme en vers sur la formation syntagmatique, provoquant des séries, très fréquentes chez les rhétoriqueurs, telles que *mort mordant, rage rouge, langueur longue et lente, rude rigueur, fureur forcenée*. Ainsi, dans la prose initiale de la *Ressource du petit peuple*, les successions de *p, f, m*, respectivement 31, 20 et 17 fois en vingt-sept lignes; les quarante premiers vers du monologue de Vérité (avant l'apparition des pantogrammes) reprennent ces « thèmes » : 49 *p*, 33 *m*, 21 *f*, à quoi s'ajoutent 63 *t*. La prière en prose, au centre des *Lunettes* de Meschinot, présente des phrases entières dominées par une ou plusieurs récurrences de ce genre : le *m* en particulier,

1. Hamon, 1970, p. 20.
2. Thibaut, p. 233.

amenant, ou amené par *amy, aimer, amoureuse, ame, amertume, mémoire, image,* contribuant ainsi en quelque mesure à fonder l'isotopie du texte [1].

Sonore autant que lettrique, l'allitération embrasse parfois, en écho, la syllabe; ainsi, Lemaire :

> *Tous* nobles cueurs, *v*ertueux et *v*aillants,
> *Cour*ans, saillans, en palais et en *cours*,
> *Tous* bons engins de *v*ertu bien*veillants*
> *Tous*jours *veillants* à faictz esmer*veillans*
> Bruyants, *boillants* en honneur sans de*cours* [2].

Une variété particulière d'allitération, portant moins sur le timbre même que sur le mode d'articulation sonore, est ce que je nommerai l'effet de raucité, produit par l'accumulation des consonnes gutturales. Cet effet s'applique généralement, mais non exclusivement, à la rime. Ainsi, Meschinot :

> Se j'eusse esté hermite en un hault roc
> Ou mendiant de quelque ordre o un froc,

durant la moitié d'un douzain; ou, plus loin :

> Des biens mondains n'ay vaillant une plaque,
> Mais des douleurs plus de plein une caque
> Sens en mon cueur : de ce, point ne me moque...

et la suite, sur toute la strophe. Une ballade de vingt-neuf vers, attribuée à Molinet, se construit ainsi sur les rimes *-ic, -ac* et *-oc,* cependant que le texte, en dehors de ces finales, ne contient pas moins de seize sons *-k-,* à quoi s'ajoute quatre fois sa variante *gu.* Lemaire, au *Temple d'Honneur,* combine le même effet avec l'allitération en *p-* :

> Dra*g*ons fumants, ours, lyons ne lye*p*ards
> Ne sont es *p*arcz de *P*an, très noble d*uc* [...].
> Les fins regnars n'y trouvent *p*oint de *p*luc;
> A ung seul h*uc* larrons sont *p*ris au j*uc;*
> Herbe ne s*uc* n'y *c*roist, *p*ortant venin [3].

L'acrostiche, très usité, surtout à la fin du poème, inscrit, par les initiales, parfois les finales, ou même des lettres médianes de vers

1. Martineau-Genieys, 1972 *a,* p. 32.
2. Jodogne, 1972 *a,* p. 390.
3. Martineau-Genieys, 1972 *a,* p. 13 et 15-26; Schwob, p. 161-162; Hornik, p. 60.

successifs le nom de l'auteur, d'un dédicataire, de l'objet d'un éloge, voire une expression entière les qualifiant, et que le corps du texte, dans sa linéarité, ne mentionne pas nécessairement. La lecture s'en opère verticalement, soit de haut en bas, soit de bas en haut. Une relation s'établit ainsi entre le poème et un ensemble de comportements et d'affects, plus ou moins codifiés par l'usage de la cour, et impliqués par le Nom qui les fonctionnalise. Telle ballade de Marot est acrostichée, de bout en bout, des mots *Anne de Bretaigne, roÿne de France*; André de La Vigne, au centre de la *Ressource de la Chrestienté*, acrostiche, trois fois dans un sens et deux fois dans l'autre, *Charles de Valois*, puis deux phrases souhaitant à ce prince vie heureuse « et paradis en la fin ». La *Sainte Marguerite* de Destrées, véritable musée de ces figures, comporte une triple signature de l'auteur, lisible de haut en bas à l'initiale, la césure et la finale de la strophe 41... dont les vers ne riment pas entre eux, mais chacun avec soi :

> *De* cueur profon*d* nostre vouloir se fon*d*
> *En* toute joy*e* et sans fin sy s'esjoy*e*.

Peu avant, la strophe 35 est marquée, aux initiales des vers, du nom de *Margareta* et, en disposition diagonale croisée, de *Maximilianus* (de gauche en haut à droite en bas) et de *Phylypus A* (de droite en haut à gauche en bas; le A abrégeant *archiduc*) : Marguerite d'Autriche, son père et son époux. L'œuvre de Destrées, celle de Molinet, présentent d'autres configurations de ce type [1].

Il arrive qu'un texte entier soit acrostiché dans le texte linéaire. J'ai signalé ainsi, dans un autre chapitre, le *Salve Regina* inscrit dans un poème du jeune Lemaire. Quant au chronogramme, il permet, grâce au système de numération latine, d'insérer dans le texte un nombre relatif à la matière traitée, généralement une date, en particulier celle de sa composition : ainsi, Destrées acrostiche en *M.C.C.C.C. I.* les sept vers de l'avant-dernière strophe de sa *Sainte Catherine*. Lisez « 1501 ».

Abécédaires et acrostiches « jonglent » avec des lettres. Néanmoins, leur statut reste ambigu : à l'audition, la lettre s'identifie comme phonème, et le décryptage de l'acrostiche dépend de la capacité mémorielle de l'auditeur. A la lecture, il s'opère visuellement, dans l'espace, et emporte davantage la certitude. Cette ambiguïté grandit lorsque la figure embrasse non plus les lettres seules, mais une suite de syllabes. Ainsi, Molinet, dans une pièce consacrée au musicien Busnois :

---

1. Lenglet, p. 312; Guy, p. 95; Petersen, p. 58 et 61; Dupire, 1936, p. 795-796, 820.

Un chetif veau, lourd et phe*bus*,
Du plat païs de Boulle*nois*,
Jus de poil plus que rasi*bus*,
Sans asne, cheval ne har*nois*,

et la suite, sur dix-huit vers. Ou, du même poète, le *Dictier des cinq festes Nostre-Dame*, qui donne syllabiquement, cinq fois en ses cinq strophes, la phrase latine à rime intérieure *O Mater Dei, miserere mei*; ou encore cette *Recommendation à Jehan de Ranchicourt*, dont les rimes de la première strophe acrostichent les noms des notes de la gamme, *ut, ut, ré, ré*, jusqu'à *la*, tandis que la seconde les reprend, dans l'ordre inverse, aux syllabes initiales et « signe » successivement à ses rimes *Ran-ran-chi-chi-court-court* et *Mol-mol-li-li-net-net*. Le renvoi à la gamme, code non linguistique quoique désignable en langue, diffère à peine du renvoi à l'alphabet. De même, l'interférence de la série arithmétique dans tel *Dictier joyeux* du même poète :

Un homme est pen*du au* gibet ...

Entendez alternativement en français et en latin, *un, duo ;* la suite suscite ainsi, dans l'ordre, tous les chiffres jusqu'à 20. Jonglant entre tous ces registres, Destrées, dans la *Sainte Catherine*, acrostiche en lettres initiales et diagonales deux fois le nom *Katherina*, et le reprend une troisième en fin de vers en mêlant des syllabes entières à des lettres dont le nom à son tour forme syllabe, ou à d'autres syllabes formant nom de lettre : K (= -ca), T (indiqué par la terminaison -*té*), H, E, RI, NA, le tout entremêlé selon le schème rimique *ababbcdcd* [1]!

L'anagramme tient de près à l'acrostiche, et n'en diffère que par l'éloignement spatio-temporel des éléments qui le composent, ou par la désarticulation de leur ordre naturel de succession. Je m'abstiens de partir en quête, chez les rhétoriqueurs, d'anagrammes du second type. Les recherches sauvages opérées par d'autres dans l'œuvre de Villon ou celle de Charles d'Orléans n'ont guère conduit qu'à des résultats arbitraires et contestables. Tout au plus méritent-ils d'être considérés quand le texte en fournit un signal invitant au décodage : ainsi, Bouchet, dans un poème célébrant l'entrée de François Ier à Poitiers, anagrammatise ouvertement le nom de cette ville :

Je suis *Poictiers*, c'est à dire *Esprit coy*.

De façon plus obscure, Destrées encore, à la strophe 33 (chiffre significatif) de sa *Sainte Marguerite*, acrostiche les initiales des seconds

1. Dupire, 1936, p. 795, 450-452, 804 et 749; Petersen, p. 137.

hémistiches en *Phylybertus dux*, ce qui nous autorise à déchiffrer ana-grammatiquement le vers central en *Margareta* :

*Ma*noir *ré*gal, *r*ègne qui n*e* faul*t*dra [1],

où l'on note du reste, pour les besoins de la jonglerie, la graphie aberrante *faultdra* pour *faudra*... Le premier type d'anagramme en revanche constitue un procédé emblématique lorsque, étendu sur la durée d'un ouvrage entier ou sur l'une de ses parties principales, il y sert de principe de composition [2]. J'en ai signalé déjà l'application dans le *Throsne d'Honneur* et le *Chappelet des Dames* de Molinet, dans le *Temple d'Honneur* de Lemaire.

A la limite la lettre, rendue à sa pleine autonomie formelle, plutôt que de constituer, en s'y intégrant, les autres éléments linguistiques, s'y substituerait. Fabri propose ainsi un rondeau lettrique : refrain *G.C.M.I.*, couplets *O.B.* puis *T.T.R.I.*, alternant selon la règle. En l'absence de glose, le déchiffrement fait difficulté. La comparaison avec d'autres jongleries me convainc qu'il s'agit ici d'un hiéroglyphe sonore (syllabique), non visuel [3]. On pourrait le traduire, hypothéti-quement : *J'essaie amie au bec téter et ris*, ou : *Je sais emmi* (= parmi) *aux baies* (forme dialectale de *bac, baquet ?*)... Aucune de ces lectures n'est bien satisfaisante. Le poème réussit à échapper.

Seconde possibilité de « conjonction » : combinaison du linguistique avec les éléments d'un code différent, non traduit ni paraphrasé : il s'agit toujours, en fait, d'un code visuel. Je laisse ici de côté les textes destinés à être intégrés à un spectacle, livrets de mistères, ou poèmes déclamés lors des entrées royales, et me borne à ceux dont l'effet ne requiert aucune autre action que celle du regard jeté sur une surface plane. J'ai signalé ailleurs les « devises », liées à l'image par une rela-tion de glose au niveau du contenu textuel. Mais les rhétoriqueurs ont exploité d'une autre manière encore les ressources que leur offraient de telles combinaisons, et opéré la conjonction des codes dans la totalité du texte. Les exemples, il est vrai, sont rares : d'autant plus caractéristiques, car ils marquent le terme d'une esthétique. Ainsi, les poèmes à rime dite « figurée », comme la ballade 67 de Molinet, de forme régulière et d'argument typique (horreur de la guerre, louange de la paix), dont les vers décasyllabiques s'interrompent linguistique-ment à la neuvième ou huitième syllabe, selon un schéma identique à

1. Hamon, 1970, p. 33 ; Petersen, p. 57.
2. Rigolot, 1976 *a*, p. 476.
3. Héron, II, p. 68.

chaque strophe : 9.8.9.8.8.9.9.9.9. La ou les syllabes manquantes sont figurées dans la marge de droite par des dessins floraux représentant, dans cet ordre : un glaïeul *(glay)*, un bourgeon de fleur *(bouton)*, un *glay*, un *bouton*, une *pensée*, une *pensée*, un *lis*, un *lis*, une *rose*, un *lis*, une *rose*. Les noms de ces fleurs, seuls ou réunis avec la dernière syllabe du texte linguistique, constituent phoniquement les mots exigés à la fois par le sens général de la phrase, le mètre et la rime :

En ce verger où le pied et l'on-,	*(glay* = -gle ay)
La guerre avoit défloré maint -;	*(bouton)*
Sus un fauveau fus : je le descen-.	*(-glay)*

Par ailleurs, chacune des fleurs ainsi intégrées évoque emblématiquement quelque qualité particulière : leur ensemble forme donc un bouquet panégyrique offert au dédicataire que désigne (tout en scellant la conjonction de ces deux discours) le vers-refrain,

Fleur de noblesse et des vertus la -,   *(rose)*

c'est-à-dire l'archiduc, le futur Charles Quint.

Tel panégyrique de l'Empereur, du même poète, figure par un dessin la ou les deux premières et dernières syllabes de chaque vers [1].

Si, de la rime, le système gagnait l'ensemble du vers, le texte deviendrait rébus, message purement visuel dont les éléments ne seraient compréhensibles que par traduction en langue, puis décomposition de celle-ci selon l'ordre des phonèmes, et recombinaison de ces derniers. Le « tableau » constitué par les dessins produirait un sens propre, plus ou moins cohérent; le discours serait rejeté dans le virtuel. On toucherait ici à une frontière, au-delà de laquelle le texte s'abolirait. Mon corpus n'en offre pas d'exemple. Pourtant, autour des rhétoriqueurs, certains de leurs confrères tentèrent l'expérience. La pièce 37 des *Faictz et Dictz*, « Response à ung rébus », suffirait à le prouver. Un recueil d'*Heures* de 1514 contient une prière en rébus. Alione d'Asti, poète italien d'expression française, pensionné par Charles VIII, insère parmi ses *Opera jocunda*, réunies vers 1530, un rondeau d'amour dont le graphisme distribue sur la page, en lignes de longueur égale, des séquences de figurines en cortège pressé, semées çà et là de lettres non groupées en syllabes, et aboutissant à la double représentation schématique d'une montagne et d'un cœur (= *mon cœur*). Première séquence : un dé à coudre, deux molaires, une montagne, un cœur, un geai, deux mains tendues, un double trépied de maréchal-ferrant (vulgairement dit *travail*) recouvert d'un tapis. Lisez : « Dedans (litt.

1. Dupire, 1936, p. 269-270 et 863-864.

dédents) mon cœur, j'ai maints travaux couverts [1]... » Le texte, restituable au prix de ce décodage à plusieurs degrés, récompense, par sa plénitude rhétorique, la peine du lecteur :

> Et devant eux porterai yeux ouverts
> Puisqu'on verra qu'à tort et à travers
> Ont murmuré. Mais point ne me contente
> Dedans mon cœur.

On s'interroge : le dessin comme tel possède-t-il une signification générale ? J'avoue n'en avoir pas découvert au-delà de certaines récurrences contribuant à créer une vague isotopie : figures du cœur, d'objets militaires (arc, tour, tente) et d'animaux sauvages ainsi que, à trois reprises, des notes de la gamme. La réussite n'est donc pas parfaite, et la présence de lettres aux lieux où l'invention dessinatrice se dérobe marque un réinvestissement du langage figural par l'écriture : le rébus n'est qu'un truquage sémiotique, représentatif par ce trait même de tendances ailleurs latentes.

Ce que l'on nommait alors le « rébus picard » assume, en les orientant vers une pure abstraction, les mêmes intentions profondes. Un rondeau et un neuvain de Marot, composés sur ce mode, exigent une lecture intégrant au texte la désignation des relations spatiales entre ses éléments. Or, sur le plan que forme la page, le nombre de ces relations est limité : tel signe se situe au-dessus ou au-dessous d'un autre, à sa droite ou à sa gauche, ou bien entre eux si l'on choisit un axe de vision vertical. C'est ce que fait le poète, qui dispose ainsi de trois facteurs géométriques, dénotés linguistiquement par les termes *sur* (ou *sus*), *sous* et *entre*, seules prépositions référant à la spatialité qui soient en français monosyllabiques (à l'exception de *dans* et *hors*, dont l'opposition est inutilisable au sein du même espace : celui du poème) :

```
       fleur                  flé
Un grand  de sa gueulle a
Vent                    trouvé
perflu dont s'est pris.
       dain               flé
Car tout son venin bour
        chu             mais
Est luy dont n'est a pris :
A
ément il pr avoit is
De                    veraine
l'honneur  d'une sa
```

1. *Heures gothiques*, p. 293; manuscrit bibliothèque municipale de Lille 402, folio 16; cf. Françon, nᵒ 1.

Une lecture ligne par ligne n'est pas impossible; elle débouche sur une vacuité partielle de sens et, çà et là, sur du langage hors langue : « Fleur flé vent trouvé perflu dont c'est pris Dain flé car tout son venin bour chu mais est luy dont n'est a pris... » Mais la réintroduction en langue des éléments spatio-relationnels restitue la cohérence signifiante :

> Ung grand *sous*fleur de sa gueulle a *sous*flé
> Vent *sus*perflu dont s'est trouvé *sur*pris.
> Car tout *sous*dain son venin bour*sous*flé
> Est chu *sur* luy, dont n'est as*sous*, mais pris :
> As*sur*ément il avoit *entre*pris
> Des*sus* l'honneur d'une, sa *sou(s)*veraine.

Fabri fournit l'exemple d'un « rébus » de ce type dans lequel plusieurs mots sont figurés par hiéroglyphisme lettrique :

La

GGUU qui est SX...

ce qui implique deux niveaux de lecture, compte tenu de la désignation du *x*, dit alors « ieu » : des *g*, des *u, qui est, la* au-dessus de *s* et *« ieu »*, soit : « Jésus qui est lassus ès cieux [1]. »

Le rébus picard opère des ruptures périodiques dans la linéarité du texte. Un effet du même genre (quoique inscrit dans la seule durée) résulte de toutes les jongleries procédant d'une récurrence : l'impression produite par celle-ci est engendrée par un retour mémoriel de l'après vers l'avant, et elle s'accroît à la fois en proportion du nombre des répétitions et en proportion inverse des intervalles qui les séparent. C'est là, sans doute, le principe même du procédé stylistique de l'énumération, non moins que de la pratique de la rime en général, et plus spécialement des rimes « couronnées » et « batelées », ainsi que du pantogramme et de l'allitération : tous phénomènes que l'on pourrait dénommer « échos ». Mais l'extension de ce terme répugne à une définition précise : à la limite, il embrasserait tout effet « autotextuel », au sens où l'entend Dällenbach [2]. Je le prendrai ici dans une acception restreinte : autant qu'il apparaît, en vers ou en prose, comme une dou-

---

1. Lenglet, p. 276 et 310; Héron, II, p. 69.
2. Dällenbach.

blure approximative ou un rappel, hors emplacement fixé, de la rime. Ainsi, chez Molinet, en des vers par ailleurs irrégulièrement batelés :

> La fine *m*ort qui tous vivants a*masse*,
> Tho*mas* et *Masse* et *Mass*ette et *Mass*in,
> Et tient tout *matz* ceux qu'elle contu*masse*,
> A *m*is en *masse* un fruit dont mieux j'ay*masse*
> Que je tomb*asse*, en *m*usant, du coffin.
> Par son *brach*in, sa *brache* et son *brach* fin
> A *m*is à fin la duchesse *M*arie.

Chez Lemaire, telle variation sur le même type de rime :

> *Venez*, *vanez*, de fers ma*l*paréz *rez*,
> Leur *blés* em*bléz*, ayant saufcon*duyt vuyd*,
> La *nuyct l*eur *nuyct* [1].

Débordant le seul niveau phonique, on poserait légitimement la question des échos sémiques, mais elle toucherait à la nature *du* texte en général et au fait de redondance, non moins qu'au système thématique de chaque texte particulier. Cette double exigence est mal compatible avec la règle que je me suis imposée dans ce livre, traitant globalement (d'une part) d'un corpus historiquement déterminé (d'autre part), et excluant les considérations à visée universelle. Je me contenterai de signaler une jonglerie spéciale, dont Molinet offre un exemple heureux et dont l'objet n'est autre qu'un paradigme sémantique. Dans le panégyrique de l'Empereur, cité plus haut, les figures commençant et terminant chaque vers forment à la lecture une ou deux syllabes qui, isolément, sont homonymes à un nom d'oiseau héraldique : le premier de ces noms, seul employé métaphoriquement, donne la clé qui permet le décodage :

> *Aigle* impérant sur mondaine ma*cyne*,
> *Roy* triomphant, de prouesse ra*cyne*,
> *Duc*, archeduc, père et chef du T*oison*,
> *Austriche* usant du fer à grant f*oison* [2].

L'aigle , le roitelet, le grand duc et l'autruche, nommés en tête des lignes, sont des oiseaux nobles; le *cyne* (cygne) et l'oison, à la rime, des volatiles à plumage blanc. Deux classes emblématiques se trouvent ainsi impliquées dans la distribution des éléments du paradigme.

1. Guy, p. 93; Hornik, p. 63.
2. Dupire, 1936, p. 269.

La poétique des rhétoriqueurs a recueilli dans la tradition et (en de rares occasions, du reste) développé et systématisé quelques procédés spécifiques destinés, au pis, à interdire la lecture linéaire; au mieux, à la compenser en lui imposant une double direction, de droite à gauche aussi bien que l'inverse... laquelle constitue la norme dans les écritures d'origine latine. Dans le milieu que fréquentèrent plusieurs de ces poètes, à la cour de Marguerite d'Autriche, une mode, vers 1500, portait à retourner les noms propres des acteurs du Grand Jeu et, pour faire bonne mesure ésotérique dans cette manipulation de l'emblème nominal, à commencer et conclure la séquence ainsi instaurée par deux lettres arbitrairement prélevées sur l'alphabet : le sieur d'Aubigni devient *Lingibuaz*, et Picot *Itocipu;* un titre, tel que « Rondel pour ma dame », V*ednora* truop*a* z*a*mo h*ema*dy, à lire inversement au niveau des mots, mais normalement à celui de la phrase. Je ne trouve pas dans mon corpus trace de telles jongleries, qui semblent avoir appartenu au langage de la sorcellerie mais auxquelles un Paracelse conféra dignité philosophique [1]. En revanche, plusieurs rhétoriqueurs pratiquèrent le palindrome, ou vers rétrograde, également lisible dans les deux directions. Un exemple extrême, rapporté par Fabri, permet une quadruple lecture : de gauche à droite et de droite à gauche donnant un texte identique; ou, dans les deux sens, à partir de la lettre centrale *D*, donnant deux textes identiques mais tronqués par rapport au premier : soit deux fois

A mesure ma Dame rusé m'a

et deux fois

Dame rusé m'a.

Même jeu, compliqué de bilinguisme, avec

Esse son soulas salvos nos esse

(où le premier *esse*, en français, représente, selon la coutume graphique, *est-ce;* et où l'axe médian passe entre les deux *s* de part et d'autre de la césure) [2].

Une intuition travaille ainsi cette poétique, ici diffuse et là concentrée, qui tend à contrarier l'écoulement discursif du poème en y instaurant

1. Thibaut, p. 117-120; Jung, 1942, p. 61; cf. Finas, p. 876-877.
2. Zschalig, p. 37.

258

une harmonie globale, animée de mouvements divers et complexes, d'arrière en avant et de bas en haut. Au terme de cet effort, on a le poème à multiples lectures, combinant les effets de segmentation (ainsi, les vers lisibles par hémistiches) et de déconstruction de l'ordre posé (hémistiches 1 et 3 après 2 et 4, etc.); certains poèmes, de syntaxe particulièrement souple, en fait simples énumérations litaniques, se prêtent à des dizaines, sinon des centaines, de lectures différentes. Cet effet ne provient pas du seul maniement des rimes, encore qu'il soit impossible sans lui... ne serait-ce qu'en vertu de la nécessité de distribuer, aux endroits stratégiques du texte, des syllabes marquées dont la fonction est de permettre les découpages multiples.

Dans le cas le plus simple, deux lectures sont ostensiblement projetées dans l'espace : ainsi, la strophe 38 de la *Sainte Marguerite* de Destrées, faite de deux fois quatre vers, formant deux phrases produisant le même sens, avec les mêmes mots distribués dans un ordre différent. De même, chez Molinet, deux fois six vers, à la fin d'une glose du *Pater* [1]. Ailleurs, c'est l'œil du lecteur qui transforme la distribution, sans qu'il se produise ni déplacement des éléments écrits ni modification du sens général. Les *Arts* de Langlois citent plusieurs textes lisibles ainsi [2]. L'exemple favori des commentateurs est un huitain marial de Meschinot, dont l'auteur même indique qu'il « se peut lire en trente-deux manières différentes et plus, et à chascune il y aura sens et rime [3] ». D'autres y ont dénombré deux cent cinquante-quatre possibilités de lecture. Pour ma part, j'arrive au chiffre de mille quatrevingt-huit. Les vers en effet se coupent régulièrement 4-4, avec rimes intérieures et finales :

> D'honneur sentier, confort seur et parfait [...]
> Cœur doux et chier, support bon en tout fait.

Si A^1 et B^1 désignent respectivement le premier et le second quadrisyllabe du premier vers, on a, jusqu'au dernier (A^8, B^8), seize éléments dont former des poèmes en huitains d'octosyllabes (64 combinaisons), en seizains de quadrisyllabes (256 combinaisons), en alexandrins ou en vers mêlés (768 combinaisons, si je ne me trompe!). Même fonctionnement d'un huitain de pentasyllabes (dont la troisième syllabe, féminine, tombe si on la place à la rime), chez Destrées :

> Sommière régente,
> Couronne portant,
> Lumière fulgente...

1. Petersen, p. 59-60; Dupire, 1936, p. 494.
2. Langlois, p. 97, 222, 229, 237, 259.
3. Theureau, p. 64.

Des contraintes propres à des pièces plus complexes peuvent limiter en pratique l'application du procédé, sans toutefois en infirmer le principe. Molinet cite dans son *Art* l'un de ses rondeaux, dont, dit-il, sept lectures différentes sont possibles :

> Souffrons à point; soions bons Bourguignons
> Bourgeois loiaulx, serviteurs de noblesse,
> Barons en point. Prospérons, besognons,
> Souffrons à point, soions bons Bourguignons.
> Oindons s'on point, conquérons, espargnons;
> Franchois sont faux; soions surs s'on nous blesse.
> Souffrons à point; soions bons Bourguignons,
> Bourgeois léaux, serviteurs de noblesse.

La lecture multiple proposée par le poète peut être pratiquée selon deux axes différents. Les vers en effet sont découpés en segments rythmiques identiques, de deux, deux, trois et trois syllabes, pourvus de rimes mutuelles. Ils sont donc en principe commutables, sous réserve de contraintes dues à la définition du décasyllabe, du rondeau (alternance du refrain et des couplets) et du syllabisme (les mots *noblesse* et *blesse* ne pourraient se trouver dans le corps du vers, faute d'élision). D'où une première possibilité (à laquelle se réfère Molinet) de lire dans ce rondeau sept autres rondeaux : quatre, en réduisant le vers à l'un ou l'autre de ses segments rythmiques; deux, en le réduisant à deux, respectivement trois, de ces segments; un, en laissant le texte tel quel. Mais on ne peut exclure deux autres possibilités : celle, d'une part, d'intervertir les hémistiches des vers 1, 3, 4, 5, et 7, et, dans ces mêmes vers, l'ordre des segments 1 et 2, 3 et 4. Soit, compte tenu du texte initial , six lectures; mais, avec interversion des vers 3 et 5, douze lectures; celle, d'autre part, qui consisterait à dédoubler le texte pour en former des « rondeaux jumeaux » : les premiers ou les seconds hémistiches constitueraient ainsi le rondeau de base, « jumelé » avec le rondeau complet. D'où deux autres lectures. Fabri donne en exemple un douzain semblable, aux vers coupés 2-2-2-4, et dont tous les mots, à terminaisons masculines riment entre eux selon le schème *ababbcbccdcd*. Si l'on accepte de ne pas respecter ce schème, le lecteur dispose de quarante-huit éléments à faire librement commuter : je laisse au mien de faire le calcul[1]...

Gratien du Pont, dans ses *Controverses des sexes*, ouvrage publié en 1534 dans l'intention de fournir des modèles de rhétorique seconde,

---

1. Petersen, p. 136; Dupire, 1936, p. 878; Héron, II, p. 47.

compose un poème de ce genre construit en échiquier [1] : sur les soixante-quatre cases de celui-ci sont disposés un nombre égal de membres de phrases de cinq syllabes, lieux communs du « blâme des femmes », à terminaisons féminines en -*esse* sur les cases noires, en -*ante* sur les blanches. Ainsi, la première ligne d'en haut : *Femme abuseresse | Infecte meschante | Sans fin menteresse | Charogne puante | Source de finesse | De coeur inconstante | Perverse traitesse | Fausse décevante.* Chacun de ces syntagmes occupe la place normale des pièces : respectivement le « roc » (tour), le « chevalier » (cavalier), le fou, la Dame (reine), le Roi, le fou, le chevalier, le roc; la seconde ligne range de la même manière huit pions. Puisque toutes les cases sont remplies, cette configuration est doublée de chaque côté de la table. Tout syntagme peut se déplacer (en fait, s'échanger avec un autre) en vertu des règles déterminant les mouvements des pièces au jeu d'échecs. Jamais le sens général n'est altéré. C'est ainsi du moins que j'interprète le commentaire de Gratien, lequel ne brille pas par la clarté... Le nombre des combinaisons est infini. Du moins cette jonglerie est-elle à peine originale, en cela qu'une très ancienne tradition s'affirmait encore à la fin du XVe siècle (comme en témoigne la publication, à Bruges, en 1474, du traité des *Échecs* de Jacques de Cessolis), d'emploi ludique, et souvent allégorique, des règles de ce jeu [2].

Destrées annonce, dans une rubrique, sous le nom d'«échiquier», la dernière strophe de sa *Sainte Wenefrede*. Mais la réalisation en est beaucoup moins complexe : trente-deux cases, en quatre colonnes verticales, et sur chacune d'elles un pentasyllabe dont l'initiale, jointe aux autres de la même colonne, forme par acrostiche, lettrique ou syllabique, de gauche à droite, *Virgo Sancta | Wenefreda | Pro nobis | Cristum exora.* Cet acrostiche constitue une contrainte majeure restreignant les possibilités de mouvement : en fait, seules peuvent commuter en bloc les colonnes, lisibles soit comme huitains de pentasyllabes, soit comme quatrains de décasyllabes; d'où un nombre bien modeste de lectures offertes : quarante-huit !

Les diverses jongleries que je distingue ainsi très souvent se cumulent : la strophe en question de Destrées en fournit une preuve, de même que le monologue de Vérité dans la *Ressource du petit peuple*. Je citerai deux exemples extrêmes [3]. Des invectives d'André de La Vigne contre

---

1. Zschalig, p. 57-58, et édition des *Controverses*, Toulouse, 1534, folio 54 verso.
2. Murray, p. 529-563.
3. Guy, p. 92-93; Petersen, p. 138.

la Parque Atropos, accumulation d' « épistetons énormes » aux initiales tour à tour occlusives et liquides, aux timbres vocaliques cascadant en séries du grave à l'aigu, riches de mots rares, de rimes difficiles, d'onomatopées, combinent ainsi pantogramme, échos syllabiques et raucité :

> Tric, trac, troc, trop trousselant triquetroque,
> Trainc très terreux, trèpe de triquenoque,
> Traistre trousson, triquenique tribraque,
> Truye troussine, triquedondayne troque,
> Triste truande...

La strophe 108 de la *Sainte Catherine* de Destrées comporte à la fois jongleries de syllabes et lectures multiples :

> Rutilante Gemme durable
> Vertueuse balsame intime
> Élégante femme honorable,
> Fructueuse palme sublime,
> Somptueuse psalme dulcisme,
> Pure flamme clarifiée,
> Joyeuse Dame dignissime,
> Cure m'âme mundifiée.

Chaque vers est formé de trois mots (*m'âme*, au dernier, fait bloc indissociable) : la série verticale des premiers mots se termine sur trois syllabes *(-ante,-(u)euse, -ure)* selon le schème *ababbcbc;* ce schème se retrouve aux « rimes » (fins des troisièmes mots) : *-able*, *-ime*, et *-ifiée*, l'articulation du *i*, très fermé, s'opposant à celle du *a*, ouvert; opposition qui se retrouve entre les quatre *-ime* finaux et le monorime *-ame* (huit fois : double de quatre) des deuxièmes mots. Une lecture rétrograde, vers par vers (mots dans l'ordre 3-2-1) ou retournant la strophe entière (du vers 8 au vers 1), ou conjoignant ces deux procédés, ne change rien à cette distribution sonore, et seul le renversement du dernier vers peut entraîner une transformation sémantique dans l'ordre 3-2-1 *(mundifiée* se range alors dans la série des épithètes louangeuses au lieu de déterminer *m'âme).* D'autres commutations à l'intérieur des vers (1-3-2, 2-3-1, 2-1-3, 3-1-2) modifient l'ordre des échos, mais en respectent les proportions. Ici, encore, quarante-huit combinaisons, qui toutes maintiennent intacte la structure octosyllabique et la forme carrée de la strophe.

De tels cumuls multiplient parfois un certain effet sonore ou lexical, voire syntaxique, au point que la jonglerie semble « engendrer », comme un algorithme, l'ensemble du poème. Entendons-nous sur le terme, inévitablement métaphorique. L'effet produit par la jonglerie, au moment que l'auditeur ou le lecteur le perçoit, provient du passé, comme en provient le texte du fait seul qu'il a été produit. Je reconnais un *même*, accueille avec plaisir cette identité. Mais « même » déjà est un autre : disjonction, béance, rien, déchirure, que vient compenser maladroitement le fantasme d'un commencement. Or, quelles que soient les règles, rationnellement reconstituées, d'une poétique (générale ou spécifique), cette « origine » n'est concevable que comme celle de ce texte-là, concrètement étendu sous mes yeux. Une grammaire universelle, pour sophistiquée qu'on le veuille, n'aboutira jamais qu'à définir des classes de textes, non des textes mêmes. Ce n'est donc pas à son niveau que j'intégrerai telle et telle jonglerie, mais bien, à une faible profondeur, parmi les dernières ramifications de l'arbre transformationnel, où s'enracinent les faits d'expansion, où la jonglerie peut, en fonction de « thème », surdéterminer le réseau dialogique du texte réalisé [1]. Mais, quoique faible, la profondeur où opère la transformation jongleresque ne peut être définie une fois pour toutes. Je retiens ici quelques cas où, selon toute apparence, elle est juste assez grande pour susciter un effet macrosyntagmatique observable, sinon à la surface entière du poème, du moins dans une zone ètendue de celle-ci.

L'élément « générateur » est une lettre, par emblématisation de l'initiale du nom, dans tel passage des *Regrez de la Dame infortunée* écrits par Lemaire pour *M*arguerite d'Autriche à l'occasion de la mort de son frère :

> A par moy pleure, ayant cause fertile,
> Voyant tous noms qui commencent par M,
> Jà soient ilz aornez de diadesmes,
> Désigner Mort et malheur inutile.
> M eut au nom de ma Dame de mère,
> Dont le trespas est de mémoire amère,
> Causant regret qui point ne me respite.
> M est aussi mille fois peu prospère,
> Au chef du nom de Monseigneur et père :
> Lequel fortune assez trouble et despite.
> Puis on voit M au nom de Marguerite,
> Qui signifie, et sans mon démérite,
> Meschief malin, martyre et mal austère.
> Si croys de vray que souz ceste M habite
> Misère et Mort, ou malheurté maudite,
> Marrisson morne, et tout mauvais mystère [2].

1. Paris, 1975, p. 158-163; Riffaterre, 1971, p. 145.
2. Stecher, III, p. 187-188.

Dans les poèmes entièrement acrostichés, chacune des lettres en cause génère son fragment de texte, tandis que l'ensemble l'est par le mot ainsi épelé. Même fonctionnement du mot qui, nous l'avons vu, est parfois répété au début de chaque vers durant de longues tirades, ou, par une autre espèce de jonglerie (spécialement en prose), jouant non plus d'un élément particulier, mais d'une classe ou d'une règle lexicale; ainsi de l'opposition radical *vs.* terminaison dans tel passage des *Chroniques* de Molinet : « Les mutins rebellant, les rebelles mutinant, les trafiqueurs séduisant, les séducteurs trafiquant, les plaisants esbats, les esbattements joyeux, les joyeusetés nouvelles, les nouvelletés hautaines, les hautains festoyements et les festes d'instruments [1]. »

L'élément « générateur », moins nettement, est une phrase ou un membre de phrase dans les poèmes (déjà cités) glosant une prière : ainsi, dans l'*Ave* et le *Pater* de Molinet, dans l'*Ave Maria* de Cretin, dont chaque tirade tour à tour commente l'un des mots successifs du texte latin [2]. De même, dans les strophes introduites ou conclues par un proverbe, une sentence, ou un vers préexistant. Exceptionnellement, c'est un poème de composition antérieure qui engendre le texte nouveau, et parfois plusieurs textes : une pièce de Molinet construit dix strophes sur dix vers un à un empruntés à un rondeau et placés en figure d'épiphonème. J'ai fait allusion ailleurs aux vingt-cinq ballades de Meschinot dont les envois sont faits successivement des vingt-cinq strophes d'un poème de Chastellain [3]. L'effet produit, dans tous ces cas, est du reste moins perceptible au niveau syntagmatique qu'à celui de l'argumentation.

La jonglerie, c'est le temps de l'illusion : bruit et méconnaissance, dont le travail opéré sur le langage se saisit, pour les fonctionnaliser au seul niveau du poétique. Ce qui, du texte, eût pu rester limpide se trouble, s'obscurcit en déchaînement fantasmatique. Le signifiant, mis en disponibilité, revendique son autonomie, comme Beccaria l'a montré à propos de Dante. Il se bricole lui-même, de son et de fureur, se multiplie, surabonde, infinité de surplus, potentielle pour le poète dans l'instant qu'il écrit, réelle et vertigineuse pour le lecteur invité à en épuiser les suggestions... inépuisables comme tout ce qui est inutile. La jonglerie relève d'une pratique sémiotique « paragrammatique », mais elle manipule et organise des éléments non codés, sans doute non

---

1. Thibaut, p. 106.
2. Dupire, 1936, p. 483-498; Chesney, p. 49-56.
3. Dupire, 1936, p. 797-801; Doutrepont, 1970, p. 389-390.

codifiables : classifiables tout au plus, comme j'ai tenté de le montrer ici. Communication sans doute, mais subordonnée à une « raison » d'au-delà du sens, la jonglerie, par là même, est d'apparence gratuite (ce que soulignent ses approximations mêmes), mais, dans son ordre, sérieuse, sinon grave, cause et résultat d'une nécessité. Sous ses formes les plus sophistiquées, elle est surtout fréquente dans les textes postérieurs à 1495-1500 : au point de manifester, historiquement, comme l'ultime tentative d'une poétique consciente d'elle-même, qui s'efforce de sauver l'essentiel de ses valeurs propres... et dont Rabelais bientôt ramassera les débris [1].

Contemporaine des premières grandes synthèses alchimiques, qui couronnent alors des siècles d'obscure recherche, la jonglerie témoigne à sa manière d'une aporie : tout discours sur la connaissance finit par tomber dans le silence vide que creuse l'absence d'unité du savoir. On feint de poursuivre la lecture du monde selon l'analogie formelle, les emblèmes, les correspondances : la teinture change la nature de l'objet auquel on l'applique. Mais, sous le couvert du vieil appareil, ce à quoi l'on vise, ce n'est plus à la transmutation des matières : c'est à leur décomposition, car de l'univers décomposé sortira peut-être enfin l'or philosophal. Par la matière ainsi se libère l'esprit, qui la délivre en rompant ses liens : cette poésie, comme le Grand Œuvre et dans le même sens, est « art d'amour » [2]. Les rhétoriqueurs n'ignorent pas ces recherches. Marot leur emprunte une métaphore révélatrice :

> Fays distiller mon cueur plus dur que cuyvre
> En eau de grâce, afin que je m'enyvre
> De ton amour qui me brusle en tous lieux [3].

Non plus qu'ils ne peuvent ignorer tout à fait les textes hermétiques apportés de Grèce en Italie dès 1462, en France avant 1494. En 1505, Henri Estienne publie le *Pimandre* et un dialogue du cabaliste Lazarelli, procurés par Lefèvre d'Étaple; quatorze ans plus tard, Jean Thenaud dédie à François Ier son traité en vers de la Cabale [4]. De toutes parts des doctrines circonviennent ainsi nos poètes, rejetant au magasin des accessoires trompeurs le sens des mots que nous parlons. D'où la tension, que je signalais au début de ce chapitre, profondément inscrite dans le langage, négative parce que sans ressort efficace encore, en

1. Beccaria; Kristeva, 1969, p. 174-206; Todorov, p. 388-389; Lebègue.
2. Gagnon, 1974 et 1975, p. 149-150.
3. Lenglet, p. 249.
4. Marcel, p. 138-140; Holban, p. 193-194; Rigolot, 1976 *a*, p. 473.

cette fin du XVᵉ siècle : in-tension, intention. Intention de luminosité à la fois éblouissante et lourdement matérielle : cette *luminositas, sensus naturae* qu'invoque en 1510 la *Philosophia occulta* d'Agrippa de Neltenheim, venue des astres, « quinte essence » procédant des éléments dissociés de la Création [1]... pour nous, de notre langue.

1. Jung, 1942, p. 47-50.

L'équivoque généralisée

A plusieurs reprises au cours de ce livre, j'ai fait allusion à l'équivocité qui souvent affecte de manières diverses le discours des rhétoriqueurs : figures d'ironie, parodie, doubles sens obscènes. Ce sont là des variétés encore du procès que j'ai nommé conjonction des discours : opérant simultanément aux deux niveaux, sonore et syntacticosémantique, entre lesquels s'établit une relation directe qui courtcircuite le niveau proprement lexical. Ce dernier, ainsi rejeté de la structure phrastique, demeure flottant, et le lecteur, qui ne peut point ne pas l'identifier pourtant, est laissé libre de le décoder différemment selon les possibilités, parfois contradictoires, que lui offre le système de la langue naturelle.

L'effet produit n'est pas toujours identique et, quoique le terme où il tende soit le même, il comporte une gradation. Ainsi, le « bilinguisme », mêlant français et latin dans un même poème, y crée normalement une opposition de caractère tout extrinsèque; mais celle-ci peut être intériorisée si elle permet un quiproquo, à la façon des plaisanteries des clercs qu'évoque Fabri, et qui font l'essentiel de tel scrmon bouffon prononcé à la *Fête des fous* parisienne, vers 1460 :

> Pia laudum preconia,
> Piez, loudiers, puisqu'on y est [1].

Ainsi, une quarantaine de fois en trois cent quarante vers. Le jeu de mots demeure très approximatif : les rhétoriqueurs, s'ils se risquaient sur ce terrain, viseraient plus haut. L'*Art VII* de Langlois propose un modèle de rime :

> Fidem haud servare *potes*,
> Sic cunctis fata vend*icas*.
> Par toy ton serf a re*pos telz*

---

1. Héron, II, p. 118; Almanza, p. 91.

Pour l'heur lequel souvent *diz qu'as*.
Nempe *quam plurimos sumptus*
Et lors *quant plus riz, motz sont tuz* [1].

Ici, comme dans certains vers de poètes du cercle de Louis XII, tel Jean d'Auton [2], les deux codes sont juxtaposés, et le jeu consiste à en constater l'interchangeabilité. Mais les codes peuvent coïncider dans le même énoncé : en 1582 encore, Tabourot des Accords recommandera cette figure, dont il distinguera deux espèces, selon que le décodage latin donne une phrase structurée ou une simple suite de mots sans liens. Le seul exemple que j'en aie relevé dans mon corpus est le long logogriphe, à peu près incompréhensible, terminant le *Dictier sur Tournay* de Molinet :

[...] Parti pendent ora sursum corda
Mille sex hos, o pute da malis [3].

Ailleurs, l'équivoque ne porte que sur un mot ou un bref syntagme isolé. Du moins, ce qui la produit, c'est l'incertitude portant sur le langage utilisé. Quand Molinet écrit *da malis*, le décodeur lit soit une imprécation, soit le nom de *Dame Alice*, la « pute ». Calembour : « unité minimale de travail du signifiant [4] ».

Cette unité se complexifie, et règne. On a relevé, dans l'œuvre de Molinet, deux douzaines de calembours banals, empruntés à des devinettes populaires : le pet est de *laiton*, c'est-à-dire de *laid ton*, un étron mis au feu donne alchimiquement de l'*or de touche (orde touche)*, dans le *Cri des monnoies* [5]. La *Ressource du petit peuple* compte au moins huit calembours, que dignifie le contexte, dans les paroles de Conseil : cette localisation n'est pas sans signifiance. « Il est nécessité que vous soyez saignée de la veine du *foye*, car par faute de *foy* estes vous... » Plus loin : « deux très nobles *marguerites* » réfère à Marguerite d'York et à son homonyme de Bourgogne, tandis que « *nobles* de Gant », « *hardis* du pays », « *désirés* », « *doffins* », « *acroupis* », « *fins bretons* », « *aidans* de Liège » et « *Lyons* de Flandres », amassés en quelques lignes, désignent soit les vassaux et alliés du duc, soit des monnaies. « Priez *saint Pol* », c'est l'Apôtre, ou Pierre de Luxembourg, comte de Saint-Pol : les deux ensemble, car dans cette tirade les sens possibles se cumulent.

1. Langlois, p. 317.
2. Guy, p. 96.
3. Dupire, 1936, p. 192 et 965.
4. Rigolot, 1976 *a*, p. 474.
5. *Ibid.*, p. 767 ; Roy, p. 23.

Les jongleries de ce genre sont nombreuses chez Molinet [1]. Tous les rhétoriqueurs s'y livrent, avec plus ou moins de constance et de bonheur : elles ne se raréfient que chez Marot. « Qui veult pratiquer la science choisisse plaisants équivoques », déclare Molinet dans son *Art;* et son disciple néerlandais Casteleyn, qui, sur ce point, s'écarte de lui, proscrit cette figure comme un abus caractéristique des poètes de langue française et de leurs émules [2]. La plupart des traités publiés par Langlois en fournissent la définition, insistent sur ces jeux savoureux, « plein sonnants», privilégiés entre tous les procédés que recommandent les règles. Le point de vue purement technique des « théoriciens » les amène à décrire le phénomène en termes peut-être exagérément concrets; ainsi, Molinet établit des listes de mots ou de syntagmes équivoqués couvrant deux, trois ou quatre syllabes : *sansonnet, sans son net, sans sonnet, sans son est,* et la suite.

Il importe d'élargir le commentaire. Ce que nous constatons chez nos poètes, c'est une exploitation intentionnelle des possibilités qu'offre le système linguistique, de neutraliser, grâce aux convergences phonématiques, les oppositions lexicales : pratique généralisée que je tiens pour indice d'une volonté, diffuse mais toujours impliquée par le discours, de rompre avec l'unité apparente et factice du sens; de rejeter la fiction d'unicité, un peu à la manière dont le fait la *figura etymologica* des rhétoriciens. Certes, aucun de nos poètes ne formule expressément cette intention : il n'en reste pas moins qu'entre discours poétique et recherche de l'équivocité un rapport instrumental réciproque est posé [3]. Peut-être resurgit ainsi et prend vigueur nouvelle une très ancienne tendance de l'esthétique médiévale, qui définit l'office du poète par l'emploi de *figurationes obliquae*, comme s'exprime Isidore, aux *Etymologiae* VIII, VII; mais cela, selon la mode d'un siècle amateur plus que d'autres de bons mots, d'énigmes gaillardes, d'ambiguïtés moralisantes, scatologiques ou grivoises, dont on constitue des recueils comme les *Demandes joyeuses en forme de quodlibets* publiées à Paris, chez Trepperel, en 1498, et dont traditionnellement les prédicateurs populaires farcissent leurs sermons [4].

Je distinguerai entre équivoques micro- et macrotextuelles. Les premières jouent sur deux éléments au moins, présentant une identité phonique et la différence sémantique la plus grande possible. Les éléments linguistiques en rapport d'homophonie (parfois aussi d'homographie) réfèrent chacun à un discours différent : l'un appa-

1. Rigolot, p. 930, 934, 935, 953, 976, 981, 985, 1018, 1032 et 1041.
2. Langlois, p. 249; Iansen, p. 108-118.
3. Rigolot, 1976 *a*, p. 471; cf. Meschonnic, 1975, p. 65-75.
4. Roy, p. 26-35; Zink, p. 271-276 et 287-291.

rent, l'autre suggéré. Que cet élément soit une syllabe, un mot ou un groupe syntagmatique, l'effet reste le même.

En prose, l'équivoque surgit n'importe où, signalant, comme nous l'avons vu chez Molinet, quelque lieu capital de l'argumentation. En vers, il arrive qu'elle tombe sur une syllabe intérieure, en général rythmiquement marquée, ainsi dans le *Lyon couronné* :

> Son los *mort mord*, elle abattue tue,
> Ses non *droits droitz* quand ilz assignent signent...
> Et perd *son son* quand son aspresse presse
> Car son *point point* [1]...

Mais son emplacement favori est la rime, et ce n'est point là un hasard. Toute rime, en effet, peut être considérée comme fondamentalement équivoque, en vertu de l'équivalence, même très approximative, établie entre les mots qu'elle unit : de ce point de vue, le chapitre entier que j'ai consacré à la rime trouverait place en ce lieu de mon argumentation. Mais je circonscrirai plus précisément ici les faits en cause. Meschinot aurait-il écrit :

> Si tu veux avoir nom d'honneur,
> Être te faut large donneur,

tout au plus l'association ainsi produite évoquerait-elle à la lecture la libéralité censément propre aux hommes d'honneur. Mais Meschinot, combinant, avec l'équivoque, une rime « du même au même », a écrit :

> Estre te faut large d'honneur [2].

A l'audition, sans perception visuelle du texte, la phrase est doublement décodable.

C'est bien ainsi que l'entendent les *Arts*, pour qui la « rime équivoquée » embrasse des mots complets ou des groupes de mots, entièrement homophoniques. L'équivoque sera donc d'autant mieux identifiable et plus efficace que la rime s'étendra sur davantage de syllabes. C'est l'une des raisons, sans doute, qui poussent les rhétoriqueurs à employer souvent en fin de vers le pronom atone *ce*, qui seul permet d'équivoquer avec les nombreux termes féminins en *-ce (force/ fors ce, fiance // (je me) fie en ce)*. Ainsi Cretin :

---

1. Urwin, p. 60.
2. Martineau-Genieys, 1972 *a*, p. 43.

Lettres, allez, sans séjourner en place,
Que ne soyez ès mains de Molinet,
Et le gardez que désir mol il n'ayt
A m'escrire, mais vouloir bien ample à ce [1].

Cretin passe en habileté tous ses confrères. Il parvient à rimer presque intégralement en équivoques plusieurs poèmes longs [2], pousse le raffinement jusqu'à rechercher (sans truquages graphiques) l'équivoque visuelle :

Et sans avoir par nul *moyen tendu*
Qu'un ouvrier ait à *moy entendu* [3]...

Marot, en revanche, n'use qu'avec discrétion de ces possibilités. Il est rare toutefois que le nombre des syllabes équivoquées reste constant d'un bout à l'autre de la strophe, de la tirade ou du poème auxquels s'applique cette figure. La résistance offerte au jeu par la langue ne permet qu'exceptionnellement une parfaite égalité de distribution. Je donne, sans autre glose, divers exemples.

Équivoques mono- et trisyllabiques, chez Molinet :

De trop d'oiseaux ta mère *couvoit œufz*,
Quand ilz sont drus, s'envolent *couvoiteux*,
Faut que chascun sa propre mère *voie;*
Excéder veux les termes *des eureux*
Par surmonter les nues *desseur eux :*
Qui chiet de haut il est mort à my *voye.*

Équivoques bi- et trisyllabiques, chez Meschinot :

Ha! si ton cueur tant de maulx *pour ire a,*
A ton tréspas pense que *pou rira*
Car à faire as une dolente *yssue;*
Ton âme ès cieux, où en grand *pour yra,*
Et ta charogne en terre *pourrira :*
Plutost faudra qu'elle ne fut *tissue.*
A ce départ le fort et len*t y sue.*

1. Martineau-Genieys, p. cxxv; Chesney, p. 320; cf. Frappier, 1948, p. 62.
2. Ainsi, Chesney, p. 249-256.
3. *Ibid.*, p. 56; Trisolini, p. 48-49.

Équivoques bi-, tri- et quadrisyllabiques, chez Meschinot :

> Homme misérable et *labile*,
> Qui vas contrefaisant *l'habile*,
> Menant estat *désordonné*,
> Croys qu'enfer est *dès or donné*
> A qui ne vivra *saintement*,
> Ou l'Escripture *Sainte ment*...
> Prends de Prudence la *conduyte* :
> Très bien te guydera, *com duyte*...
> Elle est de tes lunettes *l'une* :
> Tel béryle n'a souz la *lune*.

Chez Saint-Gelays, dans une épître au Roi, aux cent soixante-dix vers entièrement équivoqués :

> [...] D'immortel loz, de gloire *pardurable*,
> Par vos hautz faitz en toutes *parts durable*,
> Victorieux, puissant *triomphateur*,
> Pouvoir divin de grand *triomphe acteur*,
> Que Dieu juste, qui les bons *félicite*,
> A bien pourvu de charge et *fait licite*...
> Paix adorée en vos sacrez *lymites*,
> Car pour certain vous seul alors *l'y mîtes* [1].

Telles sont les formes courantes de l'équivoque microtextuelle. Le procédé néanmoins reste ouvert et, de syllabe en syllabe, peut toucher de plus vastes unités discursives. Ainsi, l'une des lectures possibles du vers de Fabri cité au chapitre précédent comporte équivocité : « Dame rusé m'a » est en effet interprétable « D'âme ruse m'a ». A l'origine, la rime monosyllabique; au terme, le vers entier : telles sont les limites. Parmi les auteurs de mon corpus, seul Cretin couvre de l'une à l'autre le champ des possibles. Une épître à Charbonnier, après quatre vers ordinaires qui en constituent l'adresse, comporte ainsi cent vingt décasyllabes à rime plate, presque entièrement homophones deux à deux; le poème pourrait, à peu de chose près, être décrit comme une suite de soixante vers redoublés, phoniquement identiques et à double interprétation sémantique :

---

1. Dupire, 1936, p. 629; Guy, p. 84; Martineau-Genieys, 1972 *a*, p. 26 et 36; Molinier, p. 289.

> *A celle fin* qu'en mes ditz *contrefasse*
> *Assez le fin*, pour face *contre face*
> *Vers et respons* accorder, *plume ay prise*,
> *Vers serrés pontz*, où beaucoup *plus mesprise*
> *L'accès de court*, que se visse *mes sens*
> *Lassez de cour*, plaisir n'y ay, *mais sens*
> Deuil et despris...
> *Quant cessera* mautemps ? *Incontinent*
> *Qu'en cepz sera* désir *incontinent*,
> *Désir entends cœur* de vain *et lasche homme*,
> *Désirant temps qu'heure* vienne, *et la chomme*...

Même recherche dans une autre épître :

> *L'ire des Roys* faict or *dedans ce livre*
> *Lire desroys*, et tour *de danse livre*
> *Si outrageux* que du haut *jusqu'à bas*
> *Si outre à jeux* on ne met *jus cabatz*.
> *Douter dut-on* que ne soyons *d'an seurs*
> *D'ouster du ton* la danse et les *danseurs*.

Les deux vers qui suivent réalisent l'homophonie totale :

> Tournay, entour sa folle outrecuydance
> tournaye : entour s'affole outre, qui danse [1].

L'équivoque traverse tous les niveaux de structuration du texte, marque de façon indélébile ce qui y concourt à la production d'un sens. Tout sens est pluriel ; l'ambiguïté du dire poétique constitue le postulat initial de la doctrine implicite dont les *Arts* ne font que présenter les conséquences sur le plan de la pratique, et qui ne tend à rien de moins qu'à ce qui serait une équivoque macrostructurelle embrassant le discours entier, comme tel.

Plusieurs rhétoriqueurs ont tenté ce tour de force. Mais, la structure phonématique du français interdisant les très longues séries homophoniques, c'est, à ce degré d'ambition, la syntaxe qu'ils travaillèrent : l'effet, par là même qu'il se produit ainsi dans une autre articulation du langage, n'est plus tout à fait celui que provoquent les homophonies. Il démultiplie moins le sens dénotatif que la connotation globale résultant du rapport des éléments. Le poète conjoint en un même énoncé les parties contradictoires qui, selon une ancienne tradition, se succédaient parfois dans un même poème.

Cette conjonction exige une possibilité de lecture double, qui fait

1. Chesney, p. 279, 281 et 276.

intervenir, dans le décodage du poème, le temps linéaire. Du moins subsiste un caractère commun : l'intrusion, dans un discours, d'un autre discours présupposé, contraignant le lecteur à dissocier le message, à reconnaître au texte une structure dialogique. Deux voix s'unissent dans la parole et mutuellement se récusent. L'homophonie fait planer un doute, suggère une référence autre; l'équivoque syntaxique renverse la proposition. Elle peut se réaliser de deux manières : par déplacement de vers ou d'hémistiches, comme chez André de La Vigne : un éloge des tripiers, accompagné d'un blâme de la Basoche, se transforme en vitupération des premiers et panégyrique de la seconde lorsqu'on découpe ses décasyllabes en deux séries de pentasyllabes [1]. Mais, à cette exception près, les quelques exemples relevés dans mon corpus présentent une autre structure : la phrase se construit, vers par vers, au long du poème, en membres symétriques pourvus de rimes adéquates et articulés sur une négation médiane; une lecture de gauche à droite rapporte celle-ci aux termes qui la suivent; une lecture rétrograde (au seul niveau syntagmatique, et conservant la direction normale des lettres qui constituent les divers mots), à ceux qui se situent à sa gauche. Ainsi, chez Molinet, plusieurs pièces à caractère litanique, énumérant par le même énoncé qualités et défauts contraires attribuables aux Français, aux Bourguignons, aux hommes, aux femmes; chez Bouchet, aux gens de justice, aux Poitevins. Je cite Molinet :

> Femmes sont douces, non rebelles,
> Gemmes luisants, non brunes perles,
> Amiables, non estrangères,
> Véritables, non mensongères.

De droite à gauche :

> Rebelles, non douces, sont femmes,

et la suite, sur seize vers. Fabri propose une structure plus complexe : sept distiques de décasyllabes, lus de gauche à droite, énoncent successivement les « commandements » de sept Vertus; lus dans la direction inverse, ceux des sept Vices opposés. La transformation touche au rythme : ascendant (4-6) avec les Vertus, descendant (6-4) avec les Vices. Ainsi, Abstinence et Gloutonnerie :

> Délices fuys, ne saoûler trop désire;

d'où : Désire trop saoûler; ne fuys délices [2].

1. Guy, p. 97; cf. Stegagno-Picchio.
2. Dupire, 1936, p. 332 et 846-847; Hamon, 1970, p. 33; Héron, II, p. 48.

Ces jeux d'équivoques, quels qu'en soient la forme et le point d'impact, constituent le trait commun le plus pertinent de cette poésie. Qu'est-ce en effet que l'équivoque, sinon la manifestation grossie, incongrue, savoureuse du lieu caché où s'articulent le langage et le sens ? Elle introduit, dans le texte aux éléments par elle dédoublés, un excès de présence, à la limite du tolérable, dé-signant une absence même : celle qu'engendre la parole, du fait qu'elle ne peut pas ne point prendre fin. Excès de langage, défi, bien autrement enté sur notre mode d'être que ne le seront, beaucoup plus tard, les excès naïfs du fantastique ou de la représentation objectale. Par l'équivoque, le rhétoriqueur s'évade du rite social, affirme la valeur centrale de l'exceptionnel, qu'il nous contraint à consommer, noyé dans la sauce des phrases clichées, s'efforçant, pour survivre, de sanctionner sa propre forme comme différente, introuvable dans ce qui n'est pas elle.

Dès qu'un terme est posé, l'équivoque y intègre une question : le mot, le syntagme ouvrent une alternative dont ils constituent les membres. Le lecteur, nécessairement, d'instant en instant, choisit, mais chacun de ses choix implique l'autre : produits, le mot, le syntagme, à leur tour produisent, par disjonction réitérative, sans conjonction qu'apparente, par dispersion des effets. La lecture ne consiste point à repérer des convergences fondatrices d'unité, mais bien des points de diffraction [1]. La question équivocale n'est formulable ni dans ni par le texte. Elle ne fait que signifier, sans aucunement la justifier ni fournir un moyen de l'explorer davantage, la coexistence des incompatibles. Elle nie le principe et l'origine, mais ne leur substitue pas d'autre notion. Où se dissimule donc le sens propre, le primordial, la donnée initiale ? Pas de réponse.

L'équivoque ainsi récuse la contradiction que suppute le « bon sens ». Rompant les enchaînements paradigmatiques, les séries associatives, effaçant les redondances isotopiques, elle est sophisme, universel paradoxe. D'une certaine manière, elle tient de la métaphore : posant, au niveau primaire de la communication, une absurdité logique ; organisant dans le texte une stratégie de libération ; y introduisant un principe de plénitude. La puissance connotative des énoncés, déchaînée, transforme le mot, le vers, de signes qu'ils auraient pu être, en foyers de suggestions multiples, incertaines, répugnant à toute codification : moins l'ambiguïté (qui suppose qu'un seul des sens possibles est requis par le contexte) que sémiose in(dé)finie à partir d'un signifiant déchiré [2].

---

1. Cf. Paris, 1975 *b*, p. 265-268.
2. Beardsley, p. 125-147; Ricœur, p. 118-122; cf. Kristeva, 1975, p. 26.

L'équivoque exploite ainsi l'espace de jeu qu'est le sens. Mais le jeu, elle le truque. Le poète et son destinataire appartiennent tous deux à la cour, sur la scène de laquelle, chacun à sa façon, ils pérorent. Et voici que, par la vertu du paradoxe équivocal, ils n'appartiennent plus ni à la même troupe ni au même lieu. Lequel s'en rendra compte le premier ? Le « quolibet », *quod libet*, levée d'interdit, fondement du comique : le Grand Jeu engendre cet éclat de rire. C'est pourquoi sans doute l'équivoque si souvent se fait cocasse, badine. Mais le rire est révélation et assurance de soi, le γέλως ἄβεστος des dieux homériques, le rire du sorcier : en cet instant vide où se forme de mots une conjuration qui les dépasse, tandis que se composent des connexions imprévisibles entre les facteurs d'une expérience sans pareille. Mais c'est alors même que l' « œuvre » s'opère ; c'est de cet instant privilégié qu'elle requiert d'être jugée : comme lieu de tensions pluridimensionnelles [1].

Pourtant, le sens n'est pas détruit [2]. J'ai signalé déjà l'inexistence des fatrasies et l'extrême rareté des « fatras impossibles » dans la poésie des rhétoriqueurs. Le « jargon absolu », suite de sens incohérents, groupé en vers réguliers, reste, au XVe siècle, propre au théâtre, où il figure l'idiome des diables et des sorciers. Pas trace, chez nos poètes, de cet anti-langage. Leur poétique ne vise pas une déconstruction des structures linguistiques mêmes, mais bien de leurs procès de signification : c'est moins un ordre qu'ils renient, que l'univocité de ses valeurs. Le point le plus extrême qu'ait atteint l'un d'entre eux dans cette aventure, c'est, au-delà des équivoques formalisées, une suspension pure et simple, mais partielle et en principe compensable à la lecture, de la signifiance : la dernière strophe de la *Sainte Marguerite* et celle de la *Sainte Catherine* de Destrées, ainsi qu'une autre du second de ces ouvrages, sont faites de vers dont manque le dernier mot. Divers indices, dans la partie écrite du texte, permettent de connaître la longueur que doit avoir le vers complété, l'agencement de ses rimes et, dans un cas, la nature sémique de celles-ci (des noms de fleurs). Mais le choix ainsi laissé au lecteur comporte un tel nombre de possibilités qu'il est pratiquement exclu d'achever le message. Le savant commentateur Petersen ne parvient à boucher que quelques-uns de ces vides avant d'abandonner la partie [3]. Comble de l'équivoque, dont l'auteur, dans ses rubriques, déclare, en termes obscurs, qu'elle importe grandement à la dignité de la louange. Et celle-ci, même dans ce que

---

1. Cf. Warning, p. 31-32; Corti, 1976, p. 19-22.
2. Cf. Angeli, 1976, p. 35-61.
3. Petersen, p. 40-41, 62 et 138-139.

nous percevons, de ces vers tronqués, s'esquisse avec évidence, prend forme; mais nous ne saurons jamais où elle mène : à ces fins toutes blanches. C'est ainsi qu'il reste toujours un sens, comme un masque du poème; mais l'équivoque, çà puis là, le crève, et par cette ouverture se devine la lumière voilée d'un œil, dessous.

C'est ainsi que les rhétoriqueurs, étroitement contraints par le milieu culturel auquel ils appartenaient, ne cessèrent de chercher l'occasion de camper, en clandestins, hors de lui : enracinés dans une tradition stable et pesante, mais en révolte têtue contre elle, même si une parfaite clairvoyance leur fit le plus souvent défaut. Les moyens de cette exclusion volontaire, ils ne les inventèrent pas, nous l'avons vu : ils les recueillirent dans la pratique de devanciers plus timides ou moins motivés, et, ce faisant, en changèrent, plus que la forme, la fonction. L'artefact médiéval n'est plus, pour eux, simple objet façonné : au-delà des prétextes mondains, il se pose en anti-nature. Non point anti-langage, je l'ai noté : mais, dans un langage dont se maintiennent la cohésion et les règles génératives, se constitue un discours qui à tout instant suggère des rapports incongrus, dissociant et, à la limite, neutralisant l'opération référentielle. Le signifiant désaliéné fonde un univers qui lui est propre. Le poème ne reproduit qu'en apparence un ordre cosmique préexistant : en et par lui-même, il se pose.

Par là, les rhétoriqueurs s'évadent de la civilisation « médiévale » (si l'expression a un sens), dont ils restent techniquement tributaires. Des trois paramètres auxquels peut se mesurer leur texte, une culture, une tradition stylistique et la grammaire propre du discours, c'est cette dernière que, par l'équivoque, les jongleries, la rime, le vers, ils connotent d'incertitude; en elle, qu'ils tracent, à l'encre sympathique, le point d'interrogation central. De ligne en ligne, de page en page, ils repoussent, jusqu'au-delà du blanc terminal, le moment que j'attends, où, dans la durée de ma lecture, commencerait ma perception d'une cohérence; et, lors même que je vais tourner le dernier feuillet, le poète se dérobe, comme Molinet à la fin de la *Ressource* :

> Je le laissay devant l'autel
> Et, pour en faire ramembrance,
> Je retournay en mon hostel,

dans la chambre où, lecteur, je ne pénétrerai pas. Si, malgré tout, je veux entrer dans ces vers, je ne le ferai que par effraction, dans la nuit, voleur à la sauvette, qui n'y prendrai que ce que je peux : peu. Certes, des retours sont toujours possibles : comment empêcher les cambriolages ? Mais du moins multiplions, dit le poète, les entraves : dispersons ces retours, semons au sein de notre obscurité les chausse-trapes de la parodie...

Le texte de rhétoriqueur nie sa propre totalité. Il s'oppose en cela de manière radicale au dessein d'une poétique comme celle du roi René, ou de Charles, duc d'Orléans. Il s'apparente, en revanche, aux soties, au *Testament* de Villon, contemporain des *Lunettes des princes* de Meschinot [1]. Pourtant, son paradoxe l'en sépare. Les procédures mises en œuvre, certes, sont identiques, si même le dosage en diffère : exploitation de « types » courtois, religieux, éthiques traditionnels; recours à la figuration mythologique, au vocabulaire savant, à l'érudition scolaire; effets d'accumulation, de bilinguisme; usage de proverbes; parodie, « monde inversé », équivoques. Mais Villon reste étranger à la cour, et n'a pas de rôle à tenir dans son Jeu. Peu lui importe de conserver intacte la surface argumentative du discours: mieux vaut faire tout sauter. Chez le rhétoriqueur, continuité de l'énonciation, ampleur des formes syntaxiques et versificatoires harmonisées par l'allégorèse, raffinements sonores, distribution subtile des récurrences de tous niveaux; chez Villon, en revanche, syncopes, ruptures des enchaînements sémiques et des structures grammaticales, disharmonies phoniques. Mais aussi, chez le rhétoriqueur, une opacité du discours, dont formes et couleurs intriguent par leur richesse même, captivent, questionnent en se livrant, progressivement révélées dans leur délicate complexité à l'attention du lecteur... au point que celle-ci n'a plus accès qu'épisodique et incertain au « bon sens » qu'elles dissimulent. Chez Villon, le discours s'écoule comme une lave mal solidifiée, ouverte en failles béantes par où l'on tombe d'un coup dans les cavernes d'un sens chaotique, face à face avec les monstres qu'elles recèlent.

La négation comporte ainsi, presque toujours, chez les rhétoriqueurs, une réserve. Si leur poétique leur fournit le moyen d'échapper aux tyrannies de leur milieu culturel, ils ne refusent pas moins de s'emprisonner dans l'autre monde suscité par leur discours. D'où la joie, dont

---

1. Cf. Nelson; Birge-Vitz; Guiraud, 1970, p. 85-132; Zumthor, 1972 *a*, p. 420-428.

j'ai plusieurs fois déjà parlé, et qui éclate dans leurs vers, quel qu'en soit l'argument :

> Icy prend fin le mien joyeux escrire
> Dont on verra plusieurs gens assez rire[1].

Ces mots de Lemaire signent, il est vrai, les parodiques *Épîtres de l'amant vert*. Je n'hésite pas à en généraliser l'application. Mises bout à bout, les lignes de vers ou de prose composant mon corpus formeraient un cordon de la Terre à la Lune; mais ce cordon n'existe pas, cette linéarité sans fin se ramasse, se condense, volume, cristal émetteur de feux dans combien plus de dimensions que les trois euclidiennes mesurant notre espace empirique! Sans autre centre que l'acte même de cette émission, ici, là, partout, triomphant des lourdeurs et de la gravitation des puissances extérieures. Peu importe, il faut le répéter, le prétexte : le texte, comme texte, se fait sa propre fête. Retournement des apparences vécues, inversion des motifs ordonnateurs, abus, transgression réglée, danse, musique, masques et lumières. Le texte comme le corps qu'on aime et de nouveau découvre, aux formes changeantes, à chaque instant inépuisées, toujours inconnues, toujours blessées, toujours en quelque manière délicieusement imparfaites, et dont l'habitude ne se prend pas... tant que dure cet « amour » : cette relation intime, dont la perception intuitive et directe constitue, dans la tradition augustinienne du bas Moyen Age, la beauté, forme d'être transcendant les genres et les espèces, « *non qualitas absoluta in corpore, sed aggregatio omnium convenientium* [2] ». La joie naît de notre mouvement vers elle, et du séjour que nous y faisons.

Mais aussitôt le texte se dérobe : plus bas, plus haut, ailleurs, une autre joie semblable nous y attend. Et le mouvement se relance, dynamisé par les pulsions du texte, ces expulsions de signes convenus, poussées d'une énergie fondamentale, turgescente sous le vêtement syntactico-sémantique. Effort de l'écriture, incessamment ré-ouvrant, dans l'inertie de la matière traditionnelle, un espace décontraint : le texte y fuse, intelligence, désir, tout ce qui déborde et dépasse. Discours de la « gloire » véritable : non celle qu'ambitionnent les assoiffés de pouvoir « plus dignes de moquerie et irrision que de désir, par autant qu'ilz ne désirent savoir [3] ». Désir fantasmant dans le texte, et dont l'irruption parmi les fissures du système informatif se manifeste, de la

---

1. Frappier, 1948, p. 37.
2. Bruyne, III, chp. XI.
3. Mallary-Masters, p. 59.

façon la plus voyante et comme polémique, par le truchement de ces figures de construction que j'ai nommées jongleries et équivoques [1] : en cela même, historiquement marqué.

Espacement vécu comme ornement et sauvegarde, non conçu comme mode d'existence scripturale. L'appareil intellectuel dont disposaient les rhétoriqueurs n'aurait pas suffi à soutenir un métalangage apte à rendre compte de leur pratique. Le *je* qui, souvent, parle dans leur texte et, par ce pronom, s'autodésigne, hypostasie son discours [2]. Il ne parle pas : il a parlé. Maintenant, dans les lettres tracées que vous lisez, il se tait. Le texte est parole dé-passée; le sujet y a transité et s'y efface. C'est fini : il a tenu son rôle, en même temps que sur le théâtre princier, dans les coulisses profondes de l'œuvre en train d'être produite : tour à tour échotier naïf de l'anecdote traditionnelle et roué aux duplicités paradoxales. Il s'est retiré, a regagné son « hostel » de chanoine ou de conseiller ducal : laissant cette *chose*, des traits noirs qui signifient sur du papier. Seule chose sûre et certaine, livrée à notre propre « ramembrance » : posée comme une vérité, mais où le vrai a perdu sa marque, *adaequatio rei et intellectus*. Pourtant, la vérité qui s'abolit dans cette confusion en était-elle une encore ? Le rhétoriqueur ne s'interroge pas : son univers mental ne comportait aucune notion sur quoi eût pu s'articuler notre idée de « lisibilité ». Son langage se borne à formuler une énigme dont le déchiffrement ne s'impose pas avec urgence. Le texte *a* le temps : il le possède et le met en boîte. La forme que prend sous notre regard le discours poétique est désormais figure globale de cet hiatus entre la lettre et ce qu'elle « veut dire »; rejet de la censure qui, hors du texte, constitue un sens existant et donné : la *sensure*... comme on dit l' « adventure », d'un terme référant à ce qui, un jour, adviendra.

Janvier-décembre 1976.

1. Cf. Marin, 1975, p. 323-324.
2. Cf. Coquet, p. 15-16.

Jean Molinet
La Ressource du petit peuple (1481)

Je suis le texte de Dupire (1936, p. 137-161), en modernisant légèrement la graphie et la morphologie selon les principes exposés ci-dessus, p. 19. J'attire spécialement l'attention sur les interférences c/ch, i/y et s/z : j'ai conservé sur ces points la graphie originale.

J'ajoute à la fin un petit lexique traduisant (à l'exception des termes volontairement ambigus, signalés au chapitre précédent) les quelque quatre-vingts mots incompréhensibles pour un lecteur d'aujourd'hui.

Pour ce que naguère vent faillit aux volants de mon molinet, qui multitude de nouvelles histoires devoit tourner entre ses meules pour en tirer fleur et farine, pensant oublier mérancolie je me tiray aux champs et, ainsi que par admiration je regardoys les plaisanz flouritures dont les préaux herbus estoient ricement paréz, soudainement s'ouvrit la terre, se vis une très parfond abisme, duquel avec feu, flamme et fumée qui première en saillit, sourdit sur pieds une très laide espoventable satrape, fille de perdition, fière de regard, horrible de face, difforme de corpz, perverse de cœur, robuste de bras et ravissant des mains : elle avoit le chef cornu, les oreilles pendants, les yeux ardents, la bouche moult tortue, les dents aigus ; la langue serpentine, les poings de fer, la panse boursouflée, le dos velu, la queue venimeuse, et estoit puissamment montée sur un estrange monstre à manière de leuserve fort et corageux à merveille, jetant feu par la gueule, chaux et soufre par les narines, chargée à tous léz d'espées, couteaux, dolequins, rasoirs, scies, faux, dagues, planchons, paffus, piques, pinces, pouchons, forches, fourches, arcs, dards, harts, licolz, chaînes, cordes et cagnons, ensemble plusieurs instruments convenables à son office, et portoit sus la croupe un bariseau plein d'escorpions, riagal, arsenic, uile, plomb bouillant, harpois, azil et mortelles poisons. Quand ceste plutonique matrone se trouva sur les rangz, accompagnée de Crudélité, Famine, Fraude, Rapine, Sacrilège, Conspiration, Meurtre et Félonie, elle appela par propres noms pour conduire son ost Cacus, Nemrod, Denys, Dioscorus, Dacien, Marchien, Symphronien, Rictiovaire, Olibrius, Agricolan, Matrocolus, Elmoradach, avec Néron qui portoit l'estandard, lesquelz impétueusement yssus de ce très puissant gouffre, hydeux, crueux, et fantastiques, crochus, bochus et noirs que Moriens, montéz toutefoys sus éléphants, girafes, tigres, griffons, serpents, dragons et crocodiles, se rangèrent en grosse bataille, eslevèrent un terrible tonnerre, criminel foudre et dure pestilence et en courant le plat pays commenchèrent à sang espandre, brûler églises, mutiler innocents, déflorer vierges, rostir petits enfants, foudroier villes et patibuler gens. Et tant exploitèrent de détestables et exécrables faits que l'hystoire au loin récitée donneroit piteuses larmes aux yeux des escoutants. Sy tost que la lice rabice eut perpétré ce dolent vasselage par ses mignons qui la nommoient Tirannie, avec suite de boute-feus, gibelins, pirates, satellites, feuillards, bringards, naquéz, laronceaux, cavestreaux, coquineaux, paillardeaux et ribaudeaux qui se fourèrent en la queue de son armée, au très grand préjudice et désertion desdits pays, et que ycelle se fut un petit éloignée de nostre climat, sans rentrer toutefoys en son trou satanique, une très révérende dame, prudente, sage et de grand autorité se mit aux champs pour visiter ce grief dommage et, entre les furieuses inhumanitéz par elle mises à exécution, trouva une jeune dame, selon la dique d'une forière, gisant comme pasmée, à demy morte et durement foulée, eschevelée et despouillée de ses nobles royaux atours et auprès d'elle un petit enfant de l'âge de deux ans, criant angoisseusement, plongé en larmes, oppressé de famine, quérant les tetins de sa mère pour y trouver sa nourriture. Chose pitoyable et la plus douloureuse de jamais estoit à voir ceste désolée compagnie et n'y avoit tant riant œil qu'il ne fusist tourné en pleur. L'enfant moult haut crioit par destresse de faim, la mère se taisoit par travail inhumain, l'enfant quéroit sa vie ou sein de sa nourrice, la mère quéroit mort et derrenier supplice, l'enfant pleurant suchoit une vide mamelle et la mère enduroit pleine doleur mortelle. Et tantost la bonne dame qui première trouva ceste piteuse assemblée, regarda la patiente en face, et jassoit ce quelle fusist fort défigurée, reconnut par certain secret signe que celle estoit Justice, sa sœur germaine, et l'enfant estoit le petit peuple, qui ambedeux par paresse, foiblesse ou male garde estoyent tresbuchiéz ou parfont cavain de tirannique pestilence, et lors, par pitié et compassion dont elle fut à cop navrée, esleva un merveilleux cri farsy de pleurs, entrelardé de souspirs, baisa sa sœur en la face, le couvrit de son riche mantel, puis prit l'enfanchon en ses bras et de sa très douce alaine lui reschauffa les petites menottes, en ce faisant comme celle qui ne redoutoit âme synon Dieu, car Vérité se fait appeler; par un ardant courroux qu'il luy monta au cœur, d'une vive voix très aiguë, sans rien celer, desgorgea son invective contre les recteurs de la chose publique et dit en tel manière :

Princes puissants, qui trésors affinez
Et ne finez de forger grands discords,
Qui dominez, qui le peuple aminez,
Qui ruminez, qui gens persécutez,
Et tourmentez les âmes et les corpz,
Tous vos recors sont de piteux ahors;
Vous estes hors d'excellence boutéz :
Povres gens sont à tous léz reboutéz.

Que faites vous, qui perturbés le monde
Par guerre immonde et criminelx assaulx,
Qui tempestez et terre et mer parfonde,
Par feu, par fonde et glave furibonde,
Sy qu'il n'abonde aux champz que vieilles saulx ?
Vous faites sautx et mengez bonhomeaux,
Villes, hameaux, et n'y sauriés forger
La moindre fleur qui soit en leur verger.

Estes vous dieux, estes vous demi dieux,
Argus plein d'yeux, ou angez incarnéz ?
Vous estes faits et nobles et gentieux,
D'humains hostieux, en ces terrestres lieux,
Non pas ès chieulx, mais tous de mère néz;
Battez, tonnez, combattez, bastonnez
Et hutinez, jusques aux testes fendre :
Contre la mort nul ne se peut défendre.

Tranchez, copez, détranchez, décopez,
Frappez, haspez banières et barons,
Lanchez, heurtez, balancez, behourdez,
Quérez, trouvez, conquérez, controuvez,
Cornez, sonnez trompettes et clairons,
Fendez talons, pourfendés orteillons,
Tirez canons, faites grands espourris :
Dedans cent ans vous serez tous pourris.

Qu'ont emporté de ce mondain gason
David, Sanson, Perseüs, Herculés,
Hector, Paris, Alixandre, Jason,
Laomédon, Pompée, Scipïon,
César, Charlon, Hanibal, Achillés,

Mitridatés, Cirus, Pirus, Xersés,
Et Ulixés ? ilz ont, pour toute ville,
Sept pieds de terre à bouter un corps vile.

Se Dieu vous a, pour régir les humains,
Baillé ès mains la terre descouverte,
Se n'esse pas, dont je souspire et plains,
Pour semer plains ne sang avant les plains,
De gens mors pleins, par grosse guerre ouverte;
Soit gain, soit perte outrageuse ou déserte,
Vostre desserte aurez au derrenier :
Chascun merchier portera son panier.

Qui est celi qui s'oze mettre aux champz,
Pour gens meschans, rioléz, pioléz,
Qui robent gens sur la terre marchants
Et bons marchands et trouvent les passants,
Gens trespassants, meurtris et esgueuléz,
Temples bruléz, moisnes tous desrégléz,
Terres sans bléz et gibets sans pendée ?
Quand raison dort, justice est mal gardée.

On trouve aux champz pastoureaux sans brebis,
Clercs sans habits, prestres sans bréviaire,
Chasteaux sans tours, granges sans fouragiz,
Bourgs sans logis, estables sans seulis,
Chambres sans lits, hostelx sans luminaire,
Murs sans parfaire, églises sans refaire,
Villes sans maire et cloistre sans nonnettes :
Guerre commet plusieurs faits déshonnêtes.

Chartreux, chartriers, charretons, charpentiers,
Moutons, moustiers, manouvriers, marissaux,
Villes, villains, villages, vivendiers,
Hameaux, hotiers, hospitaulx, hosteliers,
Bouveaux, bouviers, bocquillons, bonhommeaux,
Poussins, pourceaux, pélerins, pastoureaux,
Fourniers, fourneaux, fèves, foins, fleurs et fruitz
Par vos gens sont indigents ou destruits.

Par vos gens sont laboureurs lapidéz,
Cassis casséz, confrères confondus,
Gallants galléz, gardineurs gratignéz,
Rentiers robéz, recheveurs ranchonnéz,
Paÿs passéz, paÿsans pourfendus,

Abbéz abbus, appentis abbattus,
Bourgeois battus, baguettes butinées,
Vieillards vannéz et vierges violées.

Que n'est exempt de ces crueux débats
Le peuple bas à vos guerres soumis !
Il vous nourrit, vous ne le gardez pas
Des mauvais pas, mais se trouve plus las
Dedans vos lacs que pris des ennemis ;
Il est remis de ses propres amis,
Perdu et mis à tourments esprouvéz :
Il n'est tenchon que de voisins privéz.

Pensez vous point que de vos grands desroix
Au roy des roix il vous faut rendre compte ?
Vos pillards ont pillé, par grands effrois,
Chappes, orfrois d'église et croche et croix,
Comme je croiz et chascun le raconte,
Dieu, roy et comte et vicaire et vicomte,
Comtesse et comte et roy et roÿnotte,
Au départir faudra compter à l'hoste.

De sainte Église estes vous gardiens
Cotidiens, vous y devez regards :
Mais vous mangez, en boutant le doy ens,
Docteurs, doyens, chapitres, cytoyens,
Gerbes, loÿens, greniers, gardins et gards :
Gouges et gars, garnements et esgards
Souz leurs hangars ont tout graté sy net
Qu'on ne voit grain en gard n'en gardinet.

Lisez partout, vous verrez en cronique,
Bible autentique, hystoires et haux faits,
Que toutes gens qui, par fait tirannique,
Pillent relique, église catholique
Ou paganique, endurent pesants faits ;
D'honneur défaits, sourds, bochus, contrefaits
Ou desconféts sont en fin de leurs jours :
Qui qui paye, Dieu n'accroît pas tousjours.

Oez vous point la voix des povres gens,
Des indigents péris sans allégeance,
Des laboureurs qui ont perdu leurs champs,
Des innocents, orphelins impotents,
Qui mal contents crient à Dieu vengeance ?

Vieillesse, enfance, air, feu, fer, florissance,
Brute naissance et maint noble édifice
Sont vrays tesmoinz de vostre maléfice.

Du firmament le grant cours cessera,
Le ciel sera cocu sans estre ront,
Jamais en mer fleuve n'arrivera,
Plomb nagera, le feu engèlera,
Glace ardera, cabilleaux volleront,
Bœufz parleront, les femmes se tairont,
Et si seront monts et vaux tous honnis,
Se vos méfaits demeurent impunis.

Oez vous point heurter à vos taudis
Les Turcz maudits, accourans les grands cours ?
Resveillez vous, sans estre recrandis,
Princes hardis, appaisez vos partis,
Soyez partis de grâce sans décours;
Vos jours sont courts, Turcz aprocent vos cours,
Donnez secours au saint père de Rome :
Il n'est si belle ausmosne qu'à son prosme.

Accordez vous, roix et ducz, accordez
Et regardez vostre peuple en pité;
Resuscitez justice et la gardez;
Prenez, pendez, plantez, patibulez,
Boulez, brulez, nul ne soit respité;
En la cité de Dieu serez cité,
Félicité aurez en abandon ·
Il n'est sy belle acqueste que de don.

L'ACTEUR

Les paroles de Vérité estoyent tant hautaines, tranchants et vives qu'elles pénétroyent les cœurs de tous ceux qui les escoutoyent et fut à cop avironnée de gens de tous estats qui regardèrent en pitié la misérable violence dont Justice estoit oppressée, ensemble le petit peuple, son enfant, tout affamé de longue jeûne, travaillé de crier et braire, qui n'estoit pas de prime face à rapaiser d'une hochette; entre plusieurs qui arrivèrent à ce très douloureux spectacle, Vérité, qui moult estoit sage, choisyt un homme tout mûr, assez grave, de révérend maintien, discret et bien moriginé, habillé de robe longue et d'un bel chapperon foudré et, comme celle qui réclame au besoin son léal amy, Vérité s'escria vers luy à haute voix et se prit à dire :

Ha, Conseil, nostre bon amy, nostre bon amy, Conseil, se vous avez en espargne quelque nombre de larmes procédant de la pitoyable fontaine de vostre cœur, sy les desployez à cop, car mieux emploier ne les sauriez. Voicy Justice, vostre maistresse, ma désolée sœur, et germaine à Prudence, vostre espouze, nouvellement tombée en pamoison, et le petit peuple son enfant tirant à fin dure et mortelle, se n'est par vostre bon secours. Je connoys par espreuve vostre science et proesse : Conseil, nostre bon amy, vous avez sept arts sur le doygt et le droit canon en possesse et tant tiens je de vostre escole que nul prince, tant soit hautain, ne doit chose ardue ou douteuse encommencer sans vostre avis. Quiconque vous prend en desdain, jà n'aura bonne conséquence : les nobles progéniteurs dont vous tirez naturelle origine ont suscité Justice en plusieurs règnes, eslevé sceptres royaux jusques aux estoiles et entretenu jadis en glorieuse renommée Assiriens, Italiens, Troyens, Cartagiens, Belgiens, Lacédémoniens, Babiloniens, Persans, Macédoniens, Égiptïens et souverainement la triumphant monarchie des Romains, car, par la très noble industrie d'armes où ilz estoyent habilitéz, avec le clair engin, sens et pratique de vos semblables qui lors ou sénat flourissoyent, toutes les nations du monde, mansuètes et barbariques, se vinrent rendre tributaires en l'ombre de leur Capitole. Depuis ce temps, je suis certaine, nostre bon amy Conseil, que la chose publique est grandement augmentée en vos mains en plusieurs provinces, palais, villes, chasteaux, citéz et cours et mesme de nostre vivant en la très claire et resplendissant maison de Bourgogne. Qui esse qui souz la chevalereuse banière du duc Philippe, prince de glorieuse mémoire, a débrisé les pointes des guerres apparantes, humilié les rebelles et nourri le petit peuple du fruit de paix, d'amour et de liesse ? Conseil. Qui esse qui souz la très flamboyant espée du très illustre duc Charles, que Dieu absoille, a soustenu Justice hautement autorisée en parlement honourable et en audience publique, concordé le rice et le povre ? Conseil. Qui esse qui sous la très victorieuse main du duc Maximilien peut susciter Justice en convalescence, corriger les délinquants, subvenir aux oppresséz et conduire le petit peuple au bienheuré temple de paix ? Conseil. Conseil dont, nostre bon amy léal, en qui fleurit, croît et resplend noblesse, sens et preudhomie, avec la très recommandée science de médecine, tesmoinz grands et horribles playes par vous sanées en plusieurs bonnes villes, donnez soin à vostre engin, regard à vostre œil et labeur à vostre main, sy réduisez en estat de prospérité Justice avec son petit peuple qui expirent devant vos yeux.

Adonc Conseil, vaincu par les prières de Vérité, sans faire longue excuse pour la hastivité du cas, regarda en face Justice, tasta son pouls, visita son urine et lui pria très instamment, s'elle avoit esperit en elle, qu'elle monstrast signe de vie et, se possible lui estoit de parler, elle s'en mesist en peine pour plus à plein congnoistre la cause de sa doléance. Et lors la désolée patiente, Dieu sait à quel travail de corps, leva un petit le chef en haut et d'une voix bassette et casse en faisant ses dures complaintes, complaindant ses grièves doleurs, dolousant ses piteux regrets, en regretant ses bons amis, proposa ces motz :

JUSTICE

Justice suis, privée de solas,
Ez las
hélas!
De fausse tirannie,
Car j'ai perdu, par guerres et débats,
Esbats;
Au bas
Est ma grant baronnie;
Je suis fort desgarnie
De gens et de mesnie;
N'est âme qui manie
Les malfaiteurs;
Ma perverse ennemie,
Qui pour lors ne dort mie,
M'a la force endormie
Et mes facteurs.

Roÿne fus de haulte renommée,
Armée,
Aimée,
Ou règne des vertus;
Maintenant suis, sans terre et sans contrée,
Outrée,
Entrée
Ou port des mal vestus.
Salomon, Ligurgus,
Torquatus, Trajanus,
Codrus, Fabricius,
Charles le Grant,
Cambissés, Camilus,
Et Marcus Regulus,
Furent, quand je valus,
Mon seul garant.

Ma voix avoit la force de Samson;
Par son
Reson
Baritonnant tonnoye.
Hélas! mon Dieu, sans tourner à bas ton,
Par ton
Bâton
Les basteurs bastonnoye,
Mutineurs matinoye,
Hutineurs hutinoye,
Haussaires haussagoye;
A tout endroit,
Oppresseurs oppressoye,
Défenseurs défendoye
Et aux perdants rendoye
Raison et droit.

Et maintenant me faillent bras et mains;
Romains,
Germains,
Dont me vient cest erreur?
Je hue et pleure et crie soirs et mains;
Du mains,
Je mains
En l'ombre de terreur;
Ma valeur m'est malheur,
Ma douceur m'est doleur,
Mon oudeur m'est ardeur,
Pleuris m'est ris,
Mon long heur m'est langueur,
Ma vigueur m'est rigueur,
Mon honneur m'est horreur,
Mon pris m'est pris.

Je suis, combien que très fort je chancelle,
Courcelle
Et celle
Ou droit se clarifie,
Fille de Dieu, très sage jovencelle,
Ancelle,
Et celle
En qui foy se confie,
Qui les maux purifie,

Qui torfaits rectifie,
Qui guerre pacifie,
Quant j'ay vaillance,
Qui les loix sanctifie,
Qui les bons perlifie,
Qui les cœurs justifie.
A la balance.

Quand j'eus en main roy, roc, règne et régent,
Argent
Et gent
Qui régenter voloyent,
Mettre je fis, je vous ay en convent,
Souvent
Au vent
Les harts qui harceloyent;
Laboureurs labouroyent,
Receveurs recevoyent,
Pastoureaux pastouroyent
Joyeusement,
Chevaucheurs chevauchoyent,
Navigueurs navigoyent,
Et marchands marchandoyent
Paisiblement.

Par les débats et les crueux desroix
Des roix
Trop roidz
Le monde se desroye,
Tout est ravi par ravace ou par roitz;
Parois,
Terrois
Sont mis au bout de roye;
L'un ronge, l'autre roye,
L'un froisse, l'autre froye,
L'un charbon, l'autre croye;
Char et charroy
L'un brise, l'autre broye;
L'un fiert, l'autre foudroye,
L'un pille et l'autre proye :
C'est povre arroy.

Je suis couchié ou lit de desconfort;
Mon fort

291

Confort
Me laisse périssant,
Je vis envis, car mon espoir est mort,
La mort
Me mord
Et suis amoindrissant;
J'amoindris languissant,
Je languis gémissant,
Je gémis en pleurant,
Je pleure en voye;
Je voys en empirant,
J'empire en souspirant,
Je souspire en mourant,
Mort me desvoye.

Dames de cour, qui le bon temps menez,
Venez,
Tournez
Pitié devant ma face;
Et vous, mignons, qui chantez et dansez,
Pensez,
Visez
Au meschief qui m'efface;
Gémissements j'amasse,
De bruit n'auray jà masse,
Mieux à mourir j'aimasse
Que compasser
Deuil, dont j'ay l'outrepasse;
Sans respas je trespasse;
Le pas que chascun passe
Me faut passer.

Conseil

O Justice, ma chère dame, donnez chef à vostre complainte, vostre doleur n'est pas mortelle, prenez une onche de joye contre deux livres de tristesse : vous n'avez quelque playe ouverte, le chef est sain, si est le cœur, mais les membres vous sont faillis par leur mauvais gouvernement; pestilence de guerre vous a férue, tirannie vos a battue et piteusement flagellée, non pas de fer aigu, mais seulement de sombres copz, par quoy vous ne povez courrir ne secourrir le petit peuple, lequel s'est tant enforcié de crier après vous que certainement il est tout dérompu. Et pour ce, ma très honourée maistresse, que vostre misérable inconvénient cause un très horrible

292

dommage à la chose publique, et de ce j'en appelle saint Augustin en tesmoignage, disant que les royaumes sans justice ne sont que larronnières, j'ay décrété, à mon possible, de donner suffisant remède à vostre griève oppression ; premier touchant vostre noble personne, afin que ne demeurez affolée et que les humeurs superflues ne vous empeschent le cœur, il est nécessité que vous soyez saignée de la veine du foye, car par faute de foy estes vous en partie toute sangmellée. Et se le mauvais sang n'est tiré de vostre corps, jamais n'aurez jour de santé. Au regard du petit peuple qui est tout dérompu, s'il porte une petite restreinte, il n'en vaudra que de mieux cy après, il en sera plus humble, plus crémeteux et moins adonné à folie. Exemple, le peuple d'Israel dansoit devant un veau, lorsqu'il fut gras et dru ; quant il fut famelleux ès déserts, il prioit Dieu souvent et menu. Le peuple des Romains, lorsqu'il fut orgueilleux, perdit ses régions ; quant il fut humble et povre, il fut seigneur et sire de toutes nations. David, en sa prospérité, fut homicide et adultère et, durant son adversité, fut dévot plein de saint mistère. Ainsy donc, se le petit peuple est restreint par bonne mesure en sa jeunesse, il n'y parra en sa vieillesse. Et se ce non, les entrailles luy descenderont èz boursettes, sy que jamais ne poura pain gagner. En outre, se vous souffrez tailler le petit peuple, il est perdu à tousjours mais, de dix il n'en eschape deux, puisqu'il sont touchez du rasoir ; après rère n'y a que tondre ; il est tant jus, tant povre et tant débile qu'il n'a que la pel et les os. Mais s'il vous plaist avoir vostre petit peuple nettement guéri de sa dérompture, sans violence de taille, incision ou playe, selon l'usage de médecine, il seroit besoin de faire une décoction de consaudes, lesquelles aucunes gens appellent marguerites et, se vous poviez finer de deux très nobles marguerites resplendissant en ce val de misère, lorsque toutes gracieuses fleurs sont hors de saison, vous auriez santé recouvrée : l'une est la grande Marguerite d'Iorc, la précieuse perle d'Angleterre, la fleur de beauté redolente, espanie en cestui quartier, glorieusement fleurissant ou plaisant verger de Bourgogne, celle qui nuit et jour labeure au bien de paix, celle qui n'est puis naguère transportée outre la mer pour subvenir au bien public, celle de si excellente bonté que, se le petit peuple povoit sentir son oudeur et incorporer sa melliflueuse vertu, jamais n'auroit deuil ne grevance. L'autre consaude est la petite Marguerite de Bourgogne, sa filleule, apparue puis un an au très fructueux jardin du duc d'Austrice, belle, blance et très débonnaire et pour ce qu'elle est tendre, pure, vermeillette et bien coulourée, s'elle estoit mixtionnée avec quelque fleur de lis ou d'églantier, qui mieux m'agrée, espoir que, se le petit peuple en povoit gouster la douceur, il oubliroit mérancolie. Hélas, Justice, pendant le temps que vous estiez en bruit, vous entreteniez noble estat et estiez honourée et assistée des grands et des petits, des dames et des demoiselles et lorsque vous avez le bont, il n'est âme qui vous compagne : Clergé vous abandonne, Chevalerie vous délaisse, Marchandise ne peut courrir et

Labeur ne vous peut nourir. Toutefois il est besoin, se vous volez retourner en santé, que quelque dame forte et rade vous administre en vos nécessitéz et ne pouriez, pour souhaiter, mieux choisir que d'avoir Puissance. Puissance est fière et défensable pour vous garder à tous endroits et pour vous remettre en estat, s'elle y voloit mettre la main; et ne suffit seulement avoir puissance de corps, mais il loist qu'elle soit sortie d'or et d'argent, de nobles et de hardis pour aider son maistre au besoin et subvenir au petit peuple et, avec ce, doit estre sage, léale et amoureuse du prince auquel elle s'assert : Alexandre conquist Judée, Surie, Caldée et les isles orientales, jusques au port des Bragmans, plus par le sens de sa puissance que par le tranchant de l'espée; César fut tant aimé de ses chevaliers qu'ilz amoyent mieux à morir que prester foy aux ennemis : Puissance donc léale et bonne vous peut aider plus que nulle autre.

JUSTICE

Conseil, nostre léal amy, vous mettez avant choses assez fortes et difficiles, ne says qui les achèvera; nous connoissons assez que Puissance nous peut plus tost remettre sus que nulle rien; les expériences en sont claires en mainte noble région, mais où esse qu'on la prendra ? C'est le plus fort de l'avoir en personne.

CONSEIL

Justice, ne vous soucyez, Puissance n'est si esloignée de vostre maysonnette que bref ne seroit près de vous, s'elle avoit bonne volonté; Puissance suit la cour du prinche et se tient en Flandres, en Brabant, à Bruges, à Gand, en Hollande et Zélande et en Namur et est trop plus flamande que wallonne; elle est de moyenne taille et sait le tour de son baston, dont elle se fait à priser. Et, comme dit Végèce, la petite puissance hardie et fort exercitée parvient à son intention et la grande puissance folle et estourdie se contourne en confusion; plus bataille le cœur et la juste querelle que le robuste bras et la dure allemelle. Se vous désirez enquérir la forche et la proesse de la puissanche de ce quartier, parlez au remenant des francz archers qui demeurèrent en la bataille de la Viesville, vous trouverez, et Vérité le vous tesmoignera, comment elle quéru ses ennemis aux pointes des espées, ordonna ses batailles, soustint les escarmouces, brisa sa lance, chargea radement, servit son prince, secourut ses amis, abandonna ses joyaux, conquist honneur et appoingna les couleuvres et horribles serpents de ses adversaires jetant feu et flame pour la destruire; là furent en valeur les nobles de Gant, là furent en cours les hardis du pays; tant férit, tant lancha, batit, percha, marcha et desmarcha ceste puissance flandrine, nourrie de bonne queute, que, à petite perte des siens, synon de ses atours, gagna le vin, le champ, les engins et le bruit de la journée. Maintenant repose à son aise, maintenant fait son rice amas, non point de grands doubles, de plaques, de mauvaix doffins ne d'acroupis, mais fait trésors de bons amis du temps passé, des désirés, des fins bretons, des aidants de Liège et des lyons de Flandres et certes s'elle povoit avoir des nobles d'Angleterre avec cheux de Gand, elle en seroit plus riche et mieux parée ; sa force croît de jour en jour, son savoir multiplie au double, sa santé prospère au centième et, pour nouvelle récréation, tient en main une Orange naguère de sy précieuse vertu que son oudeur a rebouté plusieurs fois les ennemis du pays de Bourgogne. Orange lui donne corage, Orange lui soustient le cœur et lui donne grand appétit de conquerre les vins franchois. Vivez tousjours en bon espoir, Justice, ma très chère dame, et prenez consolation, car vous aurez hastif secours, moyennant la grâce de Dieu, en laquelle, quoy que vous faites, vous devez du tout confyer. Requérez vos léaux amis à vostre singulier besoin et les glorieux saints et saintes où plus avez d'affection ; pryez premier Dieu vostre père qui voulut retirer son enfant de la main du roy Hérode, son peuple du roy Pharaon, Daniel de la fosse aux Lions et Susane des mauvaix juges ; qu'il veuille vostre petit peuple préserver des pervers tirans ; priez Marie, nostre dame et princesse, pleine de grâce et très large aumosnière, qu'elle vous preste son petit Philippus pour offrir à Nostre Seigneur, afin qu'il ait miséricorde de son petit peuple indigent ; priez saint Pol, vostre mignon, vostre secret et léal amoureux, afin que par le mérite de la foy qu'il a à Dieu et à vous, avec l'ardent amour qu'il a à la chose publique, vous puissiez recouvrer puissance et régner en prospérité ; priez vos amis espiritueux, très révérendz pères en Dieu, monseigneur le Cardinal de saint Vital, évesque de Tournay et Monseigneur l'évesque de Cambray ; ilz ont les âmes de vostre petit peuple en cure ; ilz sont nouvellement promus à dignités saintes, ilz fleurissent en vertus et prospèrent en santé ; soiez confirméc de leurs bénédictions, jamais n'aurez espovantement ne terreur de vos ennemis ; priez les nobles jhérarchies de la haute cour temporelle, potestés, dominations, thrones, vertus, ducz, marquis, contes et barons, afin que par force d'armes veuillent dompter vos envieux et vous redresser en chaire, qui du tout estes mise au bas ; soyez en oroisons, mettez vous en vos devoirs et faites bons pélérinages, afin que vous puissiez acquerre la grâce de Dieu, des saints et des hommes. Je vays penser à vostre fait, espoir que bref serez ressuscitée.

L'ACTEUR

Sur cest estat se départyt Conseil, qui prit congé aux dames et chemina vers Puissance, pour avancer sa venue ; Vérité, Justice et le petit peuple, qui à grand peine souffroit le charrier, montèrent en un chariot pour faire leurs pélérinages ; bon Vouloir, un très amiable charreton, amena Désir de Paix,

Ardeur de foy, ses deux chevaux, et Pacience, une jument chastrée, qui tant avoit porté la male fortune qu'elle en avoit la peau moult deschirée. Néanmoins elle tira jusqu'au jour failli et descendirent ces pélerines en un petit logis appellé Trèves, charpenté depuis demy an et ralongé depuis trois mois, de sy povre et fresle matière que les pillards d'avant les champs luy brisoyent huis et parois et entroyent dedans à force par les troux et par les fenestres, pour quoy Justice n'y reposa guère, ains desloga hastivement et sans trompette. Tant charria ce bon Vouloir qu'il trouva une petite mongoye, se parvint à Bonne Espérance, une très grosse abbaïe pleine de convers, de rendus, de dames et de damoiselles, ensemble planté d'amoureux qui là faisoient leurs neuvaines, pour guérir leurs grièves dolours. En Bonne Espérance fut Justice amiablement recueillie de Charité et des sœurs de l'ostel qui la menèrent en une chapelle pleine de corpz saintz et, de prime venue, esclaira les ymages d'aucuns sanctuaircs qui là furent présents, se rua à genous, fondit en larmes, leva les yeux vers le ciel, fit joindre au petit peuple les menottes ensamble, puis à haute voix prononça ceste oroison :

JUSTICE

Prenez pitié du sang humain,
Vray Dieu, souverain roy des roix;
Sil est formé de vostre main,
Doit il porter si grief desrois ?
Vostre petit peuple est perdu;
J'ay le ceur triste et esperdu,
Tant suis battue et fourmenée,
Je suis, mon cas bien entendu,
La plus dolente qui soit née.

La plus dolente qui soit née
Je suis, qui fus la fleur des belles;
Mes juges m'ont abandonnée
Pour lever tailles et gabelles;
Vray Dieu, corrigez les rebelles,
Faites tout tiran inhumain
Doux et simple que colombelles :
Prenez pitié du sang humain.

Prenez pitié du sang humain,
Noble roy, Loÿs de Valois;
Vous nous tourmentez soir et main,
Par guerres et piteux exploits.
Souvienne vous que povre et nu

296

Bourgogne vous a soustenu
Et soëf nourri mainte année;
Mais vous avez mal reconnu
La plus dolente qui soit née.

La plus dolente qui soit née
Est au débout de ses roeles;
Par vous santé lui soit donnée.
Vous guérissiez des escroeles,
Mettez jus débats et querelles;
Tantost n'aurez point de demain.
Ains que mort happe vos marelles,
Prenez pitié du sang humain.

Prenez pitié du sang humain,
Noble Édouart, roy des Angloix,
Mon espoir, mon frère germain,
Qui gardez mes drois et mes loix,
Regardez le peuple menu
Qui meurt de faim, pris et tenu
De tirannie foursenée,
Et moy qui l'ay entretenu,
La plus dolente qui soit née.

La plus dolente qui soit née
Se veut loger desouz vos ailes;
Pour Dieu, qu'elle ait, quelque journée,
De vous gracieuses nouvelles.
Et vous, dames et damoiselles
D'Austrice et du pays romain,
En pleurant avec mes séquelles,
Prenez pitié du sang humain.

L'ACTEUR

Ainsy faisoit son oroison,
Au temple de Bonne Espérance,
Justice quérant guérison
Et de joye la recouvrance;
Servant les saints de brance en brance,
Je la laissay devant l'autel
Et, pour en faire ramembrance,
Je retournay en mon hostel.

297

Ainsi que l'année présente
Est dure et desplaisante à voir,
L'histoire que je vous présente
Ne peut guère de mieux avoir.
Puisque chascun perd son avoir,
Son héritage et son bien meuble,
Prions Dieu que nous puissons voir
La ressource du petit peuple.

Petit lexique pour la lecture de *la Ressource*

Ahors : cri d'alarme.
Allemelle : lame d'épée.
Aminer : ruiner.
Apparant : participe d'*apparaître*.
Appoigner : s'emparer de.
Azil : vinaigre.
Baguette : bourse.
Behourder : joûter.
Bont (Avoir le) : être en fâcheuse posture.
Bocquillon : bûcheron.
Bringard : brigand.
Cagnon : chaîne.
Cavestreau : bandit.
Charreton : charretier.
Cocu : biscornu; informe.
Cop (A) : immédiatement.
Courcelle : courette.
Crémeteux : craintif.
Débout : bout.
Desroi : trouble; désordre.
Dique : levée de terre.
Dolequin : poignard.
Espourri : combat; mêlée.
Esse : graphie pour *est-ce*.
Fameilleux : famélique.
Feuillard : brigand des bois.
Finer : disposer (de).
Forière : lisière.
Foudré : fourré.
Fourmener : tourmenter.
Froyer : briser.
Gard, gardin : jardin.
Gibelin : homme sauvage.
Glave : javelot.

Harpois : mélange de poix et de résine.
Haussaire : arrogant.
Hotier : porte-hotte.
Jassoit (ce) que : quoique.
Jus : (à) bas.
Leuserve : lynx.
Loist : (il) est permis; (il) se peut.
Loyen : lien.
Main : matin.
Mains (du) : moins (du).
Mesnie : maisonnée; entourage.
Naquet : valet.
Ou : parfois, article contracté, pour en le, à le.
Paffu : épée large.
Piolé : bigarré.
Plains : plaintes; plaines.
Planchon : épieu.
Planté : quantité.
Pouchon : pieu.
Prosme : prochain.
Que : parfois, pour *comme* comparatif.
Queute : petite bière.
Rabice : enragée.
Rade : rapide; preste.
Ravace : cage d'osier.
Recrandi : fatigué; épuisé.
Rère : raser.
Reson : résonance.
Respas : guérison.
Restreinte : privation.
Riagal : sulfure d'arsenic.
Riolé : bigarré.

Roc : pièce du jeu d'échecs (tour).
Roeles (Au bout de ses) : vaincu.
Roitz : filets; rets.
Sangmellé : bouleversé.
Satrape : despote.
Saulx : peut être le pluriel de *saule*.

Séquelle : suivant(e); successeur.
Seulis : ordure.
Soëf : tendre.
Sorti de : pourvu de.
Tenchon : dispute.
Terrois : terroir.

Bibliographie

La liste alphabétique qui suit fournit les titres et références des livres et articles cités dans les notes de bas de page. Le lecteur désireux d'une information plus étendue peut se reporter au *Manuel bibliographique de la littérature française du Moyen Age*, de R. Bossuat (Paris, d'Argences), qui, avec ses deux suppléments, couvre la période du milieu du XIXᵉ siècle à 1960 : voir les numéros 4833-4847, 4856-4886 et 6914-6925. Le second volume (XVIᵉ siècle) de D. C. Cabeen, *A Critical Bibliography of French Literature* (Syracuse University Press), dont une nouvelle édition est sous presse au moment où j'achève ce livre (décembre 1976), contiendra une section sur les rhétoriqueurs, due à F. Rigolot.

Je mentionne, pour les publications non périodiques, le nom de l'éditeur, mais n'indique le lieu de parution que s'il est autre que Paris.

J'utilise les quelques abréviations suivantes :

éd.   édition de texte (comportant ou non commentaire).
réimp.   réimpression, *reprint*.

Dans les titres :

MA, ME   Moyen Age, *Middle Ages, Mittelalter, Medio Evo*, etc.
méd., mit.   médiéval, *mittelalterlich*, etc.
S.   siècle, *century, Jahrhundert*, etc.

Abélard (J.), 1974, « La composition des *Illustrations de Gaule* de Jean Lemaire », *L'Humanisme lyonnais au XVIᵉ s.*, Grenoble, Presses universitaires. — 1976, *Les « Illustrations de Gaule et Singularitez de Troye »* de *Jean Lemaire de Belges*, Genève, Droz.

Almansi (G.), 1974, *L'Estetica dell' osceno*, Turin, Einaudi.

Almanza (G.), 1974, « Le sermon de la Choppinerie », *Studi romanzi*, 35, p. 41-105.

Angeli (G.), 1976, « Il senso del non-senso », *Paragone*, 312, p. 35-61.

— 1977, « Le rude engin di Molinet », *Paragone*, 328, p. 21-47.

Ariès (P.), 1975, *Essais sur l'histoire de la mort en Occident*, Le Seuil.

Arrivé (M.), 1973, « Pour une théorie des textes polyisotopiques », *Langages*, 31, p. 53-63.

Asher (R.), 1969, « Myth, Legend and History in Renaissance France », *Studi francesi*, 39, p. 409-420.

Aubailly (J.-C.), 1976, *Le Monologue, le Dialogue et la Sottie*, Champion.

Bakhtine (M.), 1970 *a* (original russe de 1963), *La Poétique de Dostoïevsky*, Le Seuil. — 1970 *b* (original russe de 1965), *L'Œuvre de François Rabelais et la Culture populaire au MA et sous la Renaissance*, Gallimard.

Balmas (E.), 1975, « Cité idéale, utopie et progrès dans la pensée française de la Renaissance », *Travaux de linguistique et de littérature*, XIII, ii, p. 47-57.

Barthes (R.), 1973, *Plaisir du texte*, Le Seuil.

Battaglia (S.), 1965, *La Coscienza letteraria del ME*, Naples, Liguori.

Bayot (A.), 1908, *La Légende de Troie à la cour de Bourgogne*, Bruges, De Planke.

Beard (J.), 1969 (original de 1545), *Jean Bouchet : Épistres morales et familières* (éd.), réimp. Mouton (avec introduction critique).

Beardsley (M.), 1958, *Aesthetics*, New York, Harcourt.

Beccaria (G.), 1975, *L'Autonomia del significante*, Turin, Einaudi.

Becker (P. A.), 1967, *Zur romanischen Literaturgeschichte*, Berne, Francke. — 1970 (original de 1893), *Jean Lemaire, der erste humanistische Dichter Frankreichs*, Genève, réimp. Slatkine.

Bendinelli (M.), 1975, « Volgarizzamenti italiani della lettera di Prete Gianni », *Testi e Interpretazioni*, Milan, Riccardo Ricciardi, p. 37-64.

Bergweiler (U.), 1976, *Die Allegorie im Werk von Jean Lemaire de Belges*, Genève, Droz.

Birge-Vitz (E.), 1974, *The Crossroad of Intentions*, La Haye, Mouton.

Blanchot (M.), 1955, *L'Espace littéraire*, Gallimard.

Bossuat (R.), 1961, « Raoul de Presles et les malheurs du temps », *Studi in onore di I. Siciliano*, Florence, Olschki, I, p. 117-122.

Bowen (B.), 1964, *Les Caractéristiques essentielles de la farce française*, Urbana, University of Illinois Press. — 1974, « Le théâtre du cliché », *Cahiers de l'Association internationale des études françaises*, 26, p. 33-47.

Breisach (E.), 1973, *Renaissance Europe 1300-1517*, New York, MacMillan.

Brind'amour (L.), 1976, « Rhétorique et théâtralité : étude de quatre entrées royales françaises du xve s. », *Studi mediolatini e volgari*, xxiii, p. 9-57 et xxiv, p. 73-133.

Bruneau (Ch.), 1973 (original de 1924), *Charles d'Orléans et la Poésie aristocratique* (anthologie commentée), Genève, réimpr. Slatkine.

Bruyne (E. de), 1946, *Études d'esthétique médiévale*, tome III, Bruges, De Tempel.

Burke (P.), 1969, *The Renaissance Sense of the Past*, Londres, Arnold.

Bursill-Hall (G. L.), 1971, *Speculative Grammars of the MA*, La Haye, Mouton.

Gerhardt (M.), 1950, *Essai d'analyse littéraire de la pastorale*, Assen, Van Gorcum.

Gessler (J.), 1944, *Stromata mediae et infimae latinitatis* (anthologie), Bruxelles, Librairie encyclopédique.

Gimpel (J.), 1975, *La Révolution industrielle au MA*, Le Seuil.

Goglin (J.-L.), 1976, *Les Misérables dans l'Occident méd.*, Le Seuil.

Goulet (J.), 1975, « Un portrait des sorcières au xve s. », in G. Allard, *Aspects de la marginalité au MA*, Montréal, L'Aurore, p. 129-146.

Grant (W.), 1965, *Neo-latin Literature and the Pastoral*, Chapel-Hill, Univ. of North-Carolina Press.

Greimas (A.-J.), 1972, « Pour une théorie du discours poétique », in A.-J. Greimas, *Essais de sémiotique poétique*, Mame, p. 5-24. — 1976, *Sémiotique et sciences sociales*, Le Seuil.

Guénée (B.), 1971, *L'Occident aux XIVe et XVe s. : les États*, Albin-Michel.
— et Lehoux (F.), 1968, *Les Entrées royales françaises de 1328 à 1515* (éd.), CNRS.

Guiette (R.), 1972, *Questions de littérature* (seconde série), Gand, Presses universitaires.

Guiraud (P.), 1968, *Le Jargon de Villon ou le Gai Savoir de la Coquille*, Gallimard. — 1970, *Le Testament de Villon ou le Gai Savoir de la Basoche*, Gallimard.

Gundesheimer (W.), 1973, *Ferrara : the Style of a Renaissance Despotism*, Princeton, University Press.

Guy (H.), 1968 (original de 1910), *Histoire de la poésie française au XVIe s.*
— I. *L'École des rhétoriqueurs*, réimp. Champion.

Hamon (A.), 1970 (original de 1901), *Jean Bouchet*, Genève, réimp. Slatkine.

Hamon (P.), 1975, « Clausules », *Poétique*, 24, p. 495-526.

Heers (J.), 1970, *L'Occident aux XIVe et XVe s. : aspects économiques et sociaux*, Albin-Michel. — 1971, *Fêtes, Jeux et Joûtes dans les sociétés d'Occident à la fin du MA*, Vrin, et Institut d'études médiévales de Montréal.

Hellgardt (E.), 1973, *Zum Problem symbolbestimmter und formalästhetischer Zahlenkomposition*, Munich, Beck.

Helmich (W.), 1976, *Die Allegorie im französischen Theater des 15. und 16. Jahrhunderts*, Tubingen, Niemeyer.

Heninger (S.), 1974, *Touches of Sweet Harmony : Pythagorean Cosmology and the Renaissance Poetics*, San Marino (US), Huntingdon library.

Henry (A.), 1971, *Métonymie et métaphore*, Klincksieck.

Héron (A.), 1969 (original de 1889-1890), *Pierre Fabri : le Grand et Vrai Art de pleine rhétorique* (éd.), Genève, réimp. Slatkine, 2 volumes en un.

Heures (les) gothiques et la littérature pieuse aux XVe et XVIe s., s.d. (original de 1882), Genève, réimp. Slatkine.

Calmette (J.), 1949, *Les Grands-Ducs de Bourgogne*, Albin-Michel.

Cechetti (D.), 1966, « L'elogio delle arti liberali nel primo umanesimo francese », *Studi francesi*, 28, p. 1 *sq.*

Cerquiglini (B. et J.), 1976, « L'écriture proverbiale », *Revue des sciences humaines*, 163, p. 359-375.

Certeau (M. de), 1975, *L'Écriture de l'histoire*, Gallimard.

Cerulli (E.), 1972, *Nuove ricerche sul Libro delle Scala e la conoscenze del Islam in Occidente*, Rome, Biblioteca vaticana.

Chailley (J.), 1950, *Histoire musicale du MA*, Presses universitaires de France.

Chamard (H.), 1973 (original de 1920), *Les Origines de la poésie française de la Renaissance*, Genève, réimp. Slatkine.

Champion (P.), 1927, *Charles d'Orléans : poésies* (éd.), 2 vol., Champion.
— 1966 (original de 1923), *Histoire poétique du XVe s.*, réimp. Champion.

Chastel (A.), 1965, *Renaissance méridionale : Italie 1460-1500*, Gallimard.

Châtelain (H.), 1908, *Le Mistère de saint Quentin* (éd.), Champion.
— 1974 (original de 1907), *Recherches sur le vers français au XVe s.*, réimp. Champion.

Chaunu (P.), 1969, *L'Expansion européenne du XIIIe au XVe s.*, Albin-Michel.

Chesney (K.), 1977 (original de 1932), *Œuvres poétiques de Guillaume Cretin* (éd.), Genève, réimp. Slatkine.

Cigada (S.), 1965, « Introduzione alla poesia di Octavien de Saint-Gelays », *Aevum*, 39, p. 244-265. — 1968, « L'attività poetica e i valori poetici di Jean Marot », *Contributi dell' Istituto di filologia moderna*, 5, Milan, Vita e pensiero, p. 65-162.

Cohen (G.), 1951 (original de 1926), *Histoire de la mise en scène dans le théâtre religieux français du MA*, réédition, Champion. — 1955, « Les grands farceurs du xve s. », *Convivium*, 2, p. 16-28.

Contamine (P.), 1972, *Guerre, état et société à la fin du MA*, La Haye, Mouton.

Coquet (J.-Cl.), 1973, *Sémiotique littéraire*, Mame.

Corti (M.), 1968, « Il codice buccolico e l'*Arcadia* di Iacobo Sannazaro », *Strumenti critici*, 2, p. 141-167. — 1976, *Principi della communicazione letteraria*, Milan, Bompiani.

Cox (H.), 1971 (original anglais de 1969), *La Fête des fous*, Le Seuil.

Crombie (A.), 1959, (original anglais de 1952), *Histoire des sciences, de saint Augustin à Galilée*, Presses universitaires de France.

Curtius (E. R.), 1956 (original allemand de 1948), *La Littérature européenne et le MA latin*, Presses universitaires de France.

Dällenbach (L.), 1976, « Intertexte et autotexte », *Poétique*, 27, p. 282-296.

Deguy (M.), 1974, « Figures du rythme, rythme des figures », *Langue française*, 23, p. 24-40.

Deleuze (G.), 1969, *Logique du sens*, Minuit.

Della Terza (D.), 1971, « *Imitatio* : theory and practice », *Yearbook of Italian Studies*, 1, p. 119-141.

Demerson (G.), 1973, « La mythologie classique chez Rabelais », *Cahiers de l'Association internationale des études françaises*, 25, p. 227-245.

Di Girolamo (C.), 1973, « Teoria e prassi della versificazione », *Strumenti critici*, 21-22, p. 269-282.

Dionisotti (C.), 1968, *Gli umanisti e il volgare fra Quatro e Cinquecento*, Florence, Lemonnier.

Di Stefano (G.), 1971 *a*, « Nicolas de Gonesse et la culture italienne », *Cahiers de l'Association internationale des études françaises*, 23, p. 26-44. — 1971 *b*, « Jacques Legrand, lecteur de Boccace », *Yearbook of Italian Studies*, 1, p. 248-264.

Doutrepont (G.), 1934, *Jean Lemaire de Belges et la Renaissance*, Bruxelles, Hayez. — 1970 (original de 1909), *La Littérature française à la cour des ducs de Bourgogne*, Genève, réimp. Slatkine. — et Jodogne (O.), 1935, *Jean Molinet : Chroniques* (éd.), Bruxelles, Académie de Belgique.

Dragonetti (R.), 1960, *La Technique poétique des trouvères*, Bruges, De Tempel. — 1961 *a*, *Aux frontières du langage poétique*, Gand, Presses universitaires. — 1961 *b*, « La poésie, ceste musique naturele », *Fin du MA et Renaissance* (Mélanges R. Guiette), Anvers, Nederlandse Boekhandel.

Droz (E.) et Piaget (A.), 1924, *Le Jardin de plaisance et fleur de rhétorique* (éd.), Champion.

Dubuis (R.), 1973 *a*, *Les Cent Nouvelles nouvelles et la Tradition de la nouvelle en France au MA*, Grenoble, Presses universitaires. — 1973 *b*, *L'Abuzé en cour* (éd.), Genève, Droz.

Duby (G.), 1974, « Histoire sociale et idéologie des sociétés », *in* Le Goff J. et Nora P., *Faire de l'histoire*, Gallimard, I, p. 147-168. — et Mandrou (R.), 1958, *Histoire de la civilisation française*, tome I, A. Colin.

Dufournet (J.), 1966, *La Destruction des mythes dans les Mémoires de Commynes*, Genève, Droz. — 1975, *Études sur Philippe de Commynes*, Champion.

Dupire (N.), 1932, *Jean Molinet : la Vie, les Œuvres*, Droz. — 1936, *Les « Faictz et Dictz » de Jean Molinet* (éd.), 3 volumes à pagination continue, Picard.

Eco (U.), 1972 (original italien de 1968), *La Structure absente*, Mercure de France.

Ehrlich (A.), 1902, *Jean Marots Leben und Werke*, Leipzig, Jähnig.

Elias (N.), 1973 (original allemand de 1969), *La Civilisation* [...] Calmann-Lévy.

Elwert (W.), 1965 (original allemand de 1961), *Traité de versific[ation fran]çaise des origines à nos jours*, Klincksieck.

Espiner-Scott (J.), 1938, *Claude Fauchet, Recueil de l'origine de la [...] poésie françoise* (éd.), Droz.

Falconer (G.) et Mitterand (H.), 1975, *La Lecture socio-critique [...] romanesque*, Toronto, Hakkert.

Faral (E.), 1962 (original de 1924), *Les Arts poétiques du XIIᵉ et du X[...]* réimp. Champion.

Ferrand (F.), 1971, *Jean Parmentier : Œuvres poétiques* (éd.), Genève, [...]

Finas (L.), 1974, « Salut », *Esprit*, 441, 12, p. 871-901.

Focillon (H.), 1965, *Arts d'Occident. — II Le MA gothique*, Ar[...] Colin.

Fox (J.), 1969, *The Lyric Poetry of Charles d'Orléans*, Oxford, Claren[...]

Françon (M.), 1938, *Poèmes de transition (XVᵉ-XVIᵉ s.). Rondeau[...] manuscrit 402 de Lille*, Droz.

Frappier (J.), 1947, *Jean Lemaire de Belges : la Concorde des deux lang[...]* (éd.), Droz. — 1948, *Jean Lemaire de Belges : les Épistres de l'amant vert* (é[...] Genève, Droz. — 1950, « Sur Jean du Pont-Alais », *Mélanges d'histoire* [...] *théâtre offerts à G. Cohen*, Nizet, p. 133-146. — 1958, « La cour de Mâli[...] et Jean Lemaire de Belges », *in* G. Charlier et J. Hanse, *Histoire illustr[...] des lettres françaises de Belgique*, Bruxelles, Renaissance du Liv[...] — 1963 *a*, « L'humanisme de Jean Lemaire de Belges », *Bibliothè[...] d'Humanisme et Renaissance*, 25, p. 289-306. — 1963 *b*, « L'hum[a]nisme dans la poésie de Jean Lemaire », *Romance philology*, 17, [...] p. 272-284.

Frautschi (R.), 1962, *Pierre Gringore : les Fantasies de Mère Sotte* (éd.) Chapel-Hill, university of North-Carolina Press.

Frédérix (P.), 1966, *La Mort de Charles le Téméraire*, Gallimard.

Freeman (M.), 1975, *Guillaume Coquillart : Œuvres* (éd.), Genève, Droz.

Gagnon (Cl.), 1974 « Recherche bibliographique sur l'alchimie méd. », *Cahiers d'études médiévales*, 2, p. 155-199. — 1975, « Les alchimistes et les spéculateurs », *in* G. Allard, *Aspects de la marginalité au MA*, Montréal, L'Aurore, p. 147-156.

Gaiffe (F.), 1932, *Thomas Sebilet, Art poétique françoys* (éd.), Droz.

Gallet-Guerne (D.), 1974, *Vasque de Lucène et la Cyropédie à la cour de Bourgogne (1470)*, Genève, Droz.

Gans (E.), 1975, « Hyperbole et ironie », *Poétique*, 24, p. 488-494.

Genette (G.), 1976, *Mimologiques*, Le Seuil.

Geninasca (J.), 1972, « Découpage conventionnel et signification », *in* A.-J. Greimas, *Essais de sémiotique poétique*, Mame, p. 45-62.

Holban (M.), 1973, « Le vrai Jehan Thenaud », *L'Humanisme français au début de la Renaissance*, Vrin, p. 193-205.

Hornik (H.), 1957, *Jean Lemaire de Belges : le Temple d'Honneur et de Vertu* (éd.), Genève, Droz.

Hue (D.), 1975, *Pour une étude des « Lunettes des princes » de Jean Meschinot et de la poésie des rhétoriqueurs*, thèse ronéotée de l'université d'Aix-Marseille (en appendice, choix de ballades et autres pièces brèves du même poète).

Huizinga (J.), 1967 (original hollandais de 1919), *Le Déclin du MA*, réédition Payot.

Hulubei (A.), 1938, *L'Églogue en France au XVIᵉ s.*, Droz.

Iansen (S. A. P.), 1971, *Verkenningen in Matthijs Casteleyns Const van Rhetoriken*, Assen, Van Gorcum.

Ineichen (G.), 1973, « Das Verhältnis Dantes zur Sprache », *Deutsches Dante Jahrbuch*, 48, p. 63-78.

Jacob (P. L.), 1858, *Vaux-de-Vire d'Olivier Basselin et Jean Le Houx* (éd.), Delahays.

Jaffré (J.), 1974, « Prosodie et signification », *Langue française*, 23, p. 119-127.

Jameson (F.), 1972, *The Prison-House of Language*, Princeton, University Press.

Jauss (H. R.), 1960, « Form und Auffassung der Allegorie in der Tradition der *Psychomachia* », *Medium aevum vivum* (Mélanges W. Bulst), Heidelberg, C. Winter, p. 179-206. — 1973, *Literaturgeschichte als Provokation*, Francfort, Suhrkamp.

Jenny (L.), 1976, « La stratégie de la forme », *Poétique*, 27, p. 257-281.

Jodogne (O.), 1961, « La ballade dialoguée dans la littérature française méd. », *Fin du MA et Renaissance* (Mélanges R. Guiette), Anvers, Nederlandse Boekhandel, p. 71-85.

Jodogne (P.), 1966, « Structure et technique descriptive dans le *Temple d'Honneur et de Vertu* de Jean Lemaire de Belges », *Studi francesi*, 29, p. 269-278. — 1971 *a*, « Les rhétoriqueurs et l'humanisme », *in* A. H. Levy, *Humanism in France*, Manchester, University Press, p. 150-175. — 1971 *b*, « L'orientation culturelle de Jean Lemaire de Belges », *Cahiers de l'Association internationale des études françaises*, 23, p. 85-103. — 1972 *a*, *Jean Lemaire de Belges, écrivain franco-bourguignon*, Bruxelles, Académie. — 1972 *b*, articles « Champier », « Humanisme », « Lemaire », « Marot », « Molinet » et « Rhétoriqueurs », *Dizionario critico della letteratura francese*, Turin, Unione tipografica.

Joukovsky (F.), 1969, *La Gloire dans la poésie française et néo-latine du XVIᵉ s.*, Genève, Droz.

Jourda (P.), 1950, *Marot : l'homme et l'œuvre*, Boivin.

Journal d'un bourgeois de Paris sous François Ier (éd.), 1963, UGE 10/18, n° 69.

Jung (C. G.), 1942, *Paracelsica*, Zurich, Rascher.

Jung (M. R.), 1966, *Hercule dans la littérature française du XVIe s.*, Genève, Droz. — 1971 a, *Études sur le poème allégorique en France au MA*, Berne, Francke. — 1971 b, « Poetria : zur Dichtungstheorie des ausgehenden MA's in Frankreich », *Vox romanica*, 30, 1, p. 44-64.

Kaiser-Guyot (M.-T.), 1974, *Le Berger en France aux XIVe et XVe s.*, Klincksieck.

Kelly (D.), 1974. « Matière et *genera dicendi* in med. literature », *Yale French Studies*, 51, p. 147-159.

Kämper (D.), 1971, « Fortunae rota volvitur », *in* A. Zimmermann, *Der Begriff der Repraesentatio im MA*, Berlin, De Gruyter, p. 357-374.

Kerdaniel (E. de), 1919, *Un rhétoriqueur : André de La Vigne*, Champion.

Kibedi-Varga (A.), 1976, « L'invention de la fable », *Poétique*, 25, p. 106-115.

Knigth (A. E.), 1972, « The Farce Wife : myth, parody and caricature », *in* N. Lacy, *A med. French miscellany*, Lawrence, University of Kansas, p. 15-25. — 1976, « The farce lover », *L'Esprit créateur*, 16, 1, p. 61-67.

Konigson (E.), 1975, *L'espace théatral méd.*, CNRS.

Könneker (B.), 1966, *Wesen und Wandlung der Narrenidee im Zeitalter des Humanismus*, Wiesbaden, Steiner.

Kristeller (P. O.), 1974, *Med. Aspects of Renaissance Learning*, Durham (US), Duke University Press. — 1975, *Huit philosophes de la Renaissance italienne*, Genève, Droz.

Kristeva (J.), 1969, *Séméiotikè, recherches pour une sémanalyse*, Le Seuil. — 1974, *La Révolution du langage poétique*, Le Seuil. — 1975, *La Traversée des signes*, Le Seuil.

Kuentz (P.), 1970, « La rhétorique ou la mise à l'écart », *Communications*, 16, p. 143-157.

Labande-Mailfert (Y.), 1975, *Charles VIII et son milieu*, Klincksieck.

Landfester (R.), 1972, *Historia magistra vitae*, Genève, Droz.

Langlois (E.), 1974 (original de 1902), *Recueil d'arts de seconde rhétorique* (éd.), Genève, réimp. Slatkine.

Lausberg (H.), 1960, *Handbuch der literarischen Rhetorik*, Munich, Max Hueber.

Lawler (T.), 1974, *The Parisiana poetria of John of Garland* (éd.), New Haven, Yale University Press.

Lebègue (R.), 1958, « Rabelais et les grands rhétoriqueurs », *Lettres romanes*, 12, 1, p. 5-18

Lecerf (Y.), 1974, « Des poèmes cachés dans des poèmes », *Poétique*, 18, p. 137-159.

Le Goff (J.), 1962, *Les Intellectuels au MA*, Le Seuil. — 1964, *La Civilisation de l'Occident méd.*, Arthaud.

— et Nora (P.), 1974, *Faire de l'histoire*, 3 vol., Gallimard (articles de Certeau, Dupront, Le Goff, Le Roy-Ladurie, Nora et Veyne).

Lehmann (P.), 1963, *Die Parodie im MA*, réédition Stuttgardt, Hiersemann.

Lejeune (R.), 1961, « Pour quel public la farce de Maistre Pierre Pathelin a-t-elle été rédigée ? », *Romania*, 82, p. 482-521.

Lenglet du Fresnoy (N.), 1731, *Poésies de Jean Marot*, tome V des *Œuvres de Clément Marot*, La Haye, Gosse-Neaulme.

Liborio (M.), 1960, « Contributi alla storia del *Ubi sunt* », *Cultura neolatina*, 20, p. 141-209.

Löpelmann (M.), 1923, *Die Liederhandschrift des Cardinals de Rohan* (éd.), Göttingen, Gesellschaft für romanische Literatur.

Lotman (I.), 1973 (original russe de 1970), *La Structure du texte artistique*, Gallimard.

Macherey (P.), 1974, *Pour une théorie de la production littéraire*, Maspero.

MacNeil (D. O.), 1975, *Guillaume Budé and Humanism in the Reign of Francis Ist*, Genève, Droz.

Mallary-Masters (G.), 1973, *Jehan Thenaud : la Lignée de Saturne* (éd.), Genève, Droz.

Mandrou (R.), 1973, *Des humanistes aux hommes de science*, Le Seuil.

Mann (N.), 1971, « Humanisme et patriotisme en France au XVe s. », *Cahiers de l'Association internationale des études françaises*, 23, p. 51-66.

Manselli (R.), 1975, *La Religion populaire au MA*, Vrin et Institut d'études médiévales de Montréal.

Marcel (R.), 1973, « La fortune d'Hermès Trismégiste à la Renaissance », *L'Humanisme en France au début de la Renaissance*, Vrin, p. 137-154.

Marghescou (M.), 1974, *Le Concept de littérarité*, Mouton.

Marin (L.), 1973, *Utopiques : jeux d'espace*, Minuit. — 1975, *La Critique du discours*, Minuit.

Martineau-Genieys (Ch.), 1972 *a*, « *Les Lunettes des princes* » de Jean Meschinot (éd.), Genève, Droz. — 1972 *b*, « Un apport au réalisme de Rabelais », *Réseaux*, 18-19, p. 59-76.

Maurin (M.), 1959, « La poétique de Georges Chastellain et la grande rhétorique », *Publications of the Modern Languages Association*, 74, 4, p. 482 *sq.*

McClelland (J.), 1973, « La poésie à l'époque de l'humanisme : Molinet, Lemaire de Belges et Marot », *L'Humanisme français au début de la Renaissance*, Vrin, p. 313-327.

Mengaldo (P.), 1968, *Dante Alighieri : De vulgari eloquentia* (éd.), Padoue, Antenore.

Meschonnic (H.), 1974, « Fragments d'une critique du rythme », *Langue française*, 23, p. 5-23. — 1975, *Le Signe et le Poème*, Gallimard.

Mesnil (M.), 1974, *Trois essais sur la fête*, Bruxelles, Presses de l'université.

Molinier (H.), 1972 (original de 1910), *Essai biographique et littéraire sur Octavien de Saint-Gelays*, Genève, réimp. Slatkine.

Mollat (M.), 1952, *Le Commerce maritime normand à la fin du MA*, Plon.

Morawski (J.), 1925, *Proverbes français antérieurs au XVe s.* (éd.), Champion.

Munn (K. M.), 1975 (original de 1936), *A Contribution to the Study of Jean Lemaire de Belges*, Genève, réimp. Slatkine.

Murphy (J.), 1971, *Medieval rhetoric : a Select Bibliography*, Toronto, University Press.

Murray (H.), 1969, *A History of Chess*, réédition Oxford, University Press.

Murrin (M.), 1969, *The Veil of Allegory*, Chicago, University Press.

Mururasu (D.), 1928, *La Poésie néo-latine et la Renaissance des lettres antiques en France*, Melun, d'Argences.

Nelson (I.), 1976, *La Sottie sans souci*, à paraître Champion (consulté sur manuscrit).

Norton (G.), 1974, « The horatian grotesque in Renaissance France », *Romanic Review*, 65, p. 157-174.

Nyéki (L.), 1973, « Le rythme linguistique », *Langue française*, 19, p. 120-142.

Ollier (M.-L.), 1976, « Proverbe et diction sentencieuse », *Revue des sciences humaines*, 163, p. 329-357.

Olson (G.), 1973, « Deschamps's *Art de dictier* and Chaucer's literary environment » *Speculum*, 48, 4, p. 714-723.

Ornato (E.), 1969, *Jean Muret et ses amis*, Genève, Droz.

Osgood (Ch.), 1956, *Boccacio on poetry*, New York, Bobbs-Merrill.

Oulmont (Ch.), 1911, *Pierre Gringore*, Champion.

Ouy (G.), 1970, « Paris : l'un des principaux foyers de l'humanisme en Europe au début du XVe s. », *Bulletin de la Société d'histoire de Paris*, p. 71-98. — 1971, « Le thème du *taedium scriptorum gentilicium* chez les humanistes », *Cahiers de l'Association internationale des études françaises*, 23, p. 9-26. — 1973, « L'humanisme et les mutations politiques et sociales en France aux XIVe et XVe s. », *L'Humanisme en France au début de la Renaissance*, Vrin, p. 27-44.

Panzer (F.), 1950, *Vom mit. Zitieren*, Heidelberg, C. Winter.

Paris (J.), 1975 *a*, *Univers parallèles — I. Théâtre*, Le Seuil. — 1975 *b*, *Univers parallèles. — II. Le point aveugle*, Le Seuil. — 1975 *c*, « Introduction à la critique générative », *in* J.-P. Faye et J. Roubaud, *Change de forme*, UGE 10-18, n° 976, p. 158-177.

Pasero (N.), 1965, « Sulle fonti del libro primo delle *Leys d'amors* », *Studi romanzi*, 34, p. 123-158.

Pearsall (D.) et Salter (E.), 1973, *Landscapes and Seasons of the med. World*, Londres, P. Elek.

Pépin (J.), 1970, *Dante et la tradition de l'allégorie*, Vrin et Institut d'études médiévales de Montréal.

Perrone-Moysés (L.), 1976, « L'intertextualité critique », *Poétique*, 27, p. 372-384.

Petersen (H.), 1927, *Destrées, frère chartreux et poète du temps de Marguerite d'Autriche* (éd.), Helsinki, Centraltryckeri.

Piehler (P.), 1971, *The Visionnary Landscape*, Montréal, McGill University Press.

Poirion (D.), 1965, *Le Poète et le Prince*, Presses universitaires de France.
— 1971, « L'allégorie dans le *Livre du Cuer d'Amours espris* de René d'Anjou », *Travaux de linguistique et de littérature*, 9, 2, p. 51-64.

Pollina (V.-J.), 1973, *Structure et anti-structure dans l'œuvre obscène de Jean Molinet* (mémoire dactylographié, New York University).

Porter (L.), 1959, « La farce et la sotie », *Zeitschrift für romanische Philologie*, 75, p. 89-123.

Posadowski-Wehner (K.), 1937, *Jean Parmentier, Leben und Werk*, Munich, Max Hueber.

Quitslund (J. A.), 1973, « Spenser's *Amoretti* and platonic commentaries on Petrarch », *Journal of the Warburg and Courtauld Institute*, 36, p. 256-276.

Rapp (F.), 1971, *L'Église et la Vie religieuse en Occident à la fin du MA*, Albin-Michel.

Rasmussen (J.), 1958, *La Prose narrative du XVᵉ s.*, Copenhague, Munksgaard.

Rastier (F.), 1972, « Systématique des isotopies », *in* A.-J. Greimas, *Essais de sémiotique poétique*, Mame, p. 80-106.

Raynaud de Lage (G.), 1976, *Les Premiers Romans français*, Genève, Droz.

Reiss (T.), 1973, « Classicism : the individual and economic exchange », *L'Esprit créateur*, 13, p. 204-219.

Rey-Flaud (H.), 1973, *Le Cercle magique : Essai sur le théâtre en rond à la fin du MA*, Gallimard.

Ricœur (P.), 1975, *La Métaphore vive*, Le Seuil.

Riffaterre (M.), 1971, « Modèles de la phrase littéraire », *in* P. Léon, *Problèmes de l'analyse textuelle*, Montréal, Didier, p. 133-151. — 1974, « The poetic function of intertextual humor », *Romanic Review*, 65, p. 278-293.

Rigolot (F.), 1973, « Jean Lemaire de Belges : concorde ou discorde des deux langages? », *Journal of Med. and Renaissance Studies*, 3, 2, p. 165-175.
— 1974, « Poétique et onomastique », *Poétique*, 18, p. 194-203. — 1976 *a*,

« Rhétorique du nom poétique », *Poétique*, 28, p. 466-483. — 1976 *b*, *Poétique et onomastique*, Genève, Droz.

Rizzo (S.), 1973, *Il lessico filologico degli umanisti*, Rome, Edizioni di storia e letteratura.

Ropars-Willeumier (M.-C.), 1974, « Lire l'écriture », *Esprit*, 441, 12, p. 800-833.

Roger (J.), 1973, « L'humanisme médical de Symphorien Champier », *L'Humanisme en France au début de la Renaissance*, Vrin, p. 261-272.

Rosenfeld (M.), 1971, « Les origines de l'hôtel français de la Renaissance », *Cahiers de l'Association internationale des études françaises*, 23, p. 45-50.

Roy (B.), 1977, *Devinettes françaises du MA*, Vrin et Montréal, Bellarmin.

Ruggieri (R.), 1965, « Simbiosi latino-volgare come causa di crisi », *Actes du Xᵉ congrès de linguistique et philologie romanes*, Klincksieck, I, p. 301-315.

Rychner (J.) et Henry (A.), 1974, *Le Testament Villon* (éd.), Genève, Droz.

Saulnier (V.-L.), 1964, article « Rhétoriqueurs », *Dictionnaire des lettres françaises—I. MA*, Fayard. — 1973, « L'humanisme français aux premiers temps du livre », *L'Humanisme français au début de la Renaissance*, Vrin, p. 9-26.

Shapiro (Meyer), 1973, *Words and pictures*, La Haye, Mouton.

Shapiro (Michaël), 1974, « Sémiotique de la rime », *Poétique*, 20, p. 501-519.

Schiaffini (A.), 1969, *Mercanti, poeti, un maestro*, Milan, Riccardo Ricciardi.

Schmidt (A.-M.), 1953, *Poètes du XVIᵉ s.* (anthologie), Gallimard (« Pléiade »). — 1963, « L'âge des rhétoriqueurs, » *Encyclopédie de la Pléiade. Histoire des littératures*, III, p. 175-190.

Schwob (M.), 1969 (original de 1905), *Le Parnasse satirique du XVᵉ s.* (anthologie), Genève, réimp. Slatkine.

Scoumanne (A.), 1959, *Henri Bande, Dictz moraulx pour faire tapisserie*, Genève, Droz.

Segre (C.), 1974, *Le Strutture e il tempo*, Turin, Einaudi.

Simon (A.), 1976, *Les Signes et les Songes*, Le Seuil.

Simone (F.), 1967, *Miscellanea di studi e ricerche sul quattrocento francese*, Turin, Giapichelli. — 1968, *Umanesimo, Rinascimento, Barocco in Francia*, Milan, Mursia.

Sirais (N.), 1975, « The music of pulse in the writings of Italian academic physicians, 14th and 15th century », *Speculum*, 50, 4, p. 689-710.

Spaak (P.), 1975 (original de 1926), *Jean Lemaire de Belges*, Genève, réimp. Slatkine.

Sperber (D.), 1975, « Rudiments de rhétorique cognitive », *Poétique*, 23, p. 389-415.

Stecher (J.), 1969 (original de 1882-1885), *Œuvres de Jean Lemaire de Belges* (éd.), 4 vol., Genève, réimp. Slatkine.

Stegagno-Picchio (L.), 1974, « Ars combinatoria e algebra delle proposizioni in una lirica di Camoes », *Studi romanzi*, 35, p. 5-45.

Stegmann (A.), 1975, « L'Extrême-Orient dans la littérature française : 1480-1650 », *Cahiers de l'Association internationale des études françaises*, 27, p. 41-63.

Struever (N.), 1970, *The Language of History in the Renaissance*, Princeton, University Press.

Suchier (W.), 1952, *Französische Verslehre auf historischer Grundlage*, Tubingen, Niemeyer.

Suchomski (J.), 1975, *Delectatio und Utilitas*, Berne, Francke.

Tervarent (G. de), 1958, *Attributs et symboles dans l'art profane : 1450-1600*, Genève, Droz.

Theureau (L.), 1970 (original de 1873), *Étude sur la vie et les œuvres de Jean Marot*, Genève, réimp. Slatkine.

Thibaut (F.), 1970 (original de 1888), *Marguerite d'Autriche et Jean Lemaire de Belges*, Genève, réimp. Slatkine.

Thiry (Cl.), 1972, « Les poèmes de langue française relatifs aux sacs de Dinan et de Liège », *Actes du colloque : Liège et la Bourgogne*, Liège, Université, p. 101-127.

Thuasne (L.), 1967 (original de 1923), *François Villon : Œuvres* (éd.), 3 vol., Genève, réimp. Slatkine.

Todorov (T.), 1976, « Théories de la poésie », *Poétique*, 28, p. 385-389.

Tournoy-Thoen (G.), 1973, « Fausto Andrelini et la cour de France », *L'Humanisme en France au début de la Renaissance*, Vrin, p. 65-79.

Trisolini (G.), 1974, *Jehan Marot : le Voyage de Gênes* (éd.), Genève, Droz.

Urwin (K.), 1958, *Le Lyon couronné* (éd.), Genève, Droz.

Vasoli (G.), 1968, *La Dialettica e la rettorica dell'umanesimo*, Milan, Feltrinelli.

Wallis (M.), 1973, « Inscriptions in painting », *Semiotica*, 9, p. 1-28.

Warning (R.), 1975, *Rezeptionsästhetik*, Munich, W. Fink.

Weinrich (H.), 1975, *Positionen der Negativität*, Munich, W. Fink.

White (L.), 1972, « The flavour of early Renaissance technology », *in* B. Levy, *Developments in Early Renaissance*, Albany, State University of New York Press, p. 36-57.

Wolf (R.), 1939, *Der Stil der Rhetoriqueurs*, Giessen, Romanisches Seminar.

Yates (F. A.), 1957, « Elizabethan chivalry : the romance of the accession day tilts », *Journal of the Warburg and Courtauld Institute*, 20, p. 4-25. — 1966, *The Art of Memory*, Londres, Routledge and Kegan.

Zieleger (W.), 1973, *Möglichkeiten der Kritik an Hexen- und Zauberwesen im ausgehenden MA*, Vienne, Böhlau.

Zink (M.), 1976, *La Prédication en langue romane*, Champion.

Zschalig (H.), 1971 (original de 1884), *Die Verslehre von Fabri, Du Pont und Thomas Sebilet*, Genève, réimp. Slatkine.

Zsuppan (M.), 1970, *Jean Robertet : Œuvres* (éd.), Genève, Droz.

Zumthor (P.), 1970, « De la circularité du chant », *Poétique*, 2, p. 129-140. — 1972 *a*, *Essai de poétique médiévale*, Le Seuil. — 1972 *b*, « Rhétorique et poétique latines et romanes », *Grundriss der romanischen Literaturen des MA*, Heidelberg, C. Winter, I, p. 57-91. — 1973 (original de 1954), *Histoire littéraire de la France méd.*, Genève, réimp. Slatkine. — 1974 *a*, « Les grands rhétoriqueurs et le vers », *Langue française*, 23, p. 88-98. — 1974 *b*, « Registres linguistiques et poésie aux XIIe-XIIIe s. », *Cultura neolatina*, 34, p. 151-161. — 1975, *Langue, texte, énigme*, Le Seuil. — 1976, « L'épiphonème proverbial », *Revue des sciences humaines*, 163, p. 313-328.

Table

IMPRIMERIE MAME À TOURS
D.L. 1er TRIM. 1978 No 4786 (6856)

DANS LA MÊME COLLECTION